Collection
« LE CORPS À VIVRE »
dirigée par
le Dr Jacques DONNARS

Alexander Lowen

# Le Corps bafoué

*Traduit de l'américain*
*par Michèle Fructus*

FRANCE-AMÉRIQUE

Édité et distribué par :
France-Amérique
170 Benjamin Hudon
Montréal, Québec H4N 1H8
Tél. : (514) 331-8507

Cet ouvrage a été publié pour la première fois aux États-Unis
par MacMillan Publishing Co., Inc., sous le titre
THE BETRAYAL OF THE BODY



ISBN 2-89001-240-9

*A mes patients*

*Le courage qu'ils manifestent*
*en affrontant leur terreur et leur désespoir*
*m'a inspiré ces pages.*

*Remerciements*

*Mme Adèle Lewis, secrétaire à l'Institute for Bio-Energetic Analysis, a dépensé sans compter son temps et son énergie à la préparation de ce livre — édition, critiques et suggestions. Je lui suis profondément reconnaissant de ses inlassables efforts. Le Dr John C. Pierrakos a eu la patience de lire plusieurs épreuves de cet ouvrage et de les critiquer. Mr. Walter Skalecki en a préparé les dessins et les diagrammes. Les conseils et l'assistance de Mr. Carl Morse, éditeur principal de la Macmillan Company, m'ont beaucoup aidé. Je souhaite leur exprimer ma gratitude, ainsi qu'à tous ceux qui ont montré un intérêt sincère pour mes idées et mes travaux.*

# 1

# Le problème d'identité

NORMALEMENT, l'on ne se pose pas la question : *Qui suis-je ?* On considère sa propre identité comme un fait établi. Tout un chacun a dans son portefeuille des papiers servant à l'identifier. Consciemment, il sait qui il est. Un problème d'identité se cache cependant sous cette apparence. Plus ou moins consciemment, l'insatisfaction le perturbe, il est mal à l'aise quand il doit prendre des décisions, et il est tourmenté par l'impression que « quelque chose lui échappe » dans la vie. Il est en conflit avec lui-même et peu sûr de ses sentiments ; son insécurité reflète son problème d'identité. Quand l'insatisfaction devient du désespoir et que l'insécurité en arrive à la panique, l'on peut se poser la question : *Qui suis-je ?* Cette question indique que la façade à travers laquelle on perçoit son identité est en train de s'écrouler. Utiliser une façade, ou adopter un rôle comme moyen de parvenir à l'identité, dénote une scission entre le moi et le corps. Je définis cette scission sous le nom de trouble schizoïde ; elle sous-tend chaque problème d'identité.

Par exemple, un artiste célèbre vint me consulter. Il me dit : « Je suis dérouté et désespéré. Je ne sais pas qui je suis. Je me promène dans les rues en me posant la question : " Qui es-tu ? " »

Il eût été dénué de sens de lui répondre : « Vous êtes le peintre bien connu dont on expose les œuvres dans de nombreux musées. Cela, il le savait. Ce dont il se plaignait, c'était d'une perte de la perception de soi, de la perte de contact avec quelque élément essentiel de l'existence qui lui donne sa signification. Cet élément manquant, c'était l'identification avec son corps, base sur laquelle se bâtit une vie personnelle.

Mon patient prit pleinement conscience de cet élément manquant au cours d'une expérience dramatique.

« L'autre jour, me raconta-t-il, je me suis regardé dans la glace, et j'ai pris peur quand j'ai réalisé que c'était moi. J'ai pensé : voilà ce que voient les autres quand ils me regardent.

« L'image était celle d'un étranger. Mon visage et mon corps semblaient ne pas m'appartenir... Je me sentais très irréel. »

Cette expérience, où l'on constate une perte de la perception du corps et les sensations concomitantes d'étrangeté et d'irréalité, est connue sous le nom de dépersonnalisation. Elle dénote une rupture avec la réalité, et se produit aux premiers stades d'un épisode psychotique. Si elle se prolonge, l'on perd non seulement la perception de son identité, mais aussi la connaissance consciente de celle-ci. Heureusement, cet épisode fut bref chez mon patient. Il fut capable de rétablir un certain contact avec son corps, de sorte que l'impression d'irréalité disparut. Cependant, son identification avec son corps restait faible et le problème de son identité demeurait.

La perception de l'identité naît d'une impression de contact avec son corps. Pour savoir qui l'on est, l'on doit être conscient de ce que l'on sent. On devrait connaître l'expression de son visage, sa façon de se tenir, et la manière dont on bouge. Sans cette conscience des sensations et des attitudes de son corps, l'on se scinde en un esprit désincarné et un corps désenchanté. Je reviens au cas de l'artiste.

Pendant qu'il était assis en face de moi, j'observais son visage tiré, son regard vide, ses mâchoires fortement contractées et son corps figé. Je pouvais percevoir sa peur et sa panique dans son immobilité et sa respiration superficielle. Mais lui n'était pas conscient de l'aspect hâve de son visage, du vide de son regard, de la contraction de ses mâchoires, ni de la raideur de son corps. Il n'était pas conscient de sa peur, ni de sa panique. Ne vivant pas dans l'intimité de son corps, il ne percevait que son désarroi et son désespoir.

La perte complète du contact avec son corps caractérise le stade de la schizophrénie. De façon générale, le schizophrène ne sait pas qui il est, et il a si peu de liens avec la réalité qu'il ne peut même pas formuler cette question. En revanche, le schizoïde sait qu'il a un corps, et il est par conséquent orienté dans le temps et dans l'espace. Mais comme son moi ne s'identifie pas avec son corps et ne le perçoit pas de façon vivante, il a l'impression de manquer de relations avec le monde et avec autrui.

De la même façon, sa connaissance consciente de son identité n'est pas liée à la manière dont il perçoit sa propre personne. Ce conflit n'existe pas chez une personne saine dont le moi s'identifie avec son corps, et chez qui la connaissance de son identité naît de la perception qu'elle a de son corps.

Dans notre civilisation, la plupart des individus souffrent d'une confusion d'identité. Beaucoup luttent contre une impression diffuse d'irréalité au sujet d'eux-mêmes et de leur existence. Ils se désespèrent lorsque l'image du moi qu'ils ont élaborée s'avère vide et sans signification. Ils se sentent menacés et se mettent en colère lorsqu'on remet en question le rôle qu'ils ont adopté dans l'existence. Tôt ou tard, une identité basée sur une image de soi et l'adoption de rôles cesse de procurer la moindre satisfaction. Déprimés et découragés, ils consultent un psychiatre. Comme Rollo May le souligne, il s'agit du trouble schizoïde.

« Beaucoup de psychothérapeutes, dit-il, ont fait remarquer que de plus en plus de patients présentent des traits schizoïdes, et le type le plus répandu de trouble psychique à l'heure actuelle n'est plus l'hystérie, comme c'était le cas à l'époque de Freud, mais le caractère schizoïde — c'est-à-dire des individus indifférents, qui établissent peu de liens, qui sont dépourvus d'affectivité, qui tendent à la dépersonnalisation, et qui dissimulent leurs problèmes sous des intellectualisations et des formulations techniques...

« De nombreux signes montrent également que, de nos jours, de nombreux individus normaux souffrent d'une impression de solitude et d'aliénation, et non plus seulement les individus à l'état pathologique caractérisé [1]. »

L'aliénation des hommes dans le monde moderne — l'éloignement de l'homme de son travail, de son semblable et de lui-même — a été décrite par de nombreux auteurs. C'est le thème central des œuvres d'Erich Fromm. Quelqu'un d'aliéné aime de façon romanesque, sa sexualité est compulsive, il travaille mécaniquement et ses réalisations sont égocentriques. Dans une société aliénée, les activités perdent de leur signification personnelle. Cette perte est remplacée par une image.

## *Image contre réalité*

Le trouble schizoïde entraîne une dissociation entre l'image et la réalité. Le terme « image » se réfère aux symboles et aux créations mentales en les opposant à la réalité de l'expérience physique. Ceci ne signifie pas que l'image n'est pas réelle, mais que son degré de réalité est autre que celui des phénomènes corporels. Une image tire sa réalité de son association à l'émotion ou à la sensation. Lorsque cette association est rompue, l'image devient abstraite. C'est chez les schizophrènes hallucinés que l'on remarque le plus clairement le désaccord entre l'image et la réalité. Un exemple classique est celui du dément qui imagine qu'il est Jésus-Christ ou Napoléon. Par ailleurs, le terme « santé mentale » se réfère à l'état où l'image et la réalité coïncident. Un être sain a une image de soi en accord avec les perceptions de son corps.

Dans le domaine social, l'image a des aspects positifs comme des aspects négatifs. Il ne serait pas possible de remédier à grande échelle à la souffrance et au malheur si l'on n'utilisait pas une image permettant de mobiliser une réponse de masse. Tout effort humanitaire atteint son but grâce à l'emploi d'une image émouvante. Mais on peut utiliser l'image pour provoquer la haine et la destruction. Si l'on érige un agent de police en symbole d'autorité répressive, il devient un objet de méfiance et de haine. Quand la Chine Rouge dépeignait l'Américain comme un diabolique exploiteur du peuple, il devenait le monstre à détruire. Cet usage de l'image sert à abolir la dimension humaine de la personne. Elle réduit l'homme à une abstraction. Il devient facile de tuer un être humain si on ne le représente que comme une image.

Si l'image est dangereuse au niveau social, où sa fonction est ouvertement admise, ses effets sont désastreux dans les relations personnelles où son action est insidieuse. On le constate au niveau de la famille, lorsque le père essaie d'accomplir son image de la paternité en opposition aux besoins de ses enfants. De même qu'il ne se voit que dans le cadre de son image, il ne voit son enfant que comme une image et non comme un être humain ayant ses propres désirs et ses propres sentiments. Dans une telle situation, l'éducation se transforme en tentative d'ajustement de l'enfant à une image qui est fréquemment une projection de l'image-de-soi inconsciente du père. Un enfant contraint à se conformer à l'image inconsciente de l'un des parents perd la perception de soi, la perception de son identité et son contact avec la réalité.

C'est dans la situation familiale qu'il perd la perception de son identité. Celui qui a été élevé selon des modèles qui se fondent sur les images du succès, de la popularité, du *sex-appeal*, d'affectation culturelle et sociale, de statut, d'abnégation, etc., voit les autres comme des images au lieu de les considérer comme des personnes. Comme il est entouré d'images, il a l'impression d'être isolé. Comme il réagit envers des images, il a l'impression de ne pas établir de relations. Comme il essaie de réaliser sa propre image, il se sent frustré et dépourvu de satisfaction émotionnelle. L'image constitue une abstraction, un idéal, et une idole qui exige le sacrifice de la perception personnelle. L'image est une conception mentale qui, superposée à l'être physique, ramène l'existence du corps à un rôle subsidiaire. Le corps devient un instrument de la volonté, mis au service de l'image. L'individu s'aliène de la réalité de son corps. Des individus aliénés engendrent une société aliénée.

## *La réalité et le corps*

Nous ne vivons la réalité du monde que par l'intermédiaire de notre corps. Nous recevons des impressions de l'environnement externe parce qu'il empiète sur notre corps et affecte nos sens. A notre tour, nous répondons à cette stimulation en agissant sur l'environnement. Quand le corps est relativement dépourvu de vitalité, les impressions reçues et les réactions diminuent. Plus le corps a de vitalité, plus il perçoit la réalité avec acuité, et plus il y réagit vivement. Nous savons tous par expérience que si nous nous sentons en forme et plein d'entrain, nous percevons le monde de façon plus vive. En période de dépression, le monde nous semble dépourvu de couleurs.

La vitalité du corps dénote son aptitude à ressentir. En l'absence de sensations, l'aptitude du corps à recevoir des impressions ou à réagir envers des situations « s'étouffe ». Celui qui « s'étouffe » émotionnellement se tourne vers l'intérieur : les pensées et les rêveries remplacent alors la perception et l'action, l'image compense la perte de la réalité. Une activité mentale exagérée se substitue au contact avec le monde réel et peut produire une fausse impression de vitalité. Mais, en dépit de cette activité mentale, l'étouffement émotionnel se manifeste physiquement. Nous constatons que le corps paraît « étouffé » ou peu vivant.

Trop accentuer le rôle de l'image nous aveugle quant à la réalité des sensations et de l'existence du corps. C'est le corps qui languit d'amour, se fige de peur, tremble de colère, et recherche la chaleur et le contact. Indépendamment du corps, ces mots sont des images poétiques. Expérimentés par le corps, ils ont une réalité qui donne sa signification à l'existence. L'identité a une substance et une structure si elle se fonde sur la réalité de la sensation physique. Abstraite de cette réalité, l'identité n'est qu'un artefact social, un squelette sans chair.

De nombreuses expériences ont montré que lorsque l'interaction entre le corps et l'environnement est fortement réduite, on perd sa perception de la réalité [2]. Si l'on est privé assez longtemps de stimulation sensorielle, l'on se met à délirer. Il en est de même lorsque l'activité motrice est sévèrement restreinte. Dans ces deux situations, le petit nombre de sensations éprouvées, qui est dû à l'absence de stimulation externe ou d'activité motrice interne, affaiblit la perception que l'on a de son corps. Lorsqu'on perd le contact avec son corps, la réalité s'évanouit.

La vitalité d'un corps est fonction de son métabolisme et de sa motilité. Le métabolisme procure l'énergie qui aboutit au mouvement. Bien entendu, lorsque le métabolisme se réduit, la motilité diminue et, réciproquement, toute diminution de la motilité du corps affecte le métabolisme puisque la motilité a un effet direct sur la respiration. En règle générale, plus on bouge, plus on respire. Quand la motilité diminue, l'apport d'oxygène se réduit et les combustions métaboliques se font plus lentement. Un corps actif doit ce caractère à sa spontanéité et à sa respiration calme et complète. On montrera dans un chapitre ultérieur que la respiration et la motilité sont fortement réduites chez le schizoïde. Son corps ne peut donc lui fournir que peu d'énergie.

La connexion intime qu'il y a entre respirer, bouger et sentir est connue de l'enfant, mais l'adulte l'ignore en général. Les enfants savent que retenir la respiration supprime les sensations et les impressions désagréables. Ils rentrent le ventre et immobilisent le diaphragme pour diminuer l'anxiété. Ils restent immobiles pour éviter de se sentir effrayés. Ils « étouffent » leurs corps pour ne pas sentir la douleur. En d'autres termes, quand la réalité devient insupportable, l'enfant se retire dans un monde *d'images*, où son moi compense la perte de sensibilité de son corps par une vie imaginaire plus active. Mais l'adulte, dont la conduite est gouvernée par l'image, a refoulé le souvenir des expériences qui l'ont obligé à « étouffer » son corps et à abandonner la réalité.

Normalement, l'image est un reflet de la réalité, une construction mentale qui permet d'orienter ses mouvements vers l'efficacité de l'action. En d'autres termes, l'image reflète le corps. Cependant, quand le corps est inactif, l'image devient un substitut du corps, et son importance augmente à mesure que la conscience que l'on a de son corps s'affaiblit. *The secret life of Walter Mitty* est une description littéraire vivante de la manière dont les images peuvent compenser la passivité d'un individu.

L'élaboration des images est une fonction du Moi. Le Moi, comme l'a dit Sigmund Freud, est d'abord et avant tout un Moi physique. Mais, à mesure qu'il se développe, il devient antithétique au corps — c'est-à-dire qu'il élabore des valeurs qui s'opposent en apparence à celles du corps. Au niveau de son corps l'homme est un animal, centré sur lui-même et orienté vers le plaisir et la satisfaction de ses besoins. Au niveau de son Moi, l'homme est un être rationnel et créatif, une créature sociale dont les activités s'orientent vers l'obtention de pouvoir et la transformation de l'environnement. Normalement, le Moi et le corps constituent une étroite équipe de travail. Chez un être sain, le Moi agit afin de seconder le principe de plaisir du corps. Chez un être émotionnellement perturbé, il domine le corps et affirme que ses valeurs sont supérieures. Cela a pour effet de scinder l'unité de l'organisme et de transformer une action d'équipe en un conflit ouvert.

## *Le Moi et le corps*

Le conflit entre le Moi et le corps peut être faible ou important : le Moi névrotique domine le corps, le Moi schizoïde le nie, tandis que le Moi schizophrène s'en dissocie. Le moi névrotique, effrayé de la nature non rationnelle du corps, se contente de l'asservir. Mais, quand la peur du corps devient panique, le Moi nie le corps afin de survivre. Et quand la peur du corps atteint le stade de la terreur, le Moi se dissocie du corps, scindant complètement la personnalité — ce qui conduit à la schizophrénie. De telles distinctions sont clairement illustrées par la manière dont des personnalités différentes réagissent à l'impulsion sexuelle. Pour un Moi sain, la sexualité est une expression d'amour. Le Moi névrotique considère la sexualité comme un moyen de conquête ou une glorification du Moi. Pour le Moi schizoïde, la sexualité est une occasion d'obtenir la chaleur et l'intimité physique dont dépend sa survie. Le Moi schizophrène, séparé du corps, ne trouve aucune signification à l'acte sexuel.

Le conflit entre le Moi et le corps entraîne une scission de la personnalité qui affecte tous les aspects de l'existence et du comportement d'un individu. Au cours de ce chapitre, nous étudierons l'identité divisée et contradictoire des personnalités schizoïde et névrotique. Nous examinerons ensuite d'autres manifestations de cette scission. Dans le cadre de cette étude, nous essaierons de découvrir comment se développe la scission, quels facteurs la produisent, et quelles sont les techniques utilisables pour la guérir. Il doit déjà être évident que l'on ne peut résoudre la scission sans améliorer la condition physique. Si l'on veut que le corps devienne plus vivant et que sa réalité gouverne l'image du Moi, il faut rendre la respiration plus profonde, accroître la motilité, et évoquer les perceptions.

Deux identités s'élèvent dans une personnalité scindée, qui se contredisent l'une l'autre. L'une est basée sur l'image du Moi, l'autre sur le corps. On peut utiliser plusieurs méthodes pour élucider ces identités. L'histoire du patient et le sens de ses activités nous renseignent sur l'identité de son Moi. Un examen de son apparence physique et de ses mouvements nous renseigne sur son identité corporelle. Les dessins de personnages et autres techniques projectives nous fournissent une information conséquente sur ce qu'il est. Finalement, chaque patient révélera par ses pensées et par ses perceptions les visions antagonistes qu'il a de lui-même.

Je présenterai deux cas pour illustrer les théories énoncées ci-dessus. Le premier est celui d'une jeune femme qui affirmait que son problème était *l'anomie*. Elle avait relevé ce terme à la lecture d'un article de la revue *Esquire* et du livre de Betty Friedan, *La Femme mystifiée*. Friedan définie *l'anomie* comme « ce sentiment las et diffus d'inutilité, de non-existence, de non-implication au monde, que l'on peut appeler *anomie*, ou perte d'identité, ou encore état sans nom [3] ». *Anomie* est un terme sociologique qui signifie *absence de norme* ou, comme je le préfère, *absence de forme*. Ma patiente, que j'appellerai Barbara, décrivait son état comme « un sentiment de désorientation et de vide. Le néant. Je ne voyais aucune raison de faire quoi que ce soit. Je n'avais aucune motivation pour agir. Je n'en ai pris réellement conscience que depuis peu. J'en étais accablée quand je suis rentrée de vacances. Tout l'été, j'ai été responsable de mes enfants et de la maison, puis la bonne a pris la relève. J'ai eu l'impression que tout ce que je faisais à la maison était de l'ordre du tic nerveux — vous savez, du superflu ».

Barbara avait trente-cinq ans. Elle était mariée, mère de quatre enfants. On pouvait difficilement traiter de superflues ses activités ménagères. Même avec une bonne, elle était occupée toute la journée par des tâches importantes. Une de ses difficultés immédiates naissait de sa relation avec sa bonne. Elle voulait la congédier, à cause de son incompétence, mais elle ne pouvait se résoudre à le faire. Elle avait souffert toute sa vie d'une difficulté à dire *non* aux autres, et cela lui donnait l'impression d'être incapable. Lorsqu'un conflit devenait trop intense, comme c'était le cas avec sa bonne, elle s'effondrait et abandonnait la partie. Cela avait comme résultat une perte de la perception de soi et une impression de vide. Barbara savait cela grâce à une analyse antérieure. Elle connaissait même l'origine de ses difficultés au niveau de ses relations d'enfance avec ses parents. Ce que Barbara ne savait pas, c'était qu'elle s'effondrait aussi physiquement chaque fois que la tension devenait trop forte. C'est cet effondrement physique qui faisait qu'elle se sentait impuissante.

Quelle était la cause de cet effondrement physique ?

C'était une femme de poids moyen. Elle avait une tête petite et délicate, aux traits réguliers. Ses yeux étaient doux et avaient une expression craintive. Elle parlait d'une voix hésitante, avec des pauses fréquentes entre les phrases. Son cou était mince et tendu, ce qui expliquait en partie ses difficultés d'élocution. Elle rehaussait les épaules, dans une attitude de frayeur. Son corps manquait de tonicité et les muscles superficiels étaient très mous. Cependant, les muscles profonds le long de la colonne vertébrale, autour de la ceinture scapulaire, du cou et du thorax étaient fortement contractés. Sa respiration était très superficielle, ce qui ajoutait à ses difficultés d'élocution et expliquait aussi l'aspect terne de sa peau. Toute tentative de respiration plus profonde ne durait pas plus d'une minute ; ensuite, l'effort s'arrêtait net et le haut de son corps penchait vers l'avant en même temps que sa taille se creusait. Des fonctions physiques étaient inhibées : son appétit était faible, son énergie sexuelle réduite, et elle présentait des troubles du sommeil. Il était facile de comprendre pourquoi elle se sentait si peu vivante, si vide.

Barbara ne pouvait saisir aucun rapport entre son état physique et son attitude psychologique. Quand j'attirais son attention sur ce rapport, elle me répondait : « Si vous le dites... » Elle expliquait qu'elle n'avait pas d'autre choix que d'accepter mon analyse de son problème. Elle n'aimait pas son corps et inconsciemment, elle le reniait. A quelque autre niveau, elle percevait ce rapport, car pendant la thérapie corporelle, elle faisait des efforts pour respirer de façon plus complète et pour mobiliser ses muscles grâce au mouvement. Quand l'effort devenait douloureux, elle pleurait un peu, en dépit de sa répugnance à le faire. Elle déclarait qu'elle avait supporté trop de souffrances dans sa vie, et qu'elle ne voyait pas la nécessité d'en éprouver davantage. Mais elle réalisait aussi qu'elle avait honte de montrer ses sentiments, et qu'elle les repoussait pour cela. Elle prit conscience de ce que les pleurs la faisaient se sentir mieux parce qu'ils la faisaient se sentir plus vivante et, peu à peu, elle s'abandonna de plus en plus aux sensations et aux perceptions de son corps. Elle essaya même d'exprimer son refus verbalement en disant à voix haute : « Non, je ne le ferai pas. »

Lentement, Barbara faisait des progrès. Ses exercices duraient plus longtemps, et elle respirait plus facilement. Sa tendance à la prostration diminuait. Elle renvoya sa bonne. Ses yeux brillaient perceptiblement et elle me souriait. Elle ne se plaignait plus d'*anomie*. Elle avait compris qu'elle devait faire renaître la sensibilité de son corps pour retrouver la perception de soi et de son identité. Cette amélioration de l'état de Barbara venait en partie de son impression d'avoir trouvé quelqu'un qui pouvait l'aider, quelqu'un qui semblait comprendre ses ennuis. Mais une telle amélioration n'est que temporaire.

J'ai fait allusion, tout à l'heure, aux conflits qui engendraient les troubles de Barbara : ils n'étaient pas résolus. On peut se faire une idée de ces conflits d'après les personnages dessinés par Barbara et d'après les commentaires qu'elle fit à leur sujet.

Les figures I et II représentent deux dessins successifs de la femme. Barbara dit de la figure I : « Elle a l'air idiot. Ses épaules sont trop larges. Elle a une allure méphistophélique. Elle a l'air d'une sainte nitouche diabolique. » La figure II fit à Barbara l'impression d'être « non vivante, un mannequin dont le visage est un masque mort ». La figure III, celle de l'homme, frappe par son caractère démoniaque ou diabolique. Certaines similitudes entre la figure I et la figure III indiquent que Barbara s'identifie à l'homme.

On peut interpréter l'accentuation des contours du corps sur la figure II comme le signe d'une faiblesse ou d'une déficience dans la perception de la surface du corps. C'est une tentative pour imposer une forme à ce que l'on ressent comme étant sans forme. Le manque de tonicité musculaire du corps de Barbara lui conférait un caractère amorphe, qu'elle compensait en épaississant les lignes de contour du corps sur son dessin.

Qui était Barbara ? Etait-elle le cadavre de la figure II, semblable à un mannequin de cire, ou était-elle la jeune sainte nitouche diabolique de la figure I ?

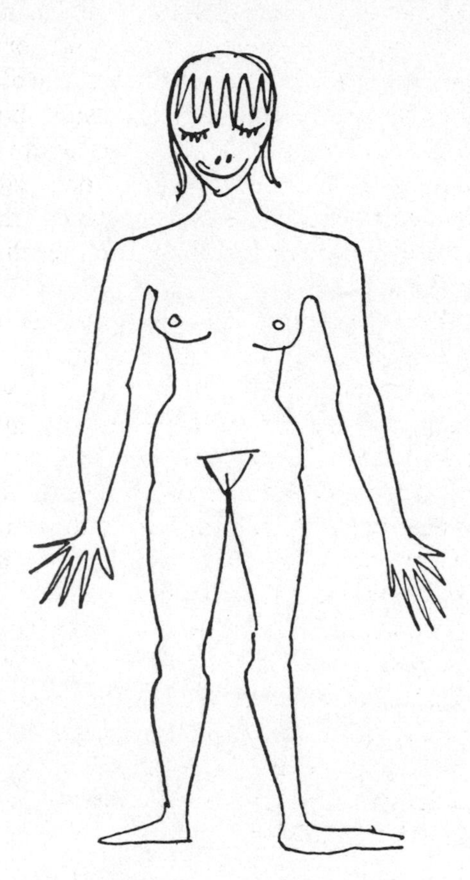

*Figure I*

A voir Barbara, il était très difficile de détecter l'aspect pervers de sa nature. Elle avait une expression réservée, timide et craintive. Mais elle reconnaissait l'aspect démoniaque de sa personnalité. Elle l'admettait.

« Plus j'avais l'impression d'être perverse, et plus je me sentais vivante. Au collège, il y avait un aspect pervers à coucher avec les garçons. J'ai couché avec le flirt d'une de mes amies, et j'en étais fière.

Je m'en vantais, parce que j'avais fait quelque chose de pervers. Une autre fois, j'ai couché avec un homme laid et gras, qui m'avait payée pour le faire. J'en étais très fière. J'avais l'impression que j'étais capable d'être différente. »

Au niveau de son corps amorphe et sans tonicité, Barbara se

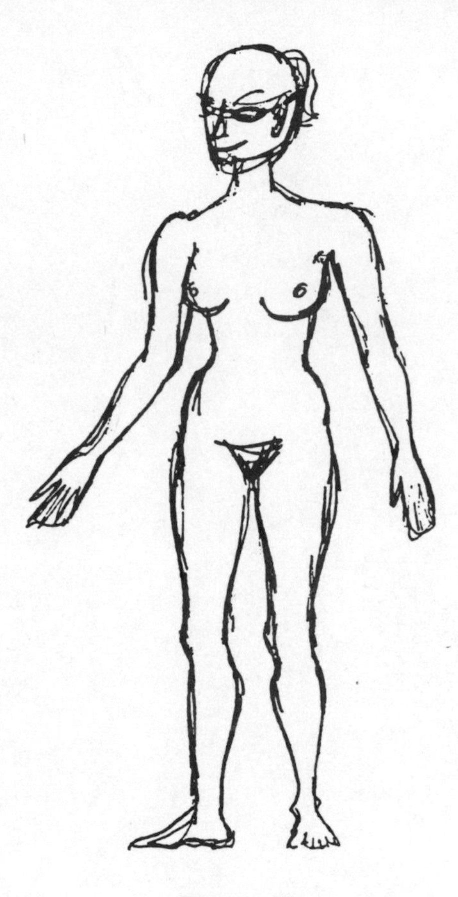

*Figure II*

considérait comme un objet (non vivante, un mannequin) qui devait être sacrifié aux demandes sexuelles démoniaques de l'homme. Au niveau de son Moi, représenté par la tête et les mains, Barbara s'identifiait au démon qui exigeait ce sacrifice. Elle puisait dans cet avilissement une étrange satisfaction.

La mère de Barbara se considérait elle aussi comme une victime et une martyre, et de la même façon son corps n'avait ni galbe ni forme. Barbara s'identifiait à sa mère de façon évidente au niveau du corps, tandis qu'au niveau du Moi elle éprouvait de la répulsion pour le corps de sa mère, et elle était humiliée par le rôle de sa mère en tant qu'objet sexuel. Pour donner à sa propre existence une signification plus positive, elle se dissociait de sa féminité et s'identifiait à son père.

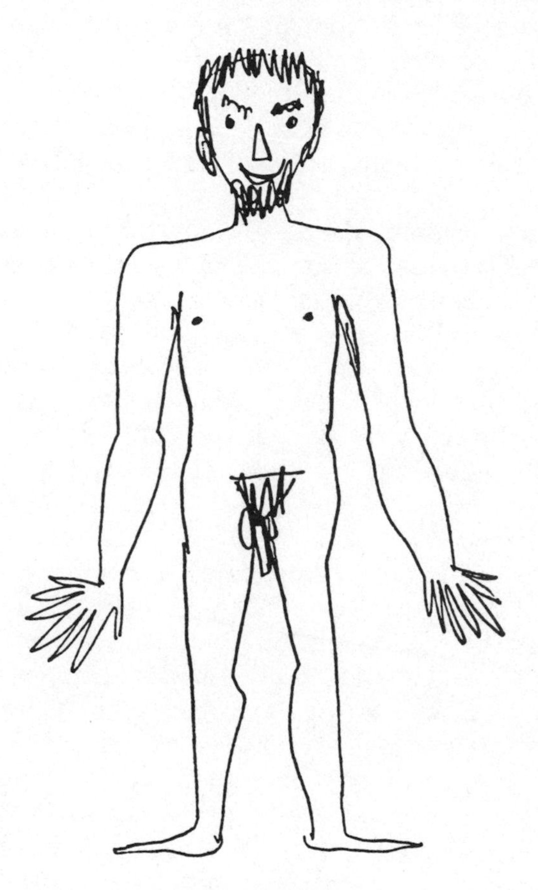

*Figure III*

L'incorporation du Moi de l'homme par une femme engendre une sorcière. La sorcière adhère à la vision du Moi de l'homme selon laquelle le corps de la femme est un objet à utiliser sexuellement. De cette façon, la sorcière se tourne contre son propre corps et savoure son sacrifice, parce que ce corps représente l'aspect avili de sa personnalité. En même temps, elle compense cet avilissement en adoptant pour image du Moi celle de la non-conformiste supérieure, qui a rejeté l'ancienne morale.

L'énergie démoniaque de la sorcière a aussi pour but de détruire le Moi de l'homme. En se tournant contre sa propre féminité, la sorcière nie le rôle de l'amour dans la sexualité, et trompe l'homme qui recherche ses faveurs. La soumission sexuelle de Barbara reflète son mépris de l'homme. Elle signifie, en fait : « Je ne suis rien, et tu n'es qu'un imbécile pour me désirer. »

L'homme qui prend possession d'un objet avili gagne une victoire à la Pyrrhus. Il se dégrade aux yeux de la femme. De cette façon, Barbara se vengeait de son père, qui avait participé à l'humiliation de la femme.

Pendant son enfance, quand elle élaborait des ajustements inconscients aux conditions de son existence, Barbara ne pouvait pas prévoir que la vengeance que la sorcière exercerait sur l'homme lui ôterait *toute* sensibilité, et qu'en se dissociant de sa féminité, il ne lui resterait qu'un corps « étouffé » et incapable de répondre à l'amour. Barbara n'avait plus de Moi parce que son corps appartenait à sa mère, et son Moi à son père. En tant qu'adulte, elle en vint à réaliser qu'elle était flouée, mais elle ne pouvait renoncer à la sorcière tant qu'elle acceptait inconsciemment la valeur de son image du Moi et rejetait son corps.

Barbara était à la fois la sorcière et la victime, à la fois le Moi démoniaque qui demandait le sacrifice du corps de la femme et le corps soumis terrifié par le sacrifice. Une telle scission engendre deux identités antagonistes. La scission de la personnalité de Barbara pourrait s'exprimer en termes de vie et de mort. Elle n'avait pas d'autre choix que d'abandonner son corps pour sauver son Moi. C'était se tourner contre son corps que de se soumettre aux valeurs de ses parents, mais par cette manœuvre elle assurait sa survie et sa santé mentale. Quand elle était enfant, elle avait dû incorporer l'image de la femme qu'avait son père (et à laquelle sa mère souscrivait) et imaginer une signification sublime à cette attitude négative envers la vie.

Chez la personnalité schizoïde, le sacrifice du corps constitue un acte symbolique — bien que beaucoup de ces malheureux commettent ce sacrifice littéral que représente le suicide. Le sacrifice de Barbara consistait à refuser son corps, à en éliminer la sensibilité, à nier son importance comme expression de son être. Mais son conflit restait vivant, parce que son corps restait vivant, et n'accédait au sacrifice symbolique qu'en protestant. Dans cette lutte, le corps avait pour alliée la partie rationnelle de l'esprit qui, bien qu'incapable de triompher de la force démoniaque, fut néanmoins assez puissante pour amener Barbara en thérapie.

Le cas suivant présente la scission d'identité d'un individu dont la personnalité était plus intacte que celle de Barbara. Henry avait une cinquantaine d'années. Il réussissait bien dans les affaires. Il était venu me consulter parce que son existence ne lui procurait ni plaisir ni satisfaction. Il avait travaillé dur, et il « était arrivé », mais quelque chose lui manquait. « L'argent ne compte pas », dit-il, parlant des honoraires, mais l'argent ne pouvait l'aider. La réussite avait apporté avec elle des sentiments dépressifs, le début d'un ulcère à l'estomac et un violent désir de « laisser tomber tout ça ». Il ne pensait qu'à l'époque où il prendrait sa retraite, mais il avait le pressentiment que cela ne résoudrait pas tout. Il affrontait constamment des problèmes dont il disait qu'il pourrait les résoudre si seulement ils se présentaient un par un, mais que « tous à la fois, c'était trop ».

Décrivant sa jeunesse, Henry dit qu'il avait été considéré par sa famille comme la brebis galeuse qui n'arriverait jamais à faire grand-chose. Puis, un jour, il décida de prouver qu'il pouvait réussir. Il le fit, mais la réussite ne lui apporta que de nouvelles provocations et des responsabilités supplémentaires. Il ne lui était pas facile de lâcher prise. Que devient-on lorsqu'on a abandonné la partie ? Henry avait beau se plaindre de ses problèmes, il était excité par les occasions de se surpasser qu'ils lui offraient. S'étant engagé dans la réussite, Henry devait continuer à réussir. C'est un bien lourd fardeau à porter, puisque l'échec est le seul moyen d'arrêter ou de diminuer la réussite.

La décision que prit Henry de se soumettre à une thérapie analytique allégea son fardeau. Une partie du fardeau était rejetée sur le thérapeute, et Henry se sentait mieux et plus libre. Il fut impressionné quand je lui fis remarquer à quel point il avait négligé son corps. Il décida de lui consacrer plus d'attention, et cela l'aida temporairement. Henry avait à la fois la volonté et la force de faire un effort important pour changer son schéma de comportement, mais il ne pouvait pas soutenir cet effort. En fait, il considérait la thérapie comme une nouvelle provocation, à laquelle il réagissait avec la détermination qui le caractérisait. Ainsi la thérapie elle-même devint un fardeau de plus.

Un jour, alors qu'Henry était assis dans mon cabinet à discuter de ses problèmes, il se laissa aller plus qu'à l'accoutumée. Sa tête penchait sur le côté, son visage était affaissé, il semblait très fatigué et son regard avait une expression défaite. Il avait l'air vaincu, mais il ne le savait pas.

Son image du Moi était celle d'un Henry invincible, et elle niait la réalité intérieure de ses sentiments. Ce n'était pas qu'Henry croyait qu'il gagnerait toujours. Il était simplement résolu à ne jamais perdre ni se laisser battre. Cependant, physiquement, c'était un homme vaincu qui refusait d'accepter la défaite.

Sa tentative de trouver une signification personnelle à la réussite financière avait échoué. Il était désespéré par son incapacité à trouver quelque plaisir que ce soit à l'existence. Il était venu en thérapie pour échapper à cette impression d'échec et de désespoir, mais il devait accepter ces impressions pour se retrouver lui-même.

Le corps d'Henry était plus vivant que celui de Barbara. Sa musculature était mieux développée, et sa peau était tiède et colorée. Il avait de fortes tensions musculaires qui entraînaient une voussure du dos, de sorte qu'il se courbait en avant et devait faire un effort pour se redresser. Les muscles de son cou étaient très contractés, et son cou en était raccourci. Il avait beaucoup de mal à respirer en cas d'effort, et sa difficulté respiratoire se traduisait par une tendance à expulser violemment l'air à l'expiration. C'était également un grand fumeur. La musculature de son corps était si contractée qu'elle le ligotait comme une chaîne. Il combattait des contraintes intérieures dont il était inconscient, mais il engageait toutes ses forces à réussir dans le monde extérieur. Il était donc scindé entre l'image du Moi et la réalité du corps, entre les aspects extérieurs de la réussite et son impression intime de frustration et d'échec.

Le problème d'Henry pouvait être compris superficiellement dans les termes de sa course névrotique à la réussite. Au niveau inconscient, son corps représentait une bête de somme attelée aux demandes de son Moi. Le corps subissait ces demandes comme un joug qui le privait de sa liberté et qui niait ses droits au plaisir et à la satisfaction. Le corps d'Henry résistait, contrairement à celui de Barbara. Cependant, au stade où il en était arrivé, de perte de contact avec son corps et d'ignorance de ses sensations, Henry présentait des tendances schizoïdes. Il n'accomplissait pas le sacrifice de sa liberté pour la réussite financière, comme il le croyait, mais pour l'image de la réussite qu'il avait élaborée quand il était jeune. On utilise son corps quand on le mobilise pour la satisfaction d'un besoin réel (faim, sexualité, plaisir, etc.), mais on en mésuse ou on en abuse lorsqu'on le subvertit pour accomplir un but du Moi.

Le problème d'Henry n'était pas aussi grave que celui de Barbara. Il comprenait et acceptait la relation entre le Moi et le corps. Barbara ne pouvait qu'en admettre la possibilité : « Si vous le dites. » Henry reconnaissait qu'il devait détendre ses tensions musculaires, et il s'attaquait à ce problème avec une énergie qui augmentait ces tensions. Barbara était consciente de l'immobilité de son corps, mais elle se sentait incapable de faire quoi que ce soit à ce sujet. Barbara éprouvait son corps comme étranger à sa personnalité ; elle exprimait même le souhait de ne pas avoir de corps, le considérant comme une source de tourment. Elle avait voulu sacrifier son corps pour satisfaire la sorcière en elle. Henry, en revanche, acceptait son corps, mais il en mésusait. Il soumettait son corps à sa demande égotique de réussite, espérant par là gagner sa liberté, mais quand sa réussite s'avéra incapable de lui procurer la liberté, Henry réalisa qu'il avait besoin d'aide.

Le conflit schizoïde est une lutte entre la vie et la mort que l'on peut énoncer dans les termes « être ou ne pas être ». Par ailleurs, le conflit névrotique naît de la culpabilité et de l'anxiété que l'on ressent à propos du plaisir. Ceci ne veut pas dire que le schizoïde est dépourvu de cette culpabilité et de cette anxiété, mais elles sont subordonnées dans sa personnalité à l'impérative nécessité de la survie. La personnalité schizoïde paie un prix pour son existence : ce prix, c'est l'abdication de ses droits à faire ouvertement des demandes à la vie. L'abdication de ces droits conduit nécessairement à une forme quelconque de sacrifice, comme on l'a vu dans le cas de Barbara, et à une existence qui tire sa seule satisfaction de la négation. Nier la vie, sous quelque forme que ce soit, constitue une manifestation d'une tendance schizoïde et, en ce sens, tout problème émotionnel a un noyau schizoïde.

# 2

# Le trouble schizoïde

LE TERME « schizoïde » a une double signification. Il implique une tendance à se retirer de la réalité, et une scission de l'unité de la personnalité. Chacun de ces deux aspects est un reflet de l'autre. Ils constituent une mesure de l'état émotionnel de santé ou de désordre d'un individu.

Quand il y a santé émotionnelle, la personnalité est unifiée et pleinement en contact avec la réalité. En cas de schizophrénie, la personnalité divisée est très éloignée de la réalité. Entre les deux s'étend la vaste gamme des états schizoïdes où le retrait de la réalité se manifeste par un certain degré de détachement émotionnel, et où l'unité de la personnalité se maintient grâce au pouvoir de la pensée rationnelle. La figure IV illustre ces relations.

santé émotionnelle ←——————→ désordre émotionnel

normal (névroses) schizoïde schizophrène

*Figure IV Contact avec la réalité, unité de la personnalité*

Ce schéma inclut aussi les troubles psychiques connus sous le nom de névroses. Les névroses, écrit A. P. Moyes, sont un « groupe relativement bénin de troubles de la personnalité » dans lesquels ladite « personnalité reste organisée socialement[4] ». Ceci ne signifie pas que le névrosé a une personnalité bien intégrée. Tout problème névrotique naît d'un conflit de la personnalité qui scinde son unité dans une certaine mesure et qui réduit son contact avec la réalité. Il y a évasion de la réalité dans les névroses comme dans les psychoses ; la différence, comme le souligne Freud, tient à ce que le névrosé ignore la réalité tandis que le psychotique la nie. Mais tout retrait et toute évasion de la réalité sont des expressions du trouble schizoïde.

Dans une personnalité apparemment adaptée, les symptômes névrotiques ont une qualité dramatique qui domine le tableau clinique. La phobie, l'obsession ou la compulsion névrotiques sont souvent si frappantes qu'elles retiennent l'attention au détriment de la scission schizoïde sous-jacente. Dans une telle situation, on a tendance à orienter le traitement vers le symptôme plutôt que vers le problème de personnalité plus profondément enfoui. Une telle approche est nécessairement moins efficace que celle qui consiste à considérer les symptômes comme une manifestation du conflit fondamental entre le Moi et le corps et à orienter l'effort thérapeutique vers la réunification de la personnalité. Dans la figure III, j'ai mis les névroses entre parenthèses pour montrer qu'elles sont incluses dans le phénomène schizoïde.

Le déplacement de l'intérêt psychiatrique du symptôme vers la personnalité constitue l'une des raisons de la reconnaissance croissante du problème schizoïde. Les psychothérapeutes deviennent de plus en plus conscients du manque de sensibilité, du détachement émotionnel, et de la dépersonnalisation de leurs patients. On reconnaît maintenant généralement que l'état schizoïde avec ses anxiétés profondément enracinées est directement responsable de la formation du symptôme. Aussi important que soit le symptôme pour l'individu perturbé, il occupe un rôle secondaire dans l'opinion psychologique habituelle. Si l'on allège les symptômes en psychothérapie sans porter l'attention sur le trouble schizoïde sous-jacent, on considère que c'est un traitement de soutien et l'on pense que les résultats n'en seront que temporaires. Dans la mesure, cependant, où l'on peut venir à bout de la scission schizoïde, l'amélioration de l'état du patient se produit à tous les niveaux de sa personnalité.

Alors que les psychothérapeutes sont conscients de l'incidence étendue des tendances schizoïdes dans la population, le grand public ignore ce trouble. Il pense encore en termes de symptômes névrotiques et suppose qu'en l'absence d'un symptôme alarmant, tout va bien.

Les conséquences de cette attitude peuvent être désastreuses, comme dans le cas des adolescents qui se suicident sans aucun avertissement ou qui souffrent de ce que l'on appelle une dépression nerveuse. Mais, même si aucune tragédie n'a lieu, les effets du trouble schizoïde sont si graves que nous ne pouvons négliger sa présence dans la conduite névrotique ni attendre qu'une crise se produise.

La fin de l'adolescence est une période critique pour le schizoïde. Il est alors submergé par de violentes pulsions sexuelles qui provoquent souvent l'effondrement de l'adaptation qu'il avait pu maintenir jusqu'alors. Beaucoup d'adolescents s'aperçoivent qu'ils sont incapables d'achever leurs études secondaires. D'autres y arrivent en travaillant dur, mais butent sur des difficultés dès les premières années à l'université. Les premières manifestations du trouble semblent être les suivantes.

Un adolescent, dont la réussite scolaire était satisfaisante, rencontre soudain des difficultés. Ses notes baissent, son intérêt diminue, il devient agité, et il commence à traîner avec de « mauvais » sujets. Ses parents attribuent ce comportement au manque de discipline, à sa faiblesse de volonté, à son esprit de rébellion, ou à l'état d'esprit des jeunes d'aujourd'hui. Il se peut qu'ils ferment les yeux sur ses difficultés en espérant qu'il les surmontera, mais ceci se produit rarement. Il se peut qu'ils réprimandent l'adolescent et qu'ils essaient de l'obliger à adopter une attitude plus responsable, mais en vain. Finalement, ils acceptent à contrecœur l'idée que des enfants qui semblaient brillants « se laissent enfoncer », que d'autres « font tout juste surface », que beaucoup d'adolescents venant d'un bon milieu se lancent dans des activités destructrices ou dans la délinquance et ils abandonnent tout espoir de comprendre leur enfant devenu adolescent.

Le schizoïde ne peut pas décrire son problème. Aussi loin qu'il se souvienne, il a toujours eu quelque difficulté. Il sait que quelque chose va de travers mais c'est une connaissance vague, qu'il ne peut pas formuler en phrases cohérentes. Sans la compréhension de ses parents ou de ses professeurs, il s'abandonne à son désespoir intérieur. Il peut trouver d'autres personnes qui partagent sa détresse, et établir avec elles des rapports fondés sur un mode d'existence « différent ». Il peut même rationaliser son comportement, et obtenir un certain sentiment de supériorité en proclamant qu'il n'est pas un « bourgeois ».

Je présenterai quatre cas, pour illustrer certaines des différentes formes que peut prendre le trouble schizoïde, et les éléments communs aux quatre cas. Dans chacun de ces cas, le trouble était assez grave pour nécessiter une aide thérapeutique. Dans tous les cas, il fut ignoré ou négligé jusqu'à ce qu'une crise se produise.

## *Divers comportements et personnalités schizoïdes*

1. — Jack avait vingt-deux ans quand je le vis pour la première fois. Il avait obtenu le diplôme de fin d'études secondaires à dix-huit ans, puis avait passé un an à chanter du folk-song dans les cafés. Il était ensuite resté deux ans à l'armée et, depuis, il passait d'un emploi à l'autre.

La crise de Jack se produisit après sa libération de l'armée. Il prit, en compagnie d'amis, de la mescaline, qui est un hallucinogène. L'expérience émotionnelle qui s'ensuivit provoqua chez lui un choc important. Il raconta :

« J'ai eu des hallucinations impossibles à décrire. Je voyais des femmes dans toutes les positions excitantes possibles. Quand c'était fini, je me haïssais moi-même. Ma culpabilité à propos de la sexualité me déroute. C'est curieux, parce que je me proclame non conventionnel, de gauche, libéré sexuellement, etc. Je peux me raisonner, mais je ne peux pas échapper à ce sentiment de culpabilité. Cela me fait peur et me déprime. »

Cette expérience, due à la drogue, fit s'effondrer l'adaptation de Jack. La tendance schizoïde de sa personnalité, qu'il avait réussi à contrôler jusque-là, se fit jour, prenant la forme des symptômes définitifs du trouble. Il décrivait ces symptômes comme suit :

a) *frayeur* : « Parfois la frayeur est telle que l'on ne peut pas me laisser seul. En fait, j'ai peur de devenir fou. »

b) *hypocondrie* : « Chaque petit bouton, égratignure, douleur, etc., me fait mortellement peur. Je pense immédiatement au cancer, à la syphilis. »

c) *détachement* : « Une fois, j'ai eu l'impression de me détacher de la réalité, de m'en abstraire ; et ces dernières semaines, je me suis senti détaché presque constamment, comme si j'étais quelque part, ailleurs, en train de me regarder. »

Quand les symptômes apparaissent avec l'intensité décrite ci-dessus, le diagnostic est facile. Cependant ce serait une erreur de penser qu'il n'y avait pas eu de symptôme préalable du trouble schizoïde. Jack avait éprouvé de fortes frayeurs, sous la forme de terreurs nocturnes, quand il était très jeune. Et même quand il était enfant, il luttait contre des sensations d'irréalité. Il raconta ceci :

« Aussi loin que je puisse remonter (vers six ou sept ans), je me suis toujours senti différent, mais mes parents m'ont toujours persuadé que c'était normal. En terminale, j'avais toujours l'impression d'être un peu bizarre. Par exemple, assis dans la classe, je regardais les autres élèves et je me demandais s'ils ressentaient le même désarroi que moi. »

Malheureusement, nul dans l'entourage immédiat de Jack ne semblait comprendre ses difficultés. « Mes parents et mes amis me persuadèrent que cette impression (d'être différent et bizarre) était une impression normale », poursuivit-il. L'expérience de Jack à cet égard semble être la règle. Même les terreurs nocturnes passent souvent pour des expériences normales, que l'enfant dépassera.

Le corps de Jack présentait les caractéristiques schizoïdes typiques. Il était mince, tendu et rigide, la musculature était peu développée, la motilité limitée, et la respiration réduite. Le corps paraissait peu vivant, et Jack en avait dissocié son Moi depuis longtemps. Il n'avait jamais pratiqué sérieusement de sport, ni aucune autre activité physique. Son hypocondrie était l'expression de sa peur de son corps et de son manque d'identification avec lui.

2. — Peter, garçon de dix-huit ans, fut soumis à un examen psychiatrique après un incident inquiétant. Il s'était enivré un soir, après une querelle avec sa petite amie. Puis, pour lui montrer à quel point il tenait à elle, il alla devant chez elle, avec sa guitare, pour lui donner une sérénade. Comme il était très tard, cela dérangea les parents de la jeune fille. Ils invitèrent Peter à entrer chez eux pour l'inciter au calme. Une fois entré, Peter demanda à voir leur fille, et menaça de se trancher le doigt, ou la main, en preuve d'affection. Il se montra si violent que l'on dut le contenir par la force et le renvoyer chez lui.

Trois mois avant cet incident, Peter avait été entraîné dans d'autres ennuis. Aidé de quelques amis, il avait volé une voiture. Ils la ramenèrent, et les garçons se reconnurent coupables. Mais, selon les dires de Peter, ils s'enfuirent pour éviter de mêler leurs parents à cette affaire. Ils s'introduisirent par effraction dans une maison vide, volèrent quelques provisions, et se cachèrent de la police. Ils pensaient ainsi éluder leurs difficultés avec la loi. Comme Peter sortait d'une bonne famille et avait un casier judiciaire vierge, il fut mis en liberté surveillée. Sa mère rejeta sur ses compagnons la responsabilité de cette conduite délinquante. Ce n'est qu'après l'incident avec sa petite amie qu'elle pensa que quelque chose pouvait aller de travers chez Peter.

On aurait pu voir plus tôt que quelque chose allait de travers. Avant qu'aucun de ces incidents ne se produise, un problème s'était manifesté dans son travail scolaire. Après deux années satisfaisantes au collège, Peter commença à avoir des difficultés à se concentrer. Son niveau baissa fortement en troisième année. Il rentrait tard, commença à boire et devint difficile à manier. Mais personne ne s'en inquiéta jusqu'à la crise.

Le corps de Peter était bien bâti et bien proportionné. Son visage avait une expression innocente mais était par ailleurs dépourvu de sensibilité. Cet air d'innocence avait trompé sa famille. Ses yeux avaient un caractère vide et dénué d'expression. En dépit de son apparence normale, le corps était raide, tendu, et il coordonnait très mal ses mouvements. Les genoux et les chevilles étaient si raides qu'il pouvait à peine les fléchir. Son corps manquait de sensibilité, et même quand il raconta l'incident pendant lequel il menaça de se trancher la main, il le fit sans émotion.

Pendant nos discussions, Peter dit que le contact sexuel avec une fille lui procurait la seule chaleur qu'il ait éprouvée, et que sa vie n'aurait aucun sens sans cela. Apparemment, le besoin de ce contact corporel était si impératif qu'il l'emportait sur toute considération rationnelle. Sans lui, il se sentait si vide et si peu vivant que les principes moraux n'avaient aucune valeur. J'ai constaté qu'une telle situation est spécifique à tous les délinquants que j'ai vus. Leur recherche des rixes est une tentative pour « recharger » un corps qui est par ailleurs « étouffé ». Malencontreusement, cette recherche de la surexcitation prend la forme d'une frasque dangereuse ou d'une rébellion contre l'autorité. L'absence d'une sensibilité normale du corps chez ces jeunes gens explique leur préoccupation vis-à-vis de la sexualité.

Si l'on ne comprend pas le trouble schizoïde, le comportement délinquant continuera à déconcerter les autorités ainsi que les familles de ces jeunes gens. On en rendra responsable un manque de discipline familiale, ou on l'attribuera à une faiblesse morale de la jeunesse.

Quoique ces explications aient une certaine validité, elles négligent la dynamique du problème. Un Moi qui ne s'appuie pas sur la réalité des sensations du corps en arrive à désespérer. Dans son désespoir, il se montrera destructeur vis-à-vis de lui-même et des autres.

3. — Jane était une jeune femme de vingt et un ans qui entreprit une thérapie à la suite de la rupture d'une liaison romantique. Elle avait l'impression d'être désespérée, perdue. Elle sentait que quelque chose allait sérieusement de travers dans sa personnalité, mais elle ne savait ni ce que c'était ni comment faire pour se tirer d'embarras. Nous pouvons nous faire une idée de son problème d'après le récit suivant.

« Je me souviens d'avoir eu l'impression de lutter contre moi-même lorsque j'étais adolescente. Surtout la nuit, une fois couchée, l'impression de lutter contre ce qui était en moi. C'était très frustrant, absolument sans espoir. J'étais tellement déroutée ! Je ne pouvais rien demander à personne.

« A onze ans, j'ai découvert l'existence de mon corps. Jusque-là, je le considérais comme une chose établie. Je grossis énormément, et je me sentais très embarrassée de moi-même. J'ai eu mes premières règles à la même époque. Plus je me refermais sur moi-même, plus je grossissais et moins je me sentais réelle. J'ai commencé à me masturber un an plus tard. Je pensais que j'allais me retrouver enceinte ou attraper une maladie vénérienne. Je me sentais très coupable. Mais, en même temps, il fallait que je me masturbe avant de pouvoir faire quoi que ce soit. Si j'avais un devoir à rédiger pour l'école, je traînais jusqu'à ce que je finisse par me masturber. Ensuite, j'arrivais à le rédiger.

« Pendant toute cette période, mes rêveries avaient toujours le même thème. Je m'imaginais en train de faire du cheval. Les autres aussi avaient des chevaux, mais le mien valait mieux que les leurs.

« J'étais absolument terrifiée par les hommes. Je n'ai eu aucun ami au lycée, et seulement un flirt à l'université. »

Jane luttait contre ses impulsions sexuelles. Elle ne pouvait ni les accepter ni les refouler. Il en résultait un conflit intense, qui la tourmentait, et dont elle essayait de s'évader par l'intermédiaire d'un monde imaginaire. On peut interpréter le cheval, qui constituait le thème de ses rêveries, comme un symbole de son corps, et en particulier du bas de son corps. Elle ne réussissait que partiellement à nier la réalité de son corps. Ses sensations physiques s'imposaient à sa conscience et réclamaient satisfaction, même au prix d'une intense culpabilité.

La scission de la personnalité de Jane se manifestait également physiquement, de façon très frappante. Au-dessous de la taille, son corps était lourd, poilu, de teint mat. Ses hanches et ses cuisses étaient lourdes, elles avaient une faible tonicité musculaire. Au-dessus de la taille, Jane avait une apparence délicate : la poitrine étroite, les épaules très tombantes, le cou long et mince, la tête petite, les traits réguliers, le teint clair. Il y avait un contraste aigu entre les deux moitiés de son corps. Le bas du corps donnait une impression de maturité sexuelle et de féminité mûre, ou peut-être, eu égard à sa lourdeur et à son manque de fermeté, trop mûre. Le haut du corps avait une apparence enfantine et innocente.

Qui était Jane ? Etait-elle la créature délicate qui chevauchait royalement la partie inférieure de son corps, ou était-elle le cheval à qui elle s'identifiait aussi, et que son Moi montait tel un prince ? De toute évidence, elle était les deux, mais elle était incapable de réconcilier ces deux aspects de sa personnalité.

4. — Le cas suivant, bien que les manifestations du trouble y soient moins graves, présente un autre aspect du trouble schizoïde. Sarah était divorcée, elle avait un fils de cinq ans. La rupture de son mariage fut un choc pour elle et provoqua une grave dépression. Je diagnostiquai une structure de caractère schizoïde, bien que son comportement superficiel n'offrît que peu de signes d'un trouble aussi grave. Voici comment Sarah exprimait son problème :

« Ce n'est pas que je manque de contact avec la réalité, et pourtant j'ai l'impression que mes relations avec les autres ne sont pas réelles. Je me demande souvent ce que l'on pense de moi quand je fais quelque chose. J'ai des illusions de grandeur. J'ai l'impression que les autres devraient me trouver extraordinaire. Mais, en réalité, je vois bien que je ne peux pas être à la hauteur. Mes réalisations ne sont pas à la mesure de mes attentes. »

J'avais remarqué l'arrogance des manières et des paroles de Sarah, qui est typique de certains schizoïdes. Sarah me donna l'impression qu'elle pensait avoir des qualités et une intelligence supérieures. Quand je la questionnai sur la nature de ses illusions de grandeur, elle me répondit :

« Je m'imagine que je suis quelqu'un de vraiment bien. Par

exemple, même maintenant, je m'attends à ce que l'on dise de moi : Quelle bonne mère ! Comme elle s'occupe bien de son fils ! J'ai toujours été la chouchou du professeur. Je ne désobéissais jamais. J'étais tout à fait " la petite fille modèle ". »

Sarah était une femme-enfant, petite, au visage fin et mince, aux épaules carrées, à la charpente délicate. Son apparence physique suggérait la peur et l'infantilisme, alors que ses paroles et ses manières reflétaient la confiance et la maturité. Cette contradiction au niveau de sa personnalité évoquait le diagnostic de trouble schizoïde. Mais Sarah présentait d'autres symptômes d'absence de contact avec la réalité, bien qu'elle affirmât le contraire. C'étaient, pour la plupart, des signes physiques : le manque de contact entre son regard et le mien, l'expression faciale figée, une certaine rigidité physique et le manque de coordination des mouvements.

Sarah jouait un rôle, celui de la fillette « gentille » et complaisante, qui fait ce que l'on attend d'elle, et qui le fait bien. Elle jouait ce rôle de façon si inconsciente qu'elle s'attendait à recevoir des approbations, comme une enfant. Beaucoup de gens jouent certains rôles au cours de leur existence sans devenir de ce fait schizoïdes. C'est une question de mesure. Quand une personnalité est dominée par le rôle, quand le tout se perd dans la partie (la partie jouée), quand, comme dans le cas de Sarah, on ne peut ni voir ni atteindre la personne derrière le masque et le costume, on peut, en toute justice, décrire cette personnalité comme schizoïde.

Du point de vue des symptômes, chacun des quatre cas — Jack, Peter, Jane et Sarah — était différent. Du point de vue des deux aspects par lesquels se manifeste le trouble schizoïde, ils étaient identiques. Chacun d'eux souffrait de conflits qui scindaient l'unité de sa personnalité, et, chez chacun d'entre eux, on constatait une certaine perte de contact avec la réalité. L'aspect le plus important de ces cas, cependant, c'était que le conflit et le retrait se manifestaient physiquement. Jack arrivait à décrire ses problèmes avec une facilité verbale qui contrastait vivement avec la rigidité et l'immobilité de son corps. Chez Peter le conflit se manifestait par le contraste entre son corps d'apparence athlétique et le manque de coordination marqué de ses mouvements. Chez Jane c'était par le contraste entre les deux moitiés du corps ; tandis que l'attitude sophistiquée de Sarah contrastait de façon aiguë avec son immaturité physique.

Le retrait par rapport à la réalité se manifestait physiquement chez chacun de ces quatre patients par un manque de vitalité et un manque de réactions émotionnelles. Si l'on observe un schizoïde, on a l'impression qu'il n'est pas tout à fait « dans le coup ». On emploie souvent des expressions telles que « pas dans le coup » ou « pas tout à fait là » pour décrire un individu présentant une tendance schizoïde. On arrive à percevoir son détachement ou son éloignement. Cette impression naît de son regard peu expressif, de son visage semblable à un masque, de son corps rigide, et de son manque de spontanéité. Ce n'est pas de la distraction, comme dans l'exemple classique du professeur perdu dans sa rumination mentale. Le schizoïde est parfaitement conscient de son environnement, c'est émotionnellement et physiquement qu'il manque d'un contact réel avec la situation. Malheureusement il nous manque une expression, autre que « tendance schizoïde », qui signifierait une certaine « distraction » et qui permettrait de décrire un individu présent mentalement mais absent émotionnellement.

C'est l'air d'être en dehors de la réalité qui marque la personnalité schizoïde. C'est ce qui explique son « étrangeté » à la fois pour nous et pour lui-même. Cela s'exprime dans ses mouvements. Il marche aussi mécaniquement qu'un soldat de bois, ou bien il flotte comme un zombie à travers l'existence. Ernst Kretschmer donne une description de l'apparence physique du schizoïde qui souligne ce point.

« Ce manque d'entrain, de réactions d'animation rapides, d'expression psychomotrice, se rencontre aussi chez les membres les plus doués du groupe, malgré leur aptitude à réagir de façon hypersensible [5]. »

Quand un individu a une apparence tellement bizarre que son retrait de la réalité est parfaitement évident, on dit qu'il est psychotique, schizophrène, ou fou. Le schizoïde ressent son absence de contact avec la réalité comme un vide intérieur, et il a l'impression d'être comme séparé, ou retranché, de son environnement. Son corps lui donne l'impression de lui être étranger, ou de ne pas exister, comme le montre l'observation suivante :

« Hier, en allant travailler, je ne sentais pas mon corps. Je me sentais décharné, un vrai sac d'os. Je ne m'étais jamais senti aussi dépourvu de corps. Je flottais tout simplement. C'était épouvantable. Au bureau je me sentais bizarre. Tout semblait différent, sans réalité. Il a fallu que je me ressaisisse pour arriver à travailler [6]. »

Cette description vivante de la dépersonnalisation signale à la fois la perte de la perception du corps et la perte concomitante de contact avec l'environnement. Dans d'autres cas, le mince contact que garde le schizoïde avec la réalité est menacé quand il prend des drogues qui dissocient davantage son esprit de son corps. Par exemple, une nuit, Virginia fuma de « l'herbe » (marijuana). Voici ce qui se passa :

« J'avais l'impression d'être en train de m'observer moi-même. Ce que faisait mon corps ne semblait pas être lié avec moi. Comme c'était très effrayant, j'allai me coucher. Je devins comme paranoïaque. J'avais peur d'en venir à me jeter par la fenêtre [7]. »

On peut dire du schizoïde qu'il vit dans les limbes : il n'est pas complètement « ailleurs » comme l'est le schizophrène, ni tout à fait « dans le coup ». Il vit souvent un peu en marge de la société où, entouré de ceux qui lui ressemblent, il se sent quelque peu chez lui.

Parmi les schizoïdes, beaucoup sont des êtres sensibles, qui deviennent poètes, peintres ou musiciens. D'autres donnent dans les cultes ésotériques qui fleurissent en marge de notre société. Ces cultes sont de plusieurs sortes : ceux où l'on se drogue pour accéder à des niveaux de conscience supérieurs ; ceux où l'on cherche dans les philosophies orientales une signification à l'existence et ceux où l'on vous promet d'atteindre l'accomplissement du soi au moyen de divers exercices physiques.

Mais ce serait une erreur grave que de supposer que l'on ne rencontre de personnalité schizoïde que dans ces milieux. Le schizoïde peut être aussi l'ingénieur qui mène sa vie comme une machine, ou le maître d'école tranquille, réservé, timide et homosexuel. C'est la mère ambitieuse qui essaie d'être très au courant, et faire tout ce qu'il faut pour ses enfants. C'est aussi la petite fille brillante, passionnée, surexcitable et compulsive. L'enfance des schizoïdes est caractérisée par une impression d'insécurité, leur adolescence par l'anxiété et l'âge adulte, par un sentiment intime de frustration et d'échec. Ceci est plus grave que ne le laisseraient supposer les termes employés. L'insécurité de l'enfance est liée à l'impression d'être différent et sans appartenance. L'anxiété de l'adolescence est proche de la panique et peut aller jusqu'à la terreur. Le sentiment de frustration et d'échec de l'âge adulte a un noyau latent de désespoir.

## *Approches du problème schizoïde*

Trois des nombreuses approches au trouble schizoïde sont importantes pour cette étude. Ce sont l'approche psychologique, l'approche physiologique et l'approche constitutionnelle. En psychologie, on tente d'expliquer le comportement par les attitudes mentales, conscientes ou inconscientes. En physiologie, l'on cherche l'explication des attitudes perturbées dans des dérèglements des fonctions physiologiques. L'approche constitutionnelle relie la personnalité à la constitution physique.

En psychologie, on utilise le terme « schizoïde [8] » pour décrire un comportement qui ressemble qualitativement à la schizophrénie, mais qui reste plus ou moins dans les limites de la normalité. Les schémas de comportement qui permettent d'établir ce diagnostic sont résumés ci-dessous [9].

1. — Le fait d'éviter toute relation intime avec autrui — réserve, goût de la solitude, timidité, sentiments d'infériorité.

2. — L'incapacité à exprimer directement de l'hostilité ou des sentiments aggressifs — sensibilité à la critique, méfiance, besoin d'approbation, tendances à nier ou à déformer.

3. — Une attitude autistique — introversion, vie imaginaire trop intense.

4. — L'incapacité à se concentrer, l'impression d'être abruti ou anesthésié, l'impression d'être détaché de la réalité.

5. — Des explosions hystériques, qu'elles soient causées ou non par des provocations apparentes, telles que des hurlements, des vociférations, des crises de colère.

6. — L'incapacité à ressentir des émotions, en particulier le plaisir, et l'absence de réactions émotionnelles envers autrui, ou des réactions exagérées de surexcitation, et des manies.

Cependant, le comportement schizoïde paraît souvent normal. Comme le souligne Otto Fenichel, le schizoïde a réussi à « substituer diverses sortes de pseudo-rapports à une relation émotionnelle réelle avec autrui [10] ». Par exemple, ces pseudo-rapports peuvent être constitués de paroles qui remplacent la relation réelle. Une autre possibilité consiste à jouer un rôle qui est un substitut de l'implication émotionnelle dans une situation. Herbert Weiner constate que les principales doléances des schizoïdes « se rapportent à leur incapacité à ressentir quelque émotion que ce soit. Ils se sentent loin des autres, en retrait, et détachés [11] ».

On peut montrer que les réactions psychologiques caractéristiques du schizoïde sont liées à son manque de perception de sa propre identité. Le schizoïde, dérouté par ce qu'il est et ne sachant pas ce qu'il veut, peut soit prendre l'initiative de se détacher d'autrui, et se retirer dans un monde imaginaire intérieur, soit adopter une pose et jouer un rôle qui l'adapte apparemment à une vie normale. S'il prend une attitude de retrait, les symptômes prédominants vont être le goût de la solitude, la méfiance et l'absence de contact avec la réalité. S'il joue un rôle, les symptômes dominants vont être la tendance à nier ou à déformer, la sensibilité à la critique, les sentiments d'infériorité, et il va se plaindre d'une impression de vide et de l'absence de satisfactions. Il peut y avoir alternance entre le retrait et l'activité, la dépression et l'excitation, avec des sautes d'humeur rapides ou exagérées. Le tableau schizoïde présente de nombreux contrastes. Certains schizoïdes sont extrêmement intelligents et créatifs. Leurs axes de recherches tendent cependant à être limités et un peu excentriques. D'autres, à l'apparence terne, mènent une existence vide, soumise et effacée.

Sandor Rado [12] a une autre vision de la personnalité schizoïde. Il la considère d'un point de vue physiologique. Pour Rado, la personnalité schizoïde se caractérise par deux insuffisances physiologiques. La première, une « déficience d'intégration du plaisir », dénote une inaptitude à ressentir le plaisir. La seconde, « une sorte de diathèse proprioceptive », se réfère à une perception déformée du soi physique. La déficience au niveau du plaisir handicape l'individu dans son élaboration d'un « Moi qui agit » efficace, ou de son identité. Comme le plaisir est « le seul lien qui assure la cohérence » (Rado), le « Moi qui agit », qui s'élabore en l'absence de ce pouvoir de cohésion du plaisir est faible, fragile, susceptible de s'effondrer en cas de forte tension, et hypersensible. La déficience au niveau du plaisir, dont parle Rado, se retrouvait chez tous les patients schizoïdes que j'ai vus. Mais, alors que Rado la considère comme une prédisposition congénitale, je l'explique en fonction de la lutte pour la survie. Le schizoïde n'est pas sûr de son droit à l'existence, il engage toutes ses forces dans la lutte pour la survie, il se tient donc obligatoirement à l'écart du domaine des activités agréables. Quand un homme lutte pour son droit à l'existence, son plaisir ne représente pour lui qu'un concept en dehors de la question.

Ce qui est le plus frappant chez le schizoïde, c'est souvent une apparente distorsion de la perception de soi. Comment expliquer la remarque de Jack : « Je me sens détaché de mon corps, comme si j'étais quelque part, ailleurs, en train de me regarder » ? Est-ce une déficience de la perception de soi de Jack, ou bien son détachement est-il dû au manque de quelque chose à percevoir ? Si le corps est dépourvu de sensations, la perception de soi disparaît. Mais il est également vrai que quand le Moi se dissocie du corps, celui-ci devient un objet étranger pour l'esprit qui perçoit. Nous sommes confrontés, ici, à la même dualité que celle que nous décrivions au début de ce chapitre. S'abstraire de la réalité provoque une scission de la personnalité, exactement comme chaque scission a pour résultat une perte de contact avec la réalité. On peut apprécier l'importance des perceptions physiques si l'on considère avec Rado que « la conscience proprioceptive (du corps) est la source interne fondamentale du langage et de la pensée [13] ».

La faiblesse de la perception de soi que présente le schizoïde est directement reliée à son incapacité à ressentir le plaisir. Sans plaisir le corps fonctionne machinalement. C'est le plaisir qui permet au corps de maintenir sa vitalité, et qui favorise l'identification au corps. Si ce que le corps ressent est désagréable, le moi s'en dissocie. Un patient disait : « Je force mon corps à " s'étouffer " pour éviter les impressions désagréables. »

Les travaux d'Ernst Kretschmer présentent une analyse détaillée du tempérament et de la constitution schizoïdes, et montrent le mieux l'approche constitutionnelle du problème schizoïde. Kretschmer a constaté qu'il y a un rapport étroit entre les deux (tempérament et constitution), et que les individus au tempérament schizoïde ont, le plus souvent, une constitution asthénique et, plus rarement, une constitution athlétique.

Le type asthénique est long et mince, sa musculature est insuffisamment développée, alors que le type athlétique est mieux proportionné et a un meilleur développement musculaire. De plus, Kretschmer et Sheldon [14] ont attiré l'attention sur la présence d'éléments dysplasiques dans l'apparence physique du schizoïde. Le terme *dysplasie* signifie que les différentes parties du corps ne sont pas harmonieusement proportionnées.

Les quatre patients, dont on a discuté le cas au début de ce chapitre, présentaient ces traits caractéristiques du schizoïde. Jack était long et mince, avec la musculature insuffisamment développée du type asthénique. Peter, qui paraissait bien proportionné et qui avait un bon développement musculaire, avait le type athlétique. Jane présentait de la dysplasie : le haut de son corps avait un caractère asthénique, alors que le bas du corps était amorphe et mal dessiné. Sarah avait, elle aussi, une apparence dysplasique : le haut de son corps était de type asthénique, en contraste avec le bas du corps qui était très manifestement de type athlétique. Les muscles de ses mollets étaient aussi développés que ceux d'une danseuse professionnelle, et pourtant Sarah ne pratiquait ni la danse ni un sport quelconque.

La constitution physique est importante en psychiatrie parce que c'est une expression de la personnalité. Nos réactions ne sont pas les mêmes devant un homme lourd et large que devant un homme petit et mince. Mais fonder la personnalité sur la constitution physique revient à accepter une vision statique plutôt que dynamique de la relation entre le corps et la personnalité. C'est ignorer la motilité et le caractère expressif du corps, qui sont des éléments clés de la personnalité. La classification : « type asthénique » n'a de sens que parce qu'elle indique le degré de rigidité musculaire d'un individu. Le type athlétique ne dénote une tendance schizoïde que lorsque la coordination des mouvements est très défectueuse. Des facteurs tels que la vitalité, la grâce, la spontanéité des mouvements et la chaleur physique sont significatifs parce qu'ils affectent la perception de soi et influencent la conscience que l'on a de son identité.

Le point de vue de Rado sur le trouble schizoïde repose sur l'hypothèse que celui-ci résulte de dysfonctions physiologiques. Ceci est en opposition avec le point de vue psychanalytique, soutenu par Silvano Arieti, selon lequel le problème est essentiellement psychologique. Par ailleurs, Kretschmer affirme que l'état schizoïde est déterminé par la constitution physique. Tandis que Rado et Kretschmer pensent tous les deux que ce trouble a une origine héréditaire, Arieti affirme que « la schizophrénie (et donc l'état schizoïde) est une réaction spécifique à un état d'anxiété très grave, qui a son origine dans l'enfance, et qui se réactive ultérieurement [15] ».

Chacun des trois s'est concentré sur un aspect du problème que les deux autres considéraient comme secondaire. Par exemple, Arieti reconnaît que « c'est un fait bien connu que la plupart des schizophrènes ont une constitution physique de type asthénique [16] », mais il affirme que ceci est le résultat du trouble et non sa cause. Pour éviter une discussion sans fin sur l'origine du trouble, nous devons supposer que ce sont des facteurs en interrelations. Les troubles observés au niveau de la constitution physique et de la physiologie sont l'expression, dans le domaine physique, d'un processus qui se manifeste dans le domaine psychologique sous la forme de troubles de la pensée et du comportement.

Au niveau psychologique, le problème schizoïde se manifeste par l'absence de perception de sa propre identité, et donc obligatoirement par une diminution des relations émotionnelles normales avec autrui. Au niveau physiologique, l'état schizoïde se manifeste par une perception de soi difficile, des déficiences de la fonction du plaisir, et des troubles respiratoires et métaboliques. Au niveau de la constitution physique, l'organisme schizoïde présente des anomalies de la coordination et de l'intégration. Il est ou trop rigide, ou trop avachi. Dans les deux cas il lui manque la vitalité dont dépend une perception de soi adéquate. Sans elle, on perd la conscience de son identité, et les symptômes psychologiques caractéristiques apparaissent.

Il faut réunir en un seul concept les symptômes physiques et les symptômes psychiques du trouble schizoïde pour acquérir une vision d'ensemble de ce problème :

1. l'absence psychologique de conscience de sa propre identité ;
2. les troubles de la perception de soi ;
3. la relative immobilité physique et la tonicité superficielle réduite.

On peut formuler comme suit les relations entre ces niveaux de personnalité : la conscience qu'a le Moi de l'identité dépend des perceptions physiques. Si le corps est « chargé » et réagit vivement, sa fonction de plaisir sera forte et significative, et le Moi s'identifiera au corps. Dans ce cas, l'image du Moi se fondera sur l'image du corps. Si le corps est « peu vivant », le plaisir devient impossible et le Moi se dissocie du corps. L'image du Moi prend une importance exagérée pour compenser l'image inadéquate du corps. Le terme *constitution*, pris au sens dynamique, se réfère au degré de vitalité du corps.

On peut faire un diagramme des interrelations entre ces différents niveaux.

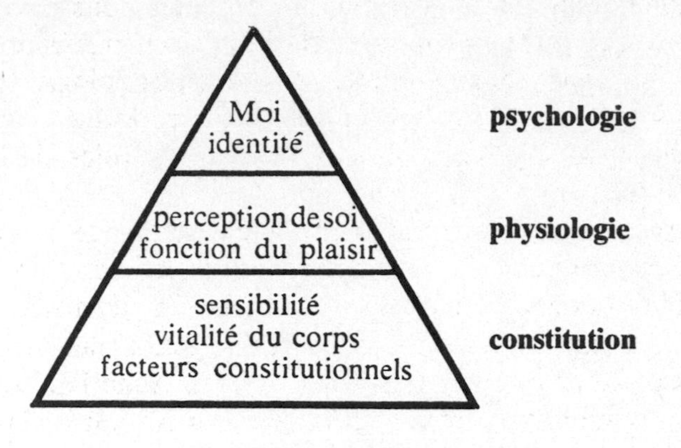


*Figure V Niveaux de personnalité*

Les relations entre ces niveaux de personnalité sont illustrées par le cas suivant. La patiente avait élaboré une image du Moi qui était l'image d'une femme supérieure dont l'intelligence et la sensibilité dépassaient nettement la moyenne. Au cours de la thérapie, cette image du Moi se dissipa. La patiente raconta un rêve dans lequel deux enfants, un garçon et une fille, se cachaient dans les sous-sols d'un immeuble et faisaient la grève de la faim.

« Dans mon rêve j'avais l'impression qu'ils faisaient cela par dépit. Je descendis dans les sous-sols, où je vis leurs corps qui gisaient côte à côte, comme s'ils étaient morts, mais je remarquai que leurs yeux restaient ouverts et que par rapport à l'apparence cadavérique de leurs corps, leurs visages semblaient vivants. J'avais l'impression qu'ils me représentaient. J'ai souvent agi par dépit au cours de mon existence. Je me demande si les yeux ouverts symbolisent l'esprit, parce que je pense que c'est ce qu'il y a de plus vivant chez moi. »

Le corps de cette patiente était long et mince, et elle avait un visage décharné, aux joues creuses, qui lui donnait une apparence cadavérique. Elle ressentit les symptômes du trouble schizoïde un jour qu'elle marchait dans la rue avec sa mère : « J'avais tellement honte d'elle que je m'en suis séparée afin de ne pas être liée à elle. Je marchais derrière elle, et je me sentais loin d'elle et du monde, comme un fantôme. » En racontant cet incident, la patiente réalisa qu'il y avait une relation intime entre son rêve de corps gisant comme des cadavres, l'expérience de se sentir comme un fantôme, le détachement de son corps et son apparence physique. Elle me demanda alors : « Pourquoi ai-je dû *m'étouffer* moi-même ? » Pour répondre à cette question, il faut comprendre la dynamique, le mécanisme et l'étiologie du problème schizoïde.

# 3

# Les défenses contre la terreur

## *Peur et Terreur*

LA PEUR a un effet paralysant sur le corps. Les réactions normales à la peur sont la lutte ou la fuite : on essaie de repousser le danger ou de lui échapper. Le blocage de ces réactions ébranle fortement la maîtrise de soi, fait s'effondrer la personnalité et menace la santé mentale. Dans une telle situation, seules certaines manœuvres, qui ont pour but de nier et de refouler la peur, permettent d'éviter la démence. Elles rétablissent dans une certaine mesure la maîtrise de soi, mais elles n'éliminent pas la peur. Celle-ci devient, sous sa forme refoulée, une terreur mal définie. Elle se transforme en peur de perdre le contrôle de soi-même, ou de perdre l'esprit.

Sous la peur de la démence se dissimule une terreur qui est la pire de toutes parce qu'elle est invisible et innommable. On peut exprimer son horreur de façon figurée par l'image de la fosse aux serpents. Cette terreur se cache chez chaque schizoïde : on peut la comparer à une bombe prête à exploser. Si l'on prend brutalement conscience de cette terreur, cela fait l'effet d'un « écroulement du monde ». Le schizoïde s'en fait la représentation mentale d'une destruction de l'univers, ou du fantasme du Weltuntergang, ou d'un sentiment d'annihilation totale. Devant une telle menace, le schizoïde réagit en ayant l'impression de « tomber en pièces détachées » ou de « partir en lambeaux ». Il érige des défenses désespérées contre cette terreur et ses effets catastrophiques. Si ces défenses échouent, le seul moyen qui lui reste pour éviter cette terreur c'est l'évasion totale dans le monde irréel de la schizophrénie.

En apparence, cette terreur semble être reliée à la peur de la démence. « En fait, je pense, disait Jack dont on a présenté le cas dans le chapitre 2, que j'ai peur de perdre l'esprit. » La plupart des patients éprouvent cette terreur de façon similaire. Cependant, l'on peut montrer que c'est cette terreur qui fait peser la menace d'écrasement du Moi et de ruine de la santé mentale, et que la schizophrénie constitue l'ultime tentative pour lui échapper. Quelle est cette frayeur innommable ?

Ce sont les peurs que l'on a refoulées qui deviennent invisibles et innommables. Elles survivent dans l'inconscient, y gardant l'emprise terrifiante qu'elles avaient sur l'enfant. Quand un patient réussit à se libérer de l'emprise de cette terreur, certaines de ses composantes apparaissent. Ce sont la peur d'être abandonné, la peur d'être détruit, et la peur de détruire quelqu'un. Mais ces peurs sont spécifiques parce qu'elles sont conscientes, tandis que la terreur inconsciente du schizoïde est une horreur mal définie dont les prolongements le glacent jusqu'aux os et paralysent sa volonté. Cette terreur est comme une menace inconnue derrière une porte, qui devient moins effrayante lorsqu'on a ouvert la porte et affronté sa réalité. Devant la porte close qui cache l'inconnu, on tremble, envahi d'une peur qui met en déroute tout courage et toute résolution. La thérapie doit aider le patient à acquérir le courage et la force nécessaires pour faire face à ses peurs. Au cours de ce processus, il éprouvera inévitablement de la terreur. Grâce à l'aide et à la compréhension du thérapeute, cette expérience peut avoir un effet positif.

Après environ un an de thérapie, Paul rapporta une expérience de ce type.

« Toute la semaine a été curieuse. Je suis passé par des moments d'abattement complet et par des moments où je me sentais beaucoup plus vivant. Vendredi j'étais en pleine forme, mais samedi je ne pouvais même pas tenir debout. La journée entière m'a glissé entre les doigts. Je me sentais de plus en plus déprimé, j'ai un peu pleuré. Dimanche, ça allait mieux. Je suis sorti. Lundi, j'étais complètement mort, je n'avais qu'une envie : me mettre au lit pour le restant de mes jours.

« Cette nuit, à la fin d'un rêve, dans un demi-sommeil, je me suis retourné sur le dos et j'ai tendu les lèvres comme pour téter. Mes lèvres se sont mises à trembler, j'ai été envahi d'angoisse et comme paralysé. Mes bras devenaient lourds et amorphes, comme des poids lourds que je ne pouvais plus bouger. J'ai dû réunir toutes mes forces pour ne pas céder à la paralysie. J'avais l'impression que si je me laissais aller, il se produirait quelque chose de catastrophique. J'ai fait un effort pour me réveiller. »

L'analyse de l'expérience de Paul montre que la terreur manifestée par les tremblements d'angoisse et l'impression de paralysie fit son apparition au moment où Paul fit un geste spontané pour aller vers le plaisir. Le geste de tendre les lèvres pour téter raviva certains souvenirs d'enfance, au cours desquels une telle action avait fait peser sur lui la menace d'une catastrophe. Quand Paul était nourrisson, sa mère avait des réactions hostiles lorsqu'il lui exprimait des demandes. L'hostilité s'exprimait par un regard de rage meurtrière que l'enfant interprétait par : *J'en ai assez de tes demandes ; si tu ne te tais pas, je t'abandonne ou je te tue !*

De telles expressions de l'hostilité parentale sont chose courante. Beaucoup de mères hurlent leur rage et leur exaspération. Certaines m'ont même confié combien il leur arrive souvent de penser qu'elles pourraient tuer leurs enfants. Une seule expérience de ce genre ne suffit pas à provoquer une terreur écrasante chez l'enfant ; mais, si c'est une attitude inconsciente de la mère, cela fera naître chez l'enfant la peur que toute demande exprimée ne l'expose à l'abandon ou à la destruction. En réponse, l'enfant développe une rage meurtrière contre ses parents, qui le terrifie tout autant.

De telles expériences ont pour effet d'inhiber l'agressivité. Le schizoïde prend peur d'exprimer les demandes qui lui permettraient d'obtenir satisfaction. Le fait de sc tendre vers le monde évoque dans son esprit une vague impression de terreur. Il se protège de cette terreur en limitant son environnement et en réduisant ses domaines d'activité. Une de mes patientes était très mal à l'aise chaque fois qu'elle devait quitter la région où elle habitait. D'autres patients sont pris de panique à l'idée de se promener seuls dans la rue ou de faire un voyage. Chez tous les patients schizoïdes, la terreur est reliée à la peur de perdre le contrôle, puisque la perte de contrôle entraînerait l'apparition des impulsions refoulées qui, comme dans le cas de Paul, peuvent devenir catastrophiques.

L'inhibition de l'agressivité, la réduction des activités et la nécessité de garder le contrôle imposent à l'organisme une rigidité qui limite l'assurance des mouvements. Les impulsions sont restreintes et, peu à peu, leur quantité diminue. Le schizoïde a refoulé ses désirs parce qu'il avait peur, et il en arrive à ne plus savoir ce qu'il désire. La négation du plaisir le mène au rejet de son corps. Pour arriver à survivre face à la terreur, il « étouffe » son corps en limitant sa respiration et sa motilité.

En regard de cette situation, il est facile de comprendre que le détachement et la non-implication du schizoïde constituent des défenses contre la terreur. C'est dans la mesure où il peut se tenir à l'écart des relations émotionnelles que le schizoïde arrive à éviter la terreur, qui risquerait d'être provoquée par l'irruption d'impulsions refoulées. Sa rigidité physique a le même but. Mais son détachement et sa solitude diminuent son contact avec la réalité, minent son Moi, et affaiblissent la conscience qu'il a de son identité. Sa non-implication le prive également des satisfactions émotionnelles, qui soutiennent les relations normales et procurent le bien-être intérieur. Au bout du compte, la rigidité crée un vide intérieur qui menace de faire s'effondrer la structure schizoïde.

Se défendre de la terreur nécessite une autre manœuvre. Le schizoïde se sert de « pseudo-contacts » et « d'intellectualisations » pour rester en relation avec la réalité, et il adopte un schéma de comportement qui paraît normal, c'est-à-dire qu'il joue un rôle. Ce rôle inconscient lui fournit une identité et donne une signification à ses activités. Tant qu'il arrive à tenir son rôle, il tient à l'écart les risques de décompensation et d'effondrement qui le livreraient à la terreur et à la démence. Mais cette manœuvre a elle aussi ses difficultés. Jouer un rôle rétrécit les fondations de l'existence. Une identité affectée peut se désagréger au cours de la confrontation avec soi-même qu'est la solitude. C'est pour cette raison que le schizoïde a souvent peur d'être seul. Ainsi, tous les aspects de ses défenses (et de ses manœuvres) rendent le schizoïde vulnérable aux dangers mêmes qu'elles étaient destinées à écarter.

Le comportement schizoïde diffère par des points importants du comportement normal. Il lui manque les motivations qui déterminent ce dernier ; c'est-à-dire qu'il n'est pas motivé par la recherche du plaisir, mais par le besoin de survivre et par le désir d'échapper à la solitude imposée par le détachement émotionnel. Ce comportement est basé sur des rationalisations (les « formulations techniques » de May) et sur le rôle joué ; il ne naît pas d'une sensibilité authentique. Ainsi, bien que le schizoïde soit capable d'agir, ses actes et son comportement ont un caractère bizarre, celui d'un automate et d'un être qui traverse les aléas de l'existence sans donner l'impression de vivre.

Mais ce serait une erreur de considérer que le schizoïde est dépourvu de tout sentiment. Derrière ses défenses repose un désir intense de contact réel, de chaleur et d'amour. Ses motivations ne sont pas totalement dépourvues de tels désirs. Tout comme il donne par moments l'impression d'être un automate, il transparaît à d'autres moments comme une personne désemparée. Ses actes ne se contentent pas de ressembler aux actes normaux, ils y participent. La différence avec la normale est fondamentalement une question de niveau. Dans la mesure où le désir de plaisir et de satisfaction motive le comportement, celui-ci est normal. Dans la mesure où l'on refoule ses sentiments, mais où l'on agit *comme s'ils* déterminaient le comportement, celui-ci est schizoïde.

## *Dynamique de la défense schizoïde*

La défense schizoïde constitue une issue de secours qui permet de lutter contre ce qui menace la vie et la santé mentale. Le schizoïde mobilise toutes ses facultés mentales dans cette lutte pour la survie. En effet, il est nécessaire pour la survie que l'esprit exerce sur le corps une maîtrise et un contrôle absolus. Si l'esprit relâchait sa vigilance, une catastrophe se produirait. Chez quelqu'un de normal, qui ne cache nulle terreur, le corps n'est pas immobilisé par la lutte pour la survie, et peut en toute liberté poursuivre son désir naturel de plaisir.

Un de mes patients vit à plusieurs reprises dans un test de Rorschach l'image d'une personne s'agrippant au sommet d'une falaise. C'était une projection de sa connaissance inconsciente du fait que lui-même était suspendu au-dessus d'un abîme et que, pour sauver sa vie et sa raison, il devait s'agripper de toutes ses forces. Cela montrait aussi l'importance de la terreur contre laquelle il luttait. L'effort physique qu'il déployait pour s'agripper consumait littéralement toute son énergie. Son état commença à s'améliorer lorsqu'il éprouva une impression d'épuisement et un fort besoin de dormir. Ceci indiquait qu'il avait dépassé le stade du danger et que, pour la première fois, il était capable de se détendre. En thérapie, l'épuisement est un des premiers signes qui indiquent que le patient établit une relation significative avec son corps.

Le fait que le schizoïde fige son corps est la cause de son manque de vitalité et de réactivité physiques. Ce manque de réactions donne l'impression au schizoïde qu'il y a « un vide » dans son corps. Si son état s'aggrave, c'est-à-dire si la perte de sensibilité s'accroît, il se sent « retranché ». Il a l'impression que, comme le disait Jack, son esprit est séparé de son corps. Il se sent extérieur à lui-même, se regardant vivre.

Chez une personne normale, l'esprit et le corps sont des systèmes complémentaires, qui ont pour fonction de lui permettre d'obtenir du bien-être et des sensations agréables. Quand une impulsion naît dans l'organisme, l'esprit détermine sa signification, l'adapte à la réalité et contrôle sa décharge. Chez tous les animaux supérieurs où se retrouve la dualité corps/esprit, l'esprit a pour rôle de contrôler et de coordonner les mouvements en fonction de la réalité, tandis que le corps fournit l'élan, l'énergie et le mécanisme du mouvement. Un comportement qui présente cet aspect intégré a une qualité émotionnelle. Il naît d'une impulsion, qui engendre une perception, puis la pensée et l'action appropriée. C'est le type de relation corps/esprit qui est à l'œuvre dans les réactions émotionnelles motivées par le désir de plaisir.

Chez le schizoïde, qui exerce un contrôle sévère sur ses impulsions à cause de sa terreur sous-jacente, il manque la perception qui constitue le point de départ de l'action de l'esprit. Ce n'est plus la perception qui constitue la motivation de l'action et l'esprit y substitue la pensée logique. Le corps devient un instrument de la volonté, il obéit aux commandes de l'esprit. J'explique ainsi cette différence à mes patients : normalement, on mange quand on a faim, mais le schizoïde déjeune parce qu'il est midi. Bien sûr, beaucoup de personnes qui ne sont pas schizoïdes sont obligées de manger à heures fixes, mais cela n'en illustre pas moins le principe pour mes patients.

Le schizoïde pratique un sport ou fait de la gymnastique pour améliorer le contrôle qu'il a sur son corps et non pour le plaisir de l'activité ou du mouvement. Sa personnalité est dépourvue de la cohérence que donne le plaisir, et l'unité en est menacée. Pour compenser cela, il augmente par des efforts de volonté le contrôle direct que son esprit exerce sur son corps. C'est par la mise en œuvre d'un mécanisme de ce type que les schizoïdes deviennent souvent des acteurs, des danseurs ou des athlètes remarquables.

Chez une personne normale, outre la régulation et le contrôle des impulsions, l'esprit est capable d'imposer au corps d'agir, de façon momentanée, en opposition à ses instincts naturels. D'habitude, la motivation de l'action est constituée de la recherche du plaisir et de la satisfaction obtenus par la réalisation d'un objectif. Si l'activité qui permet la réalisation de cet objectif est agréable à accomplir, le comportement de l'organisme est spontané, coordonné, et semble facile. Mais il y a des situations telles que la réalisation d'un objectif exclut l'expérience du plaisir. L'action en face du danger, par exemple celle d'un soldat sur le champ de bataille, est motivée par des considérations autres que celle du plaisir. L'écolier normal fait ses devoirs par nécessité plus que par plaisir. De nombreuses situations exigent un effort conscient pour mobiliser le corps, c'est-à-dire un effort de volonté par lequel l'esprit impose au corps d'agir en opposition à ses désirs ou à ses impressions spontanées. Le désir spontané d'un soldat, c'est d'éviter le danger. C'est par l'exercice de sa volonté qu'il se force à affronter ce danger. L'écolier préférerait jouer plutôt qu'étudier, mais on lui apprend à se soumettre à la discipline de l'esprit.

Il y a longtemps que l'on connaît le pouvoir unique de la volonté humaine. Des expressions telles que « la puissance de la volonté », « la volonté de vivre », et « quand on veut, on peut », nous donnent quelques indications sur la nature de la volonté. La volonté est un raccourci biologique, utilisé en cas d'urgence, quand tous les autres moyens ont échoué. La volonté peut permettre d'atteindre un but qui semblait irréalisable. L'incroyable pouvoir de la volonté humaine réside dans la possibilité de se soustraire au désir naturel de plaisir ou de sécurité et d'accomplir ce qui ne semble pas naturel. La volonté agit sur la musculature volontaire du corps par l'intermédiaire du contrôle du Moi. Paul utilisa sa volonté pour se ressaisir, alors que son corps se laissait gagner par la paralysie. C'est parce que la volonté peut l'emporter sur les sensations physiques qu'elle est d'une importance cruciale dans la vie du schizoïde.

Normalement, la volonté occupe une position secondaire ou accessoire dans l'économie psychique. Cependant, le fait est que dans notre type de société, beaucoup de gens sont forcés d'utiliser leur volonté pour des actes de routine. Combien de fois entend-on la remarque : « Il m'a fallu toute ma volonté pour réussir à aller travailler ce matin ! » Si ceci a la résonance d'une remarque schizoïde, on doit réaliser que les conditions de travail de la société moderne aliènent le processus créatif de l'individu et lui ôtent le plaisir et la satisfaction de son effort productif. Dans de telles conditions, on travaille parce que l'on y est impérativement obligé — et non par désir. Il faut un effort de volonté pour s'enrégimenter dans la mécanisation et la standardisation d'un système de production de masse. Quand la volonté devient le principal mécanisme d'action, supplantant la motivation normale de plaisir, on fonctionne sur le mode schizoïde.

Le schizoïde est intensément volontaire. Il est volontaire au sens où il est obstiné et provocant, mais il est aussi volontaire en ce que chacun de ses actes est contraint et prémédité. Parfois il réussit, mais le plus souvent il échoue. En général, tout effort de volonté s'achève par l'accablement et le désespoir. Comme le remarquait une de mes patientes : « Je suis toujours en train de tourner une nouvelle page, et le seul résultat que j'obtiens, c'est de m'apercevoir qu'elle est remplie avant que j'aie accompli quoi que ce soit. » Il manque au caractère schizoïde la confiance dans le fonctionnement naturel et spontané du corps.

« Je ne peux pas comprendre, me dit un autre patient schizoïde, comment mon corps arrive à fonctionner tout seul. J'ai l'impression qu'il risque de s'arrêter n'importe quand. Cela m'étonne qu'il continue à tenir le coup. J'ai toujours peur de perdre le contrôle. »

## *La barrière schizoïde*

Comme la conscience qu'a le schizoïde de son identité ne repose pas sur un fonctionnement normal du corps, c'est de sa volonté qu'il dépend pour maintenir l'unité de sa personnalité. Pour y arriver il doit tenir constamment en activité sa volonté. Sa musculature est donc continuellement en état de contraction. L'état spasmodique de la musculature explique la rigidité caractéristique du corps schizoïde, qui joue alors le rôle de barrière contre la terreur. La perte de contrôle représente une menace pour le schizoïde parce qu'elle peut provoquer une dislocation de sa personnalité, un effondrement littéral de cette barrière. Au contraire, une personne normale maintient l'unité de sa personnalité et la perception de son identité grâce à la puissance de ses impulsions et de ses perceptions.

On peut présenter sous forme de diagramme les différences entre l'état schizoïde et l'état normal, en ce qui concerne la formation des impulsions et l'activité musculaire. La figure VI représente l'état normal, et la figure VII l'état schizoïde.

Dans l'état normal (fig. VI), les impulsions, qui prennent naissance au centre du corps et se dirigent vers la périphérie, ont une fonction similaire à celle des rayons d'une roue, c'est-à-dire qu'elles assurent la plénitude et l'intégrité de l'organisme. Le flux constant d'impulsions recherchant le plaisir, procuré par la satisfaction des besoins dans le monde extérieur, charge la périphérie du corps de sorte que celui-ci est toujours prêt à réagir émotionnellement. Dans un corps chargé de vitalité, l'état de charge de la périphérie se traduit par le tonus et le teint de la peau, l'éclat du regard, la spontanéité des mouvements et la détente de la musculature.

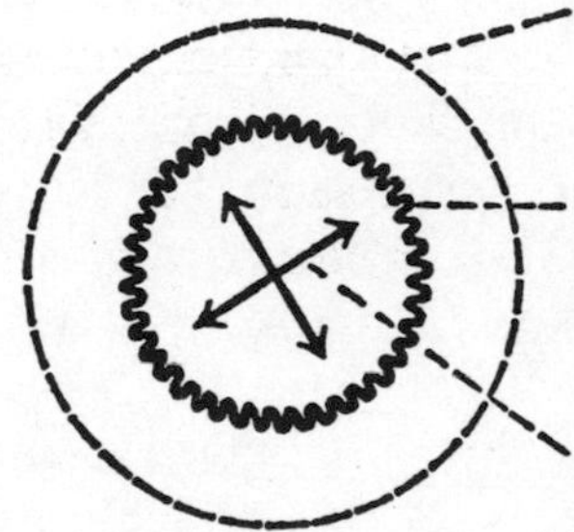

**Périphérie** : les pointillés indiquent la perméabilité et le manque de charge

**Musculature volontaire** : le trait épais indique la contraction et la spasmodicité des muscles

**Impulsions** : la formation d'impulsions est faible et sporadique

*Figure VI, Etat normal*

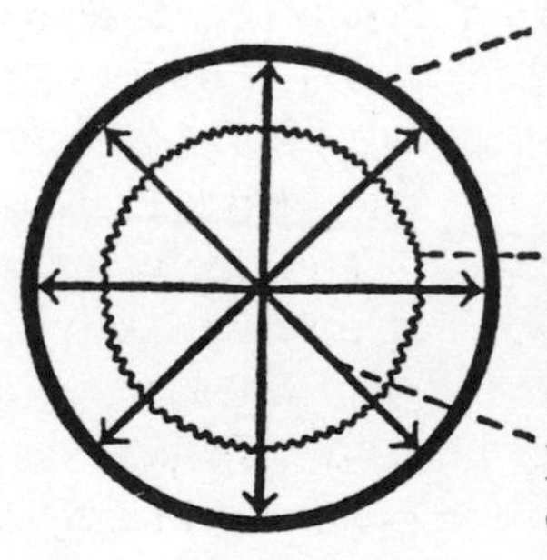

**Périphérie** : le trait plein indique que l'intégrité de la surface est assurée par une charge continue venant de l'intérieur

**Musculature volontaire** : le trait mince indique la capacité de détente et le développement de la musculature

**Impulsions** : elles sont rythmiques, et assez fortes pour atteindre la surface

*Figure VII, Etat schizoïde*

Dans l'état schizoïde (fig. VII), la formation d'impulsions est faible et sporadique et n'atteint pas la périphérie du corps, qui reste donc relativement déchargée. Comme les impulsions n'atteignent pas la surface du corps avec une force suffisante pour assurer son intégrité, la musculature volontaire se contracte pour assurer la cohésion du corps, comme le ferait un corset rigide, et pour empêcher l'effondrement que laisse redouter le vide intérieur. La charge réduite de la périphérie du corps schizoïde rend les membranes superficielles plus perméables aux stimuli externes, ce qui explique l'hypersensibilité que présentent la plupart des schizoïdes. Il est inévitable que le contact avec l'environnement externe soit faible. En général, les tentatives pour obtenir satisfaction dans le monde extérieur manquent d'efficacité. La contraction chronique des muscles profonds est responsable de l'étroitesse du corps, ce qui lui donne l'apparence asthénique typique.

La raideur de la musculature du corps schizoïde a une double signification. D'une part, c'est une défense contre la terreur et un moyen d'assurer une certaine unité de la personnalité. D'autre part, c'est un moyen direct d'exprimer la terreur, puisque lorsqu'on est terrifié, on a une attitude raide et figée. Paul ne pouvait percevoir sur lui-même ces caractéristiques physiques parce qu'il était incapable de réagir émotionnellement : tant qu'il restait figé, la terreur restait cachée, comme le danger inconnu derrière la porte. Pour qu'il puisse les percevoir, il lui fallait se dégeler et se tendre vers le monde extérieur. Ce n'était que par le passage par l'expérience de la terreur, et par la décomposition de cette terreur en toutes les peurs qui la constituent, que l'on pouvait espérer une amélioration significative de sa personnalité.

Un effondrement brutal de la rigidité schizoïde provoquerait une crise schizophrénique. L'effondrement entraîne une perte de la conscience des limites du Moi et la destruction de ce qu'il y a d'unité et d'intégrité dans la personnalité. Ceci ne peut se produire chez une personne normale. Une fois que l'on a établi un contact solide avec la réalité du monde extérieur, ce contact maintient la vitalité périphérique. On peut illustrer cette différence par les réactions de ces deux types de personnalités à des tensions excessives. On sait que, si la tension est suffisante, la structure schizoïde peut céder, ce qui détermine une crise psychotique aiguë. Par ailleurs, chez une personne normale, l'effrondrement dû à une tension intolérable se situe généralement au niveau des tissus et des organes et entraîne une maladie somatique plutôt qu'une maladie mentale. Il apparaît donc que les forces qui relient l'esprit au corps sont différentes dans les deux cas. On peut comparer ces phénomènes à l'action de certains adhésifs. Certains sont si puissants que si l'on veut séparer les éléments collés, c'est un des éléments qui cède, et non le support adhésif. D'autres adhésifs, comme le mastic, permettent de séparer les éléments collés sans les disloquer.

Quelles sont ces forces qui unifient la personnalité chez le schizoïde et chez l'individu normal ? Chez une personne normale, l'esprit et le corps doivent leur cohésion à la fonction intégrative du plaisir. Comme le plaisir est un principe fondamental pour le corps, l'esprit qui anticipe le plaisir affirme son identité avec le corps au plus haut niveau d'expérience possible. La capacité de plaisir garantit aussi la production d'un flux continu d'impulsion qui se tend vers le monde pour réclamer satisfaction. Sans cette fonction du plaisir, les impulsions ne sont que de rares ballons d'essai. Le schizoïde n'a donc que sa volonté pour créer le lien entre l'esprit et le corps. Mais la volonté, bien que dure comme l'acier, est cassante là où le plaisir est souple, subtil et procure force et élasticité, comme la sève dans un arbre vivant.

L'hypothèse de deux mécanismes différents capables d'assurer l'unité de la personnalité suggère qu'il puisse y avoir une certaine validité dans le concept suivant lequel la maladie somatique et la maladie mentale seraient antithétiques et auraient tendance à s'exclure mutuellement et, en général, on serait prédisposé à l'une ou à l'autre, mais pas aux deux à la fois. En cas de tensions intolérables, on peut s'attendre à ce que ces deux façons unificatrices cèdent de façons différentes. Quand la fonction de plaisir se désintègre, l'on peut généralement s'attendre à une maladie somatique, tandis que la désintégration de la volonté mène à la maladie mentale. On peut donc prévoir une interchangeabilité des symptômes, dépendant de l'état de fonctionnement de l'organisme pris dans sa totalité. Léopold Bellak fait sur ce même phénomène le commentaire suivant : « La faible incidence de troubles allergiques chez les psychotiques, et le retour des troubles allergiques après l'amélioration ou la guérison, constitue probablement l'un des exemples d'une telle interchangeabilité dont la documentation est la mieux fournie [17]. »

D'après mon expérience clinique, les schizophrènes présentent rarement les symptômes du rhume banal ; et quand cela leur arrive, je considère que c'est un signe d'amélioration clinique. Il y a aussi une importante documentation sur le fait que les états d'excitation émotionnelle intense et les commotions peuvent soulager les afflictions physiques chez des personnes normales. L'effet d'un choc émotionnel sur le rhumatisme articulaire en est un exemple. La rémission entraînée par un choc émotionnel fut l'une des observations qui amenèrent à utiliser la cortisone dans le traitement de cette maladie. La cortisone a une action similaire à celle des corticostéroïdes sécrétés par les surrénales en cas de stress ou de choc.

Le cas suivant illustre dramatiquement cette interchangeabilité des symptômes. C'est celui d'un patient schizophrène que j'ai suivi pendant plusieurs années. Au cours de la thérapie, la plupart des tendances et des manifestations schizophrènes diminuèrent considérablement. A une certaine période de la thérapie, j'avais pu constater d'importantes améliorations. Mais bientôt, un cancer épidermique se développa au bout de son nez. En fait, le patient avait remarqué cette tumeur depuis quelque temps, mais n'y avait pas prêté attention. L'anamnèse indiquait un traitement aux rayons X d'une acné du visage qui avait eu lieu plusieurs années auparavant. Cependant, il me parut significatif que l'apparition du cancer ait lieu à ce moment précis de la cure. Se pouvait-il qu'au moment où la perlaboration analytique des mécanismes schizophréniques empêchait son évasion dans la psychose, sorte de retrait de la réalité, le patient eût essayé de se retirer de la vie au moyen du cancer ? Il accepta cette interprétation, et elle fut utile à sa thérapie. On l'opéra, ce qui le conduisit à faire ce commentaire : « Je parie que je me fais couper le nez pour me faire la nique. » Cependant, après l'opération, le patient fit un grand pas en avant vers l'élaboration d'une personnalité stable.

Je ne tiens pas à suggérer qu'il n'y a pas de maladie somatique chez les schizophrènes, ni que la schizophrénie ne peut se développer en présence d'un trouble organique. Si les tendances traitées ici s'excluent mutuellement en théorie, elles ne le font que relativement dans la réalité. On peut émettre l'hypothèse qu'une fois le Moi accroché à la réalité, on ne peut l'en déloger facilement.

## *La retraite schizoïde*

Le schizoïde lutte contre la terreur et la démence en utilisant l'une des deux stratégies possibles ici. La plus habituelle, décrite ci-dessus, consiste en une rigidité physique et psychologique qui a pour but de refouler les émotions et de tenir le corps sous le contrôle du Moi. Cette structure permet au schizoïde de résister aux affronts du monde extérieur : le rejet et la déception. C'est une forteresse où il vit dans la relative sécurité de l'illusion et de l'imagination.

Mais tous les schizoïdes ne présentent pas cette rigidité caractéristique. Chez beaucoup d'entre eux, comme par exemple Barbara (dont on a présenté le cas au chapitre 1), on constate un manque de fermeté de la surface du corps ou un manque de tonus musculaire au lieu de la rigidité décrite ci-dessus. La formation d'impulsions est encore plus réduite — au point que le corps semble plus mort que vivant, la charge périphérique est très faible, et le teint est brouillé ou terreux. Logiquement, un tel état devrait suivre la rupture de la défense rigide et mener à la schizophrénie. Cependant, dans le cas de Barbara, on peut supposer que la rupture eut lieu pendant la petite enfance, avant que sa personnalité ait pu structurer une défense rigide. Barbara abandonna avant de pouvoir se défendre.

Pour expliquer qu'une personnalité reste saine même lorsque son apparence physique indique l'effondrement, on doit concevoir que la défense schizoïde contre la terreur puisse s'étendre au-delà de la rigidité. Quand la terreur est extrême, il faut accomplir une manœuvre encore plus désespérée. Quoi de plus terrifiant que de s'imaginer victime d'un sacrifice humain ? Les émotions évoquées par cette image suffiraient à provoquer la folie. Barbara et d'autres patients ont vécu cependant avec cette terreur et ne sont pas devenus fous. Ils ont sauvegardé leur santé mentale en croyant à la nécessité et à la valeur de leur sacrifice. Ils ont abandonné leur corps et accepté leur mort symbolique mais en faisant cela, ils ont enlevé à la terreur son point d'impact. Il n'est plus possible d'effrayer ni de commotionner un organisme dépourvu de toute sensibilité.

On peut donc décrire les deux manœuvres par lesquelles le schizoïde peut se défendre comme :

1) la barrière rigide,

2) la retraite hors du domaine d'activités.

Au cours de cette retraite, le schizoïde abandonne la plus grande partie de ses troupes (le tonus musculaire) et y perd la possibilité de riposter, bien qu'il garde le contrôle du reste de sa personnalité. On pourrait le comparer à un général sans armée, mais il est beaucoup plus proche d'une armée sans général. L'état schizophrène est un état de chaos où chacune des facultés de la personnalité abandonne les autres. La retraite schizoïde est une manœuvre pour éviter la déroute totale.

En cas de rigidité schizoïde (ou de retraite schizoïde), ce qui constitue la défense contre la folie, c'est le pouvoir qu'a l'esprit rationnel de l'individu de lui assurer sa fonction sociale. L'esprit agit par l'intermédiaire de la volonté. En cas de retraite schizoïde, la volonté est inopérante, mais l'esprit s'allie à l'ennemi pour éviter la déroute finale. C'est ce que faisait Barbara en s'identifiant à son démon. N'ayant pas la volonté nécessaire pour faire face au danger, Barbara évitait le désastre en se montrant soumise en toute situation. Cette soumission était tolérable, puisqu'elle pouvait la rationaliser sous la forme d'un sacrifice ayant pour but la survie

En général, ces deux manœuvres de défense s'excluent mutuellement. Celui qui a mobilisé toute son énergie à l'élaboration d'une barrière rigide ne peut pas recourir à la retraite si sa barrière est enfoncée. Son Moi manque de la souplesse qui lui permettrait de rationaliser la défaite, et un écroulement brutal de sa résistance peu provoquer l'effondrement psychotique. Le schizoïde qui a basé sa défense sur la retraite et le sacrifice, a perdu sa capacité à résister. Une retraite plus poussée devient impossible, et si elle s'avérait nécessaire il y aurait décompensation dans la schizophrénie. Néanmoins, ces deux manœuvres sont reliées l'une à l'autre par leur logique propre et compte tenu de l'histoire du sujet. Logiquement, la rigidité schizoïde est une défense contre l'écroulement brutal, tandis que la retraite naît de l'écroulement d'une résistance antérieure. Si l'on pousse ces investigations dans l'histoire du sujet, on peut montrer que la manœuvre schizoïde de retraite et de sacrifice se développe chez l'enfant à un âge précoce, à la suite d'un échec de l'élaboration d'une défense rigide contre l'impact de l'hostilité parentale.

## *Dépression nerveuse et schizophrénie*

Comme les défenses du schizoïde servent à garder le contrôle des impulsions refoulées, elles sont tributaires du degré de contrôle qui atteint ses limites de résistance. Par conséquent de nombreuses forces peuvent désorganiser l'équilibre schizoïde et provoquer un épisode psychotique. Ce ne sont pas ses défenses qui protègent le schizoïde de la dépression nerveuse, mais ce que sa personnalité a pu garder de santé. Voici quelques-unes des situations courantes qui peuvent provoquer un effondrement brutal de la structure schizoïde.

1. La drogue empêche momentanément l'esprit d'exercer son contrôle sur le corps ; elle entraîne donc fréquemment une crise psychotique aiguë. La mescaline et le L.S.D. font cet effet. Sous l'influence de ces hallucinogènes, le contact direct avec le corps est rompu. Les émotions et les images qui envahissent alors l'esprit du schizoïde provoquent souvent une impression de terreur, qui le submerge au point

de détruire le Moi. On peut rappeler que le choc de Jack était dû à son expérience de la mescaline. On reconnaît maintenant le danger de l'utilisation du L.S.D. dans le traitement de cas qui sont à la limite de la schizophrénie.

2. Le manque de sommeil, comme Paul Federn l'a souligné [18], est un autre facteur susceptible de provoquer une rupture psychotique chez les individus prédisposés. On a montré que la privation de sommeil détermine des phénomènes hallucinatoires même chez les individus normaux. Le manque de sommeil affaiblit le contrôle exercé par l'esprit sur le corps. L'étudiant schizoïde qui passe ses nuits à réviser ses examens peut sombrer dans la dépression.

3. Les situations émotionnelles que le schizoïde n'arrive pas à assumer peuvent provoquer une dépression. On sait que les patients schizoïdes craquent lorsqu'ils doivent affronter un mariage imminent, une crise financière, ou après la naissance d'un enfant. Une de mes patientes fit une tentative de suicide après avoir été délaissée par un jeune homme.

4. Enfin, les périodes critiques de la vie : l'adolescence et la ménopause. L'adolescence, avec les remous provoqués par les impulsions sexuelles, est une période particulièrement difficile pour la personnalité schizoïde. De fait, la schizophrénie portait autrefois le nom de démence précoce parce qu'elle se déclarait le plus souvent tout au début de l'âge adulte. La ménopause est une autre période où les ajustements inadéquats du Moi s'effondrent sous l'impact de fortes émotions, et provoquent souvent une crise émotionnelle.

La dépression nerveuse consiste à perdre le contrôle que l'on exerce sur ses sentiments et sur son comportement. Cependant ses manifestations diffèrent d'un patient à l'autre. Certains patients sont submergés par l'angoisse et la confusion. D'autres deviennent farouchement destructeurs et l'on doit les enfermer. D'autres encore développent un délire paranoïde. Et quelques-uns deviennent progressivement détachés et irresponsables. Chacun réagit en accord avec la dynamique de la structure de sa personnalité, c'est-à-dire selon la force relative des impulsions refoulées et des défenses contre ces impulsions. Certains éléments communs montrent qu'un processus similaire se déroule dans tous les cas. Ces éléments sont :

— De la confusion et une sensation d'anxiété pouvant aller jusqu'à la terreur.

— Une impression d'étrangeté (état d'irréalité partielle où l'on ne sait plus si l'on rêve ou si l'on est éveillé). On doit se pincer pour savoir ce qu'il en est. On ressent une impression d'étrangeté lorsqu'on est submergé par ses sensations.

— De la dépersonnalisation (perte de la perception de soi).

— Finalement, la schizophrénie (le retrait et la régression aux niveaux de fonctionnement archaïques ou infantiles permettant la survie).

Au cours de la dépression, le sujet ne sait pas que ce sont ses émotions refoulées qui ont submergé ses défenses. Une telle prise de conscience nécessiterait une connaissance de soi et une solidité du Moi dont le schizoïde est dépourvu. Quand il les acquiert par la thérapie, il peut se libérer de ce refoulement sans danger pour lui-même ou pour les autres. L'incident qui sert de point de départ à la dépression peut être pratiquement insignifiant. Quand les conditions voulues sont réunies, il joue le rôle de l'étincelle qui met le feu aux poudres. On ne peut expliquer un résultat aussi catastrophique qu'en se référant à la terreur tapie au fond de la personnalité. C'est la seule base qui permette de comprendre les étapes extrêmes où l'on en arrive si la terreur persiste.

Le stade schizophrénique est une négation de la réalité. Si la négation est totale, la terreur disparaît. Comme la peur d'être détruit constitue l'un des aspects de la terreur, l'état dans lequel se trouve le schizophrène est un refuge. On peut difficilement le détruire s'il n'est pas « là », c'est-à-dire s'il n'existe pas dans l'espace et dans le temps présents. On ne peut le punir s'il n'est pas lui-même, c'est-à-dire s'il est réellement Napoléon, ou Jésus-Christ, ou une divinité quelconque sous un déguisement. D'autre part, si la terreur naît de sa peur de détruire quelqu'un d'autre, c'est par un mécanisme paranoïde qu'il éloigne cette peur. Il n'a rien à se reprocher puisque, par l'intermédiaire du délire paranoïde, il est convaincu que ce sont les autres qui intriguent pour le détruire.

Il est étonnant de voir combien le paranoïde montre peu d'anxiété lorsqu'il raconte son histoire de persécutions imaginaires. En dernier recours, ce qui chasse toute peur, c'est de ne plus rien penser ni sentir.

# 4

# L'abandon du corps

## *Possession de soi*

L'APPARENCE PHYSIQUE du fou dégage une forte impression d'étrangeté et de bizarrerie. Nous percevons qu'il a perdu le contact avec ce qui l'entoure. Certains signes physiques permettent en effet de distinguer le schizophrène de la personne normale.

Il y a quelque temps, se trouvait dans mon cabinet une jeune fille dont l'état psychotique était évident. Elle penchait la tête sur le côté, comme si elle avait le cou tordu. Son regard était affolé et hagard. Son visage exprimait l'effroi et l'angoisse. Elle s'arrachait les cheveux des deux mains, gémissait et grognait. Elle bredouillait, et je ne pouvais pas la comprendre. Mais je sentais qu'elle comprenait ce que je lui disais.

C'était une patiente de l'un de mes associés, qui venait d'être appelé d'urgence à l'hôpital. Bien qu'elle n'eût pas pris rendez-vous avec lui, son désespoir l'avait poussée à se rendre au cabinet. Elle ne voulait pas se calmer. Elle résistait énergiquement à toute tentative d'apaisement. Elle continua à gémir et à s'arracher les cheveux. Quand on put joindre son médecin, il lui parla au téléphone et elle devint plus maniable. Finalement, l'arrivée du médecin mit un terme à l'épisode : il réussit à la calmer et à la ramener chez elle.

L'apparence de cette patiente indiquait qu'elle était perturbée, au point qu'un seul coup d'œil suffisait pour un diagnostic. Cependant, on ne devrait jamais fonder un diagnostic de schizophrénie sur la seule base d'un état d'angoisse et de tourment, car de telles manifestations peuvent aussi être des réactions à un événement tragique.

Par exemple, une mère pourrait réagir de la même manière à la mort de son enfant. Elle gémirait, s'arracherait les cheveux et refuserait de bouger. Nous ne connaissons pas les raisons de la souffrance du fou, mais son angoisse et son tourment n'en sont pas moins réels. Bien entendu, ce sont les facteurs qui provoquent chacune de ces deux situations qui les différencient. Dans le cas de la mère, l'angoisse est en rapport avec une cause connue et acceptée, et lui est proportionnée ; le comportement du fou semble disproportionné aux tensions apparentes de sa situation immédiate. L'observateur ne peut pas percevoir les raisons qui le font agir et le fou, qu'il en connaisse ou non les raisons, ne peut pas les communiquer.

En cas de démence, on peut également rencontrer la situation inverse. La cause peut être connue ou visible, mais la réaction du psychotique ne semble pas avoir de rapport avec cette cause. L'exemple le plus simple en est l'absence de réactions envers une perte ou une blessure évidente ; comme c'est le cas pour un schizophrène qui tue son enfant mais ne montre aucune peine. Ainsi, le manque de réactions sensées envers les événements extérieurs est une indication reconnue de ce que « quelque chose ne tourne pas rond ».

Lorsque nous disons que le psychotique a perdu le contact avec la réalité, cela ne signifie pas nécessairement qu'il n'est pas conscient de ce qui se passe autour de lui. Le catatonique, par exemple, est parfaitement conscient de ce qu'on lui dit ou de ce qu'on lui fait. Et je suis certain que la jeune fille dont j'ai parlé plus haut savait ce que je faisais et entendait mes questions. Je lui demandais ce qui la troublait. Mais elle ne pouvait pas répondre à cette question. Elle réagissait à une situation interne, c'est-à-dire à certaines impressions et sensations physiques qu'elle ne comprenait pas et qui la submergeaient. Ce n'est pas une question d'intensité de l'impression. La douleur d'une mère venant de perdre un enfant serait aussi intense. Elle aussi pourrait ignorer temporairement son environnement. Mais elle serait capable de décrire ses impressions et de les relier à une cause immédiate.

Le psychotique n'est pas en contact intime avec son corps. Il ne perçoit pas ses impressions et sensations physiques comme siennes ou comme venant de son corps. Ce sont des forces étrangères et inconnues qui agissent sur lui de façon mystérieuse. Il ne peut donc les communiquer sous forme d'explications significatives de son comportement. Il se sent terrifié, et son comportement exprime cette impression, mais il ne peut la relier à aucun événement spécifique.

Le schizophrène se comporte comme s'il était « possédé » par une force étrange qu'il ne pourrait pas contrôler. Avant les débuts de la psychiatrie moderne, on considérait habituellement le malade mental comme un être « possédé par le démon » ou « diabolique », ce dont il fallait le punir. Nous avons rejeté cette explication de la maladie mentale, mais nous ne pouvons pas échapper à l'impression que donne le schizophrène d'être « possédé ». Quelle que soit l'expression apparente du psychotique — qu'elle soit comique, tragique, hallucinée ou lointaine — on a toujours cette impression. C'est, encore de nos jours, une indication valable de la maladie mentale.

Il est significatif que notre langage utilise le concept de « possession » pour désigner la santé mentale. Nous décrivons quelqu'un comme étant « en possession de lui-même » ou « en possession de ses facultés » ; ou, inversement, nous disons qu' « il n'est plus en possession de ses moyens ». Pris en ce sens, le terme possession signifie, bien entendu, le contrôle du Moi sur les forces intellectuelles du corps. Lorsqu'on perd cette possession, ces forces échappent au contrôle du Moi. Chez le psychotique, le Moi s'est désintégré à un point tel que l'on peut le comparer à un état anarchique où l'on ne sait pas ce qui se passe, et l'on en est terrifié. D'autre part, on peut comparer la perte de contrôle qui a lieu au cours d'une explosion hystérique à une émeute. On sait que l'autorité du Moi sera rapidement rétablie, et que l'on contrôlera à nouveau les émotions soulevées. On peut évaluer le degré de possession de soi en fonction de l'aptitude à présenter des réactions appropriées aux situations vécues. Le schizophrène est totalement dépourvu de cette aptitude. La rigidité physique du schizoïde l'handicape dans ses réactions.

## *Le masque schizoïde*

Le premier trait qui frappe chez le schizoïde ou le schizophrène, c'est son regard très particulier. On a qualifié ce regard de « vide », « absent », « éteint », « sans expression », etc. L'expression de ce regard est si caractéristique qu'elle permet à elle seule d'établir un diagnostic de schizophrénie. De nombreux auteurs ont fait des commentaires à ce sujet. Wilhelm Reich, par exemple, dit que les personnalités schizophrènes et schizoïdes ont toutes deux « un regard lointain typique, *perdu dans le vague*. C'est comme si le psychotique regardait l'horizon droit à travers vous, d'un regard distrait mais perçant [19] ». On n'observe pas constamment ce regard particulier. A d'autres moments, le regard semble seulement vide. Reich a observé que lorsqu'une émotion surgit, le regard « s'éteint ».

Silvano Arieti signale « un regard ou une expression bizarre » en référence à de nombreuses observations. Il a constaté lui-même une rétraction de la paupière supérieure qui provoque un élargissement de l'œil. Il relie ce phénomène à l'expression habituelle d' « ahurissement et de retrait » des schizophrènes. Arieti commente aussi un soi-disant regard de « folie » qu'il attribue au manque de convergence et de constriction normales des yeux de certains schizophrènes[20]. Je pense que ce regard constitue une expression de terreur, et que l'on peut l'interpréter comme de la folie parce que cette terreur n'est reliée à aucune cause connue. En général, on observe soit le regard « perdu dans le vague » décrit par Reich, soit une expression de peur et d'ahurissement. Cependant, dans tous les cas, le dénominateur commun, c'est l'incapacité du schizophrène à fixer sur autrui un regard *exprimant un sentiment*. Même si ses yeux sont élargis par l'effroi, il ne vous regarde pas avec peur ; s'ils sont pleins de rage, elle n'est pas dirigée contre vous. Vous êtes mal à l'aise en sa présence parce que vous sentez en lui une force impersonnelle qui pourrait vous briser et vous mettre en pièces sans même reconnaître votre existence.

Un de mes patients entra dans un état catatonique ; à mesure qu'il s'y enfonçait, ses yeux devenaient de plus en plus vitreux. Il me raconta plus tard qu'il avait vu tout ce qui se passait. Bien qu'il semblât être « ailleurs », il voyait ma main lorsque je la remuais devant lui. La fonction automatique de vision n'était pas atteinte ; la lumière qui frappait ses yeux impressionnait la rétine comme elle aurait impressionné une pellicule sensible. Lorsque le patient sortit du stade catatonique, les yeux perdirent leur aspect vitreux et reprirent une apparence plus normale. Cette expérience de catatonie eut lieu à la suite d'un exercice où le patient frappait le matelas de ses poings en disant *non*. Le patient ne pouvait pas faire face aux sentiments évoqués par cet exercice, et il réagit à cela en « faisant le mort ». Sa mort apparente était une défense contre ses sentiments de rage. Il supprima cette rage en refusant pratiquement tout contact avec le monde extérieur ; c'est ce retrait qui lui donnait ce regard vitreux.

Le schizoïde vous donne l'impression subjective qu'il est incapable d'établir un contact avec votre regard ; c'est l'aspect le plus troublant de son apparence. Vous n'avez pas l'impression qu'il vous regarde, ni que son regard vous atteint, mais plutôt qu'il vous dévisage, en vous voyant mais sans émotion. D'autre part, s'il dirige son regard sur vous, vous pouvez y percevoir de l'émotion, comme si ce regard vous touchait.

Ortega y Gasset a fait une intéressante analyse de la fonction de la vision dans son essai : *Point of View in the Arts.*

« La vision à proche distance, constate-t-il, a un caractère tactile. Quelle est cette mystérieuse résonance de contact que conserve la vue lorsqu'elle se porte sur un objet rapproché ? Nous ne devrions pas essayer d'élucider ce mystère. Il suffit de reconnaître la densité quasi tactile que possède le rayon oculaire : il peut, par exemple, pratiquement envelopper et caresser un pot en terre. Lorsqu'on éloigne l'objet, la vue perd son pouvoir tactile et se transforme graduellement en vision pure [21]. »

Une autre manière de décrire ce qui est perturbé dans le regard du schizophrène consiste à dire qu'il « voit mais ne regarde pas ». Il y a la même différence entre voir et regarder qu'entre la passivité et l'activité. Voir est une fonction passive. D'après le *Webster's New International Dictionary*, le terme *voir* se réfère à la capacité de vision « lorsqu'on ne souligne pas la part de l'élément d'attention ». *Regarder* est par ailleurs défini dans ce dictionnaire comme « diriger le regard ou la vision d'une certaine manière, ou avec certaines intentions ou émotions ». Comme le schizophrène ne peut pas diriger son regard en exprimant une émotion, il lui manque la pleine possession de cette faculté qu'est la vision, ou le contrôle normal de cette fonction physique. Sa possession de soi est limitée.

Nous regardons les yeux de quelqu'un pour savoir ce qu'il ressent ou pour percevoir les réactions qu'il a envers nous. Est-il heureux ou triste, amusé ou en colère, effrayé ou détendu ? C'est parce que les yeux du schizoïde ne nous disent rien que nous savons qu'il a refoulé toute émotion. Au cours du traitement de ces patients, je prête énormément d'attention à leur regard. Quand je les atteins émotionnellement, c'est-à-dire lorsqu'ils réagissent à moi en tant qu'êtres humains, leurs yeux s'éclairent et ils arrivent à fixer leur regard. Ceci se produit également de façon spontanée lorsque la sensibilité physique d'un patient s'améliore grâce à la thérapie. Son regard devient plus vif et il paraît plus vivant. Le vide du regard est donc une expression du manque relatif de vitalité de la personnalité globale. Les réactions ou le manque de réactions dans le regard du patient schizoïde me fournissent une meilleure indication sur ce qui se passe que n'importe quelle communication verbale. L'expression du regard indique, mieux que tout autre signe isolé, dans quelle mesure l'on est « en possession de ses facultés ».

Nous savons tous intuitivement que les yeux révèlent de nombreux aspects de la personnalité. Les yeux du fanatique brûlent de zèle, et les yeux d'un amoureux brillent de tout l'éclat de ses sentiments. L'éclat des yeux d'un enfant reflète son intérêt pour la vie ; l'aspect terne que peut prendre le regard d'une personne âgée indique que cet intérêt a décliné. Les yeux sont les fenêtres du corps. Bien qu'ils ne révèlent pas nécessairement ce que l'on pense, ils indiquent toujours ce que l'on ressent. Comme les fenêtres, ils peuvent s'ouvrir ou se fermer, se voiler ou s'éclaircir.

Si les parents, les éducateurs et les médecins regardaient (au sens de : *dirigeaient leur regard avec émotion sur*) les yeux de l'enfant, ils pourraient en partie éviter la tragédie de l'enfant schizoïde, cet enfant que l'on ne comprend pas.

Si le schizoïde est incapable de fixer son regard, c'est à cause de son anxiété au sujet des émotions qui pourraient transparaître dans son regard. Il a peur de laisser ses yeux exprimer fortement la peur ou la colère parce que cela lui ferait prendre conscience de ces émotions. Regarder en exprimant une émotion équivaut à prendre conscience de cette émotion. Pour supprimer l'émotion, il faut que le regard reste vide, lointain. Le manque d'expression du regard, tout comme le manque de réactions physiques, fait partie de la défense du schizoïde contre l'émotion. Cependant, quand les émotions balaient cette défense et submergent le Moi, le regard « s'éteint », comme Reich l'a souligné, ou parfois, la peur et la rage s'y répandent de façon désordonnée, sans être fixées ni dirigées, comme c'était le cas pour la jeune fille schizophrène de mon cabinet. Ainsi, lorsque les yeux ont soit un regard « perdu dans le vague », soit un regard farouche de rage ou de terreur non dirigées, ils dénotent la schizophrénie. Un regard vide et distant indique un état schizoïde.

Lorsqu'on quitte le regard pour observer l'expression de la totalité du visage, on constate d'autres signes du trouble schizoïde. Le plus important est le manque d'expression du visage, semblable au manque d'émotion du regard. On a dit que le visage schizoïde avait un caractère de masque. Il lui manque la gamme normale d'émotions qui donne son aspect vivant au visage d'une personne normale. Ce masque peut prendre diverses expressions ; il peut représenter l'ahurissement du clown, l'innocence et la naïveté de l'enfant, l'air entendu du blasé, l'arrogance de l'aristocrate. Sa caractéristique est un sourire « figé » auquel le regard ne participe pas. On peut reconnaître ce sourire schizoïde typique par : 1) son caractère immuable, 2) son manque d'à-propos, 3) son absence de relation avec une sensation de plaisir. On peut l'interpréter comme une tentative pour soulager la tension de ce visage semblable à un masque quand surgissent des émotions que le schizoïde ne peut ni exprimer ni communiquer. Le sourire cache et nie l'existence de toute attitude négative. Harvey Cleckley appelle cette expression « le masque du bon sens »[22].

Derrière ce masque au sourire figé et au regard entendu, on peut discerner sur le visage schizoïde une expression que je qualifierai de mortuaire. On peut discerner une tête de mort. Dans certains cas, on ne peut la voir qu'en exerçant avec les pouces une pression ferme sur les pommettes, des deux côtés de l'arête du nez. Sous l'effet de cette pression le sourire figé disparaît, l'ossature du visage s'accuse, le visage se décolore, et les yeux font penser à des orbites creuses. C'est une expression affreuse qui donne l'impression de voir le visage de la mort. Le patient n'est pas conscient de cette expression, puisqu'elle est cachée par le masque, mais sa présence est un autre moyen permettant d'estimer la profondeur de sa peur. On pourrait dire, avec raison, que le schizoïde est « mortellement effrayé », au sens littéral de l'expression. On retrouve également cette expression mortuaire sur les personnages dessinés par certains patients, comme le montrent les figures II et XIII.

N'ôte pas le masque schizoïde qui veut. L'expression du visage schizoïde est figée par la terreur sous-jacente, et le masque constitue son armure contre cette terreur. Le masque permet également au schizoïde d'être vu par autrui sans causer la réaction de choc que son expression mortuaire provoquerait sans cela. Pour ôter ce masque, on doit faire perdre au patient sa « rigidité cadavérique », lui faire prendre conscience de sa terreur et de sa peur, et réduire l'emprise qu'elles ont sur sa personnalité.

Kretschmer pose la question qui tourmente certainement tous ceux qui ont été au contact de personnalités schizoïdes. « Qu'y a-t-il tout au fond, sous tous ces masques ? » demande-t-il. « Peut-être n'y a-t-il rien qu'un vide noir et profond — une anémie affective[23]. » Il continue : « On ne peut pas savoir ce qu'ils ressentent : parfois ils ne le savent pas eux-mêmes, ou seulement vaguement. » Si l'on demande à un schizoïde ce qu'il ressent, la réponse la plus courante est : « Rien, je ne ressens absolument rien. » Cependant, lorsqu'au cours de la thérapie, il permet à ses émotions de surgir, il révèle qu'il a les mêmes désirs et les mêmes volontés que n'importe qui, et qu'il les a toujours eus. Arborer un masque et refuser ses émotions constitue une défense contre sa terreur et sa rage, mais cette défense lui sert aussi à supprimer tout désir. Il croit qu'il ne peut pas se permettre de ressentir ou de désirer, car ceci le rendrait vulnérable à une quelconque catastrophe (rejet ou abandon). Si l'on ne désire rien, rien ne peut vous blesser.

Par moments, quand le patient schizoïde perd le contrôle et se laisse submerger par ses émotions intimes, l'expression du visage se convulse au point de paraître inhumaine. Lorsque la colère l'envahit, ou qu'il prend une expression coléreuse, il a souvent un aspect démoniaque. Ses sourcils froncés et ses yeux sombres n'expriment pas la colère mais une rage effrayante. Chez les schizophrènes en retrait et en régression, le visage et la tête évoquent souvent l'image d'une gargouille. A d'autres moments, le visage s'adoucit et un sourire infantile erre autour des lèvres, sans toutefois s'étendre au regard.

La dissociation entre le sourire errant sur les lèvres et le manque d'expression du regard caractérise la personnalité schizoïde. Eugen Bleuler décrit ainsi cette scission de l'expression sur le visage du schizophrène : « La mimique manque d'unité — par exemple : le front ridé exprime ce qui pourrait être de la surprise, les yeux avec leurs petites pattes d'oie donnent l'impression du rire, et les coins de la bouche peuvent retomber en signe de chagrin. L'expression du visage semble souvent outrée et très mélodramatique [24]. »

La contraction des mâchoires est une autre caractéristique du visage schizoïde. On la rencontre toujours. Accompagnée du sourire figé, elle entraîne un manque de coordination marqué entre la partie inférieure et la partie supérieure du visage. La contraction des mâchoires est une expression de défi, qui ne s'accorde pas avec le regard vide et apeuré. Contracter les mâchoires permet d'empêcher tout sentiment de peur ou de terreur de se manifester dans le regard. Le schizoïde dit, en fait : *je n'aurai pas peur*.

J'ai constaté qu'il est pratiquement impossible que le regard du patient exprime quoi que ce soit avant que la tension des muscles de ses mâchoires ne se soit substantiellement réduite. Ceci se produit habituellement lorsque le patient donne libre cours à sa tristesse, et pleure.

Si l'on observe les pleurs d'un nourrisson, on constate qu'ils débutent par un tremblement du menton. Le menton recule, la bouche tombe, la mâchoire inférieure s'affaisse, en même temps que le nourrisson libère convulsivement ses émotions, en pleurant. La contraction des mâchoires inhibe cette libération chez le schizoïde. Elle fonctionne donc comme une défense généralisée contre toute émotion.

Une courte monographie, non publiée, sur le réflexe de grondement [25] me suggéra une interprétation dynamique des tensions faciales et crâniennes du schizoïde. En général, le patient schizoïde ne peut pas gronder, c'est-à-dire qu'il ne peut pas retrousser sa lèvre supérieure et montrer les dents. Les personnes normales accomplissent ce mouvement plus facilement. Les difficultés à le faire du schizoïde sont dues à la rigidité de la partie supérieure du visage qui s'étend au cuir chevelu jusque dans la région de la nuque, là où la tête rejoint la partie postérieure du cou. Ces muscles de la nuque sont étroitement contractés chez les schizoïdes. On peut se rendre compte de cette tension si l'on outre volontairement l'expression de frayeur : en écarquillant les yeux, en levant les sourcils et en rejetant la tête en arrière. On sent alors se contracter les muscles de la base du crâne. Gronder et mordre exigent une direction de mouvement complètement inverse de celle du mouvement effectué en cas de frayeur. Pour mordre, l'on porte la tête en avant afin de mordre avec les dents du haut tandis que celles du bas retiennent l'objet. Comme le schizophrène est figé dans le stade de la terreur, il ne peut ni exécuter ce mouvement ni gronder.

Chez le schizoïde, l'inhibition à gronder et à mordre est reliée à un trouble oral profondément enraciné qui se manifeste également par la répugnance du schizoïde à tendre les lèvres et à sucer. L'ensemble de ce trouble oral naît d'un conflit infantile avec la mère qui n'a pas pu satisfaire les besoins oraux érotiques de l'enfant. La frustration du nourrisson entraîne des impulsions à mordre auxquelles sa mère réagit avec une telle hostilité que l'enfant n'a pas d'autre alternative que de supprimer ses désirs oraux et de refouler son agressivité orale.

## *Rigidité physique, fragmentation et effondrement*

On constate également assez souvent chez le schizoïde, un manque d'alignement de la tête avec le reste du corps. La tête forme un angle avec le corps, elle est penchée à droite ou à gauche. Cette façon de tenir la tête est une autre indication de la dissociation entre la tête et le corps, mais je n'avais pas pleinement compris la raison de cette position de la tête avant qu'un patient ne me fasse la remarque qui suit. C'était pendant un entretien de très forte tension émotionnelle. Il se mit soudain à voir flou et les objets lui semblèrent perdre leur forme. Quand il penchait la tête sur le côté, il y voyait de nouveau clair. S'il essayait de redresser la tête, le trouble reprenait. Il put poursuivre l'entretien en soutenant sa tête de sa main. L'explication la plus probable de ce phénomène, c'est qu'une position inclinée de la tête permet de n'utiliser qu'un seul œil, le meilleur, pour y voir et d'éviter ainsi la difficulté de convergence et d'accommodation que l'on ne peut éviter lorsqu'on essaie de fixer un objet avec les deux yeux.

Tout le reste du physique schizoïde se caractérise également par la rigidité et la tension. Le cou et les épaules sont presque toujours raides, ce qui semble être en relation avec l'attitude d'arrogance et de retrait. Je pense que cette attitude exprime que l'on est « au-dessus de tout ça » — le « ça » signifiant le corps, ses désirs et ses sensations. Cette attitude se généralise avec la tendance qui consiste à *se sentir au-dessus des autres ou au-dessus des plaisirs physiques de l'existence*. C'est chez les patients dont le cou long et mince semble détacher la tête du reste du corps que l'arrogance se manifeste le plus clairement. Leurs épaules tombantes accentuent cette impression de séparation. Dans d'autres cas, les épaules sont haussées, comme si le patient essayait de se redresser par les épaules. A cause de la rigidité de la ceinture scapulaire, les bras restent pendants et ressemblent plus à de vagues appendices qu'à des parties d'un organisme unifié.

La rigidité schizoïde n'est pas identique à la rigidité du névrosé de type compulsif, qui provient, elle, d'une tension de forte charge émotionnelle. Le névrosé est frustré et en colère, le schizoïde terrifié par sa rage refoulée. La constitution physique du névrosé rigide possède une unité fondamentale, qui manque à la constitution schizoïde. La rigidité du schizoïde est semblable à de la glace, celle du névrosé rigide à de l'acier. Chez une personnalité schizoïde, la rigidité est aussi cassante qu'elle est dure, elle réprime autant qu'elle soutient. Kretschmer cite Strindberg, qui devint schizophrène. Celui-ci disait : « Je suis aussi dur que la glace et pourtant je déborde de tant de sensibilité que j'en suis presque sentimental[26]. »

La sensibilité du schizoïde est de la sentimentalité parce qu'elle n'a pas de connexion directe avec les sensations physiques. On peut la décrire comme une sensibilité « froide » qui reflète la négation du besoin de plaisir physique et le rejet de ce plaisir. La sensibilité normale est plus émotionnelle que sentimentale parce qu'elle se fonde sur les sensations physiques ; cette sensibilité émotionnelle est donc chaude ou brûlante (passionnée). Par ailleurs, le schizoïde n'est pas dépourvu de toute sensibilité, il peut même mettre de la passion à défendre les droits des déshérités ou à combattre pour une cause. Son dévouement à des principes reflète un altruisme qui est au cœur de ses difficultés personnelles. Ceci ne signifie pas que la défense de la justice soit l'apanage exclusif du schizoïde. Ceci signifie que le schizoïde, parce qu'il n'arrive pas à percevoir sa propre identité, cherche fréquemment la justification de son existence dans les causes sociales, les doctrines, et les panacées universelles. La sentimentalité du schizoïde vient de ce que sa sensibilité est détachée du soi et du corps. Elle dénote une perte de la conscience de son identité personnelle que compensent les identifications sociales.

Un examen plus poussé du physique schizoïde révèle plusieurs autres anomalies caractéristiques. On constate fréquemment que la partie supérieure du corps est relativement peu développée musculairement. Le thorax a tendance à être étroit et contracté, maintenu en position d'expiration. Cette étroitesse thoracique, particulièrement évidente au niveau des côtes inférieures, limite nécessairement la respiration. Toutefois, dans d'autres cas où le trouble est moins grave, on peut constater un élargissement compensatoire de la poitrine, que certains patients trouvent « viril » et qu'ils obtiennent grâce à des exercices aux haltères. En cas de prostration, la poitrine est plate, douce, et manque de tonus. Dans tous les cas, il y a un resserrement marqué du corps dans la région de la taille, dû à une contraction chronique du diaphragme.

Chez beaucoup de patients le resserrement marqué à la taille donne l'impression que leur corps est divisé en deux moitiés. Cela suggère l'interprétation selon laquelle le patient essaie de dissocier le haut de son corps, auquel le Moi s'identifie, du bas de son corps (la sexualité). J'ai traité une patiente dont le haut du corps était normalement développé alors que le bas de son corps l'était insuffisamment. Au-dessus de la taille, elle avait l'air d'une femme, et au-dessous, d'une petite fille. Elle me raconta une anecdote intéressante, qui reflétait son problème. Elle avait été opérée de l'appendicite. Le lendemain de l'opération, on lui amena un bassin pour uriner. Ma patiente dit à l'infirmière qu'elle ne pouvait pas s'en servir parce que son urine coulait vers l'avant et non vers le bas. Comme l'infirmière insistait, la patiente essaya — et s'inonda. Ce qu'elle avait dit était vrai. Son pelvis avait gardé la position vers l'avant qu'il a chez les petites filles. A la puberté, le pelvis effectue une rotation vers le bas et vers l'arrière qui amène le vagin entre les cuisses. Ceci ne s'était pas produit chez ma patiente, et elle le savait fort bien.

La rotation du pelvis vers le bas ainsi que l'élargissement des hanches amènent à la constitution féminine normale. Les genoux se rapprochent l'un de l'autre, et en même temps les cuisses accomplissent une rotation vers l'intérieur et se rejoignent. Chez la plupart des femmes schizoïdes, ce développement ne s'est accompli que partiellement : le pelvis conserve son inclinaison vers l'avant, et il y a un espace notable entre les cuisses.

La dysplasie, c'est-à-dire la présence de traits appartenant au sexe opposé, est une autre caractéristique physique du schizoïde. On rencontre fréquemment chez la femme des traits viriloïdes tels que l'étroitesse des hanches, la maigreur des cuisses et une distribution masculine des poils pubiens. Chez l'homme, les tendances féminoïdes se caractérisent par un pelvis plein et rond, une amorce de mont de Vénus (mont de tissu adipeux qui recouvre l'os pubien chez la femme), et une distribution féminine des poils pubiens, en triangle inversé.

On rencontre plus rarement la dysplasie dans le cas des constitutions de type asthénique (long et mince). De telles constitutions ont un caractère d'immaturité qui atténue les différences sexuelles secondaires. Les hanches sont minces, comme celles des garçons et des filles prépubères, les épaules étroites, et la musculature insuffisamment développée. Les muscles sont longs et tendineux. Chez les constitutions asthéniques, l'étranglement marqué de la taille, qui semble séparer les deux parties du corps, réduit fortement la coordination des mouvements.

Les schizoïdes présentent aussi certaines anomalies au niveau des pieds et des jambes. Les genoux sont ankylosés, les chevilles raides et les pieds contractés, ce qui diminue la souplesse des jambes. C'est l'impossibilité pour ces patients de fléchir complètement les genoux lorsque leurs pieds reposent à plat sur le sol qui met le mieux en évidence la limitation de motilité qui en résulte. J'interprète ceci comme l'indication de ce que, chez les schizoïdes, les pieds semblent mieux adaptés à prendre et à tenir qu'à la locomotion.

Beaucoup de patients ont les pieds en position inversée, c'est-à-dire tournés en dedans. Une pareille inversion fait porter le poids du corps sur l'extérieur du pied et entraîne une légère courbure des jambes. Ceci rappelle le stade prénatal et le stade de la petite enfance où les pieds sont tournés vers l'intérieur. C'est aussi une preuve de l'existence d'une faille dans le développement : il y a fixation au niveau infantile. Dans ces conditions, les muscles du pied sont toujours contractés afin de supporter le poids du corps, cc qui en exagère beaucoup la cambrure normale.

On constate également de l'infantilisme chez les patients aux pieds anormalement petits. En général, ce phénomène se rencontre chez des femmes-enfants petites et délicates. Quelquefois, cependant, de très petits pieds supportent un corps grand et lourd ; on peut interpréter cela comme le signe de tendances infantiles de la personnalité. Quand la partie inférieure du corps est lourde et manque de fermeté, les muscles du pied perdent eux aussi leur tonus. La voûte plantaire s'effondre et le poids se porte sur la face interne du pied. Au cours d'un séminaire clinique de mon cabinet, j'ai présenté un patient qui pesait 107 kg. Ses pieds étaient petits et étroits, et il ne pouvait ni étendre ni recourber les orteils. Ceux-ci avaient une teinte bleuâtre qui indiquait un certain degré de cyanose. Un des médecins présents fit ce commentaire :

« Je pense qu'il manque de contact avec le sol, et je crois que c'est pour cela que ses idées sont floues et peu consistantes. Ses jambes et ses pieds ne semblent pas assez solides pour supporter le poids de son corps.

— J'ai l'impression, répondit le patient, qu'être solidement planté sur le sol est une caractéristique d'adulte, que je ne possède pas. »

Deux observations faites par des patients relient les anomalies de fonctionnement des pieds et des jambes à celles du regard. « Il me semble, raconta une patiente, que lorsque je ne peux pas tenir debout, je ne peux pas non plus fixer mon regard. Aujourd'hui, je n'arrivais pas à fixer mon regard ; j'ai donc fléchi les genoux, et au bout d'un moment j'ai mieux réussi à fixer mon regard. » La remarque de cette patiente à propos du fléchissement des genoux se réfère à la pratique thérapeutique qui consiste à garder les genoux fléchis pour réduire la raideur des jambes et pour permettre un meilleur contact avec le sol. Cette pratique va à l'encontre de la tendance générale du schizoïde qui est de garder les jambes raides et les genoux serrés.

Une autre patiente fit des observations sur ce qu'elle avait ressenti au cours d'une séance de thérapie par la danse.

« J'étais à genoux et je me penchais en avant pour étirer le cou et le dos. Je parvenais à prendre conscience de toute ma colonne vertébrale, sauf pour un ou deux points insensibles. J'arrivais facilement à la respiration complète, sans effort conscient. Je me sentais complètement cohérente avec moi-même. Je me suis relevée pour me mettre debout et mes jambes se sont mises à trembler. Mes yeux se déplaçaient sans arrêt, je ne pouvais pas fixer mon regard. Le tremblement augmenta au point d'atteindre le ventre et le pelvis ; et à ce moment-là, involontairement, je me mis à sangloter. »

Cette observation montre que la capacité de fixer le regard dépend de la capacité de supporter les sensations physiques. La première patiente réussit à fixer son regard lorsqu'elle prit conscience du contact de ses pieds avec le sol ; la seconde n'en fut plus capable lorsqu'elle ne put supporter ses sensations physiques.

On a souligné que le corps du schizoïde est figé par la peur. Le compte rendu suivant montre de quelle façon la terreur affecte le corps. Une patiente me raconta qu'un après-midi, alors qu'elle était chez elle et se rendait d'une pièce à une autre, elle pensa qu'elle allait arriver en face d'une horloge comtoise qui était dans le corridor. En pensant à l'horloge, elle imagina une tête dont la peau partait en lambeaux. L'image la terrifia. « Mon corps se raidit, dit-elle. Je sentais mes épaules se hausser et se raidir, ma tête s'engourdir, mes yeux se voiler et mes chevilles se figer. Je ne pouvais plus respirer. Il me fallut faire un immense effort pour bouger. Pendant plusieurs jours j'ai marché de façon hésitante et je n'étais pas sûre de garder l'équilibre. »

La rigidité fonctionne comme une défense tant qu'elle reste inconsciente, c'est-à-dire tant qu'on n'a pas conscience de sa propre rigidité, ou de la signification de celle-ci. Alors que l'observateur perçoit de la terreur dans l'immobilité du corps du schizoïde, celui-ci, qui n'a pas de connaissance intime de son corps, ne peut percevoir que le besoin désespéré qu'il éprouve d'assurer la cohésion de son corps. La prostration qui met fin à la rigidité permet à la terreur de devenir consciente.

Quand la condition physique du schizoïde est plus proche de la prostration que de la rigidité, c'est la peur qui est la principale tendance de la personnalité. De tels cas relèvent en général d'une schizophrénie plus avancée que les types rigides. Une de mes patientes avait des crises d'anxiété d'une telle gravité qu'elles atteignaient la terreur à l'état pur. Pendant ces crises, ses yeux devenaient hagards, elle était bouleversée, et elle gémissait. Par moments, elle se cachait sous mon bureau ou dans un coin de la pièce, pelotonnée en fœtus.

Son corps ne présentait pas la raideur et la contraction habituelles aux schizoïdes. Ses muscles superficiels manquaient de fermeté et n'avaient pas un tonus normal. A la palpation, on pouvait cependant sentir la tension des muscles profonds à la base du crâne, à la racine du cou, autour du diaphragme et dans les régions pelviennes et lombo-sacrales. Ces tensions étaient si fortes qu'elles empêchaient littéralement le flux de sang et d'énergie d'atteindre la surface du corps. Elle avait par conséquent une peau fragile et sèche, de teint brun-jaunâtre. Son regard n'était pas expressif et ses pieds et ses jambes paraissaient peu solides.

La crise d'anxiété se manifestait par un tremblement de tout le corps. La patiente était parcourue de frissons répétés. Elle se secouait comme si elle était réellement sur le point de tomber en morceaux. Ces crises duraient de cinq à dix minutes et se calmaient spontanément quand la patiente réalisait qu'elle n'était pas en danger. Elle allait toujours mieux après la fin de la crise. La thérapie se poursuivant, les crises diminuèrent en gravité et en fréquence. Elle réalisa que celles-ci se produisaient chaque fois qu'elle « s'ouvrait », c'est-à-dire chaque fois qu'elle laissait parvenir jusqu'à moi une émotion chaleureuse quelle qu'elle fût, et cette prise de conscience la rassura. Mais ce furent par-dessus tout ma présence et mon aide qui la soutinrent dans les moments difficiles. Elle acquit lentement la capacité de tolérer et d'accepter ses émotions, et son teint changea. Elle devint « rose », selon son expression. Quand elle se sentait bien, elle disait qu'elle « voyait la vie en rose ». Ses tensions musculaires profondes se relâchèrent quelque peu et son corps devint tiède, alors qu'auparavant il était froid.

A mesure que cette patiente devenait capable de supporter ses émotions, elle acquérait également la capacité de se prendre en charge. Ceci causa la fin de sa thérapie, de façon dramatique. Quand je refusai de continuer à tenir le rôle d'une figure maternelle tutélaire et protectrice, elle me demanda : « Est-ce que *vous* voulez que j'aille bien ? Est-ce que *vous* voulez que je vive ? » Si j'avais répondu par l'affirmative, cela aurait signifié (pour elle) que je prenais la responsabilité de son bien-être. D'autre part, je ne pouvais pas répondre *non*. Elle avait peur de couper le cordon ombilical qui l'avait soutenue pendant les crises et de ne plus dépendre que de ses propres ressources. Je ne pouvais que répondre que c'était à elle de prendre la décision de vivre et d'aller bien. Elle accepta ma réponse avec répugnance et décida de continuer toute seule. J'ai suivi ses progrès pendant plus de six ans après la fin de nos relations. Elle continua à accroître à la fois sa possibilité d'assumer ses émotions et sa capacité de s'assumer elle-même sans être aidée.

L'approche de la personnalité au moyen de ce qu'exprime le corps, comme ci-dessus, dépend de l'habileté de l'analyste à relier les caractéristiques physiques d'un individu à ses attitudes et à son comportement. Chacun fait des interprétations inconscientes sur la personnalité en se fondant sur les attitudes corporelles. L'analyste doit faire ces interprétations consciemment. Il doit connaître la signification des distorsions physiques que présente le corps d'un patient. Kretschmer possédait une telle habileté. Ses travaux sont certes plus importants par les descriptions cliniques que par son essai de classification des patients selon leur morphologie. De telles descriptions sont l'œuvre d'une judicieuse attention, d'un esprit clinique et d'une imagination créatrice. Celle qui va suivre en est un bon exemple :

« Elle est très blonde, elle semble transparente et éthérée. Son nez est mince, ses tempes veinées de bleu.

« Elle a l'air d'une " princesse lointaine ". Ses mouvements sont lents, raffinés et aristocratiques, avec un peu de raideur ici et là. Si on lui parle, elle se recule légèrement et s'appuie contre le placard. Il y a en elle quelque chose d'étrange et de brumeux. Ses cheveux sont longs, fins et très souples. Pour vous accueillir, elle tend le bout de ses doigts qui sont froids et presque transparents. Son sourire est distant, confus et incertain[27]. »

Cette description illustre à quel point le retrait et la dissociation par rapport au monde extérieur sont parallèles au retrait et à la dissociation de son propre corps. La description que fait Kretschmer de cette schizophrène hallucinée montre la transformation d'un corps vivant en un esprit désincarné et en un corps abandonné. La patiente est éthérée, brumeuse, transparente et distante, comme le ciel. Il manque à son apparence physique et à sa personnalité le caractère rouge, terrestre et corporel de la chair et du sang. Ce qui reste n'est qu'une coquille vide.

Kretschmer a observé et noté le teint, la distribution pileuse, la forme des traits, etc. Il écrit : « Quel que soit leur âge, le teint des schizophrènes est généralement pâle, avec le plus souvent une légère touche de jaune ou une pâleur terreuse, sinon il tend à avoir une pigmentation brun olivâtre[28]. » Il a fait de nombreux commentaires sur la fréquence des traits dysplasiques : infantilisme (mains de petite taille), féminité chez l'homme (minceur de la taille, fesses très développées, largeur du tour de hanche, et distribution pileuse de type féminin) et eunuchoïdisme (absence de développement des organes génitaux). Bien qu'il témoigne d'une grande finesse dans l'observation des détails, Kretschmer conseille de « porter l'attention sur le tableau d'ensemble[29] ».

Seul le tableau d'ensemble de chaque cas peut permettre d'établir le diagnostic de personnalité schizoïde. Les détails peuvent varier, parce que chaque personne est une individualité, dont l'expérience de vie unique se reflète au niveau de son corps. Mais, en ajoutant tous ces détails les uns aux autres, on se fait une idée du degré de possession de soi d'un individu. Le regard, l'expression faciale, le port de tête, la posture, le teint, le tonus musculaire, le timbre de voix, la position des jambes, la motilité du pelvis, la spontanéité des mouvements — tous ces indices, et bien d'autres encore, viennent s'ajouter au tableau d'ensemble que nous tâchons d'obtenir. Quand ce tableau d'ensemble est celui de l'unité, de l'intégration et de la maîtrise de soi, nous considérons que la personne est « bien dans sa peau », en possession de ses facultés et de la santé émotionnelle. Ces caractères manquent au corps du schizoïde. Le tableau qu'il présente est celui d'un corps abandonné, dont la psyché s'est enfuie, terrorisée.

# 5

# L'image du corps

UNE PERSONNE en bonne santé se fait une représentation mentale claire de son corps ; elle peut le décrire verbalement et graphiquement. Elle peut décrire l'expression de son visage, sa position et les attitudes de son corps. Elle peut dessiner un personnage qui soit une représentation acceptable du corps humain. Le schizoïde ne peut pas y arriver. Les personnages qu'il dessine sont souvent tellement étranges et tellement stylisés que les déficiences de son image corporelle s'y révèlent à l'évidence.

Au cours du chapitre 1, j'ai présenté le conflit entre l'image du Moi et la réalité de l'apparence physique tel que le voit un observateur. Le thème de ce chapitre-ci est la disparité entre la façon dont on se représente sa personnalité sociale (l'image du Moi) et la façon dont on se représente sa personnalité physique (l'image du corps). La disparité entre ces deux images permet d'évaluer la gravité du trouble schizoïde. L'exagération de l'image du Moi constitue une compensation à la déficience de l'image du corps. Cette exagération apparaît au patient lorsqu'il réalise le contraste existant entre son image du corps et son image du Moi comme le lui révèlent, par exemple, ses dessins de personnages.

Les dessins de personnages nous révèlent de nombreux aspects de l'image du corps de leur auteur. Ils nous renseignent sur son degré d'intégration, l'harmonie entre les différentes parties de son corps, sa perception de la surface de son corps, son acceptation de ses caractéristiques sexuelles, son comportement physique fondamental et son attitude globale envers son corps. L'une des raisons pour lesquelles les dessins de personnages sont si révélateurs, c'est que leur auteur n'a comme modèle pour le guider que sa propre image du corps. Il exprimera donc dans son dessin la manière dont il perçoit son propre corps. Si son corps manque de sensibilité au plaisir, il va avoir des difficultés à dessiner le corps humain, et il va en censurer de nombreuses parties.

Comment se produit la distorsion de l'image du corps ? Pour répondre à cette question, il faut savoir comment s'élabore cette image. Les recherches faites à ce sujet ont montré qu'elle se construit grâce à la synthèse des sensations que procurent les innombrables contacts physiques entre les parents et l'enfant. Ces sensations ont une influence positive ou négative selon qu'elles ont été ressenties comme agréables ou douloureuses. Les sensations positives favorisent l'élaboration d'une image du corps bien définie et intégrée. Les sensations négatives mènent à des distorsions ou à des manques au niveau de l'image du corps.

On doit réaliser, comme S.F. Fisher et S.E. Cleveland le soulignent, que « leurs attitudes (parentales) vis-à-vis de lui (l'enfant) s'expriment par la façon dont ils s'y prennent pour satisfaire sa faim, la façon dont ils le soulèvent et dont ils le tiennent, la façon dont ils régularisent les processus physiques tels que l'excrétion et la défécation [30] »... « La façon dont ils s'y prennent » se réfère à la qualité du contact, à l'expression du regard, à la douceur du procédé ; tout l'ensemble s'enregistre dans la conscience de l'enfant sous la forme de sensations physiques qui affectent l'élaboration de son image corporelle.

Les déficiences au niveau de l'image du corps dénotent toujours une perturbation de la relation mère-enfant, puisque c'est la mère qui est la personne la plus concernée par les besoins physiques de l'enfant. Une mère rejetante ôte à l'enfant la possibilité de faire l'expérience du plaisir physique grâce à l'étroite intimité physique de la relation mère-enfant. Une mère possessive nie le droit de l'enfant à exprimer son corps comme sien parce qu'elle usurpe le corps de l'enfant pour son propre plaisir et sa propre satisfaction.

Comme la perception qu'un enfant d'âge tendre possède de son identité est essentiellement celle de son identité physique, c'est la qualité du contact physique entre la mère et l'enfant qui détermine les sentiments de l'enfant envers son propre corps et la nature de ses réactions vis-à-vis de l'existence. Des bras tièdes, tendres, qui soutiennent, procurent à l'enfant des sensations de plaisir physique, et renforcent son désir d'un contact plus poussé avec le monde. La manière dont la mère regarde son enfant a un effet important sur la capacité d'expression du regard de l'enfant. Il y a une grande différence entre la mère au regard doux et aimant et la mère au regard dur et haineux.

L'image du corps remplit deux fonctions importantes au cours de la vie adulte. Elle sert de modèle à la réalisation des activités motrices conscientes. Avant d'essayer de réaliser une activité motrice dirigée consciemment, on se la représente inconsciemment. On visualise la séquence des mouvements grâce à l'image du corps. Si l'image du corps présente des déficiences, cela constitue un handicap pour cette représentation. L'image du corps sert aussi à localiser les sensations. La capacité à définir l'emplacement d'une sensation dépend d'une image du corps bien établie. Les jeunes enfants ne peuvent pas décrire l'emplacement d'une douleur parce que leur image corporelle est trop floue. Pour la même raison les schizophrènes localisent mal leurs sensations corporelles.

L'image que l'on a de son corps peut favoriser une certain type d'activités et en handicaper d'autres. Par exemple, un joueur de baseball peut facilement s'imaginer en train de frapper une balle avec élégance et coordination, mais il se peut qu'il soit incapable de s'imaginer en train de danser le tango avec la même élégance. Dans ce cas, on peut s'attendre à ce que l'image qu'il a de son corps présente une déficience au niveau des caractères liés à la danse. Ce n'est pas une question de coordination. Chacune de ces activités a une signification émotionnelle différente. Jouer au base-ball a une connotation agressive, tandis que danser le tango fait intervenir la sensualité et la sexualité.

C'est au niveau des caractères liés à l'expression des sentiments que l'image du corps des schizoïdes présente des déficiences. Le schizoïde se représente son corps comme inexpressif et dépourvu de réactions, et ses dessins de personnages reflètent cette limitation. Mais son image du Moi peut être tout à fait différente : il se peut qu'il se considère comme sensible et sympathique. Mais il n'arrive pas à réconcilier sa sensibilité et son manque de chaleur humaine, sa sympathie et son attitude de retrait, sa compréhension et son impuissance. Les dessins de personnages faits par des patients schizoïdes ont certaines caractéristiques communes : les personnages sont peu vivants, souvent grotesques, stylisés ou esquissés. Ils font penser à des statues, des clowns, des poupées, des spectres, des zombies ou des épouvantails.

## *Le masque du clown*

Une distorsion fréquente de l'image du corps, que l'on retrouve dans les dessins de personnages, consiste à représenter le corps humain de façon clownesque. La figure VIII est un exemple typique de ce genre de dessins faits par des patients schizoïdes. C'est l'œuvre de Paul, dont nous avons dépeint la terreur au chapitre 3.

Quand je demandai à Paul de commenter ce dessin : « Il a bon caractère, me dit-il, un peu comme un enfant, mais cela sonne creux. Il essaie de dire : je ne vous veux pas de mal.

« Il joue les imbéciles pour que les autres pensent qu'il n'est pas intelligent, qu'il n'y a rien derrière. Cela sert son but.

« J'ai joué les imbéciles tellement longtemps. Maintenant j'essaie d'être blasé et philosophe. Je n'ai jamais pu échapper à mon rôle d'imbécile et pourtant j'ai essayé quantité de moyens pour le masquer. »

Quel est son but ? Qu'est-ce que le clown essaie de cacher ? Il est raisonnable de supposer que sous le masque du clown se cachent une profonde tristesse et une poignante nostalgie. C'était certainement vrai dans le cas de Paul qui fut pris de paralysie temporaire lorsqu'il essaya d'exprimer sa nostalgie. J'ai constaté que cela l'était de tous les patients qui jouaient les imbéciles ou adoptaient le rôle de clown. Cependant, le dessin de Paul indiquait aussi une hostilité refoulée, exprimée par les doigts semblables à des aiguilles ou à des épines. Paul décrivit les bras du personnage comme « détachés et ballants » ; il indiquait ainsi leur insuffisance en tant qu'organes de l'agression, et sa dissociation de leur tendance à l'hostilité.

« L'imbécile » et « l'intellectuel » dénotent une scission dans la personnalité de Paul. C'était un jeune homme intelligent, instruit et très cultivé. Son habileté à discuter philosophie était impressionnante. Cependant, il paraissait balourd. En société, il était timide, craintif et gauche. Il ne savait que dire à une fille. Malgré la vivacité de son esprit, c'était un infirme émotionnel. Deux caractéristiques corporelles lui donnaient son air balourd. Il avait un sourire insipide, qu'il arborait constamment, comme pour dire : je ne vous veux pas de mal. De plus, ses mouvements étaient gauches et manquaient de coordination. La maladresse de son corps contrastait de façon aiguë avec l'agilité de son esprit. Il est compréhensible qu'il ait rejeté ce corps « balourd » et qu'il n'ait pratiqué ni sport ni activité physique avant d'avoir commencé sa thérapie.

Paul avait commencé à se sentir détaché de son corps sous l'effet de la marijuana. Il en avait pris, disait-il, une quantité fabuleuse. Cela lui fit l'effet du L.S.D. ou d'autres drogues hallucinogènes qui semblent détacher l'esprit du corps, de sorte que l'on se voit comme si l'on était extérieur à son propre corps. Il en résulte souvent une perception plus aiguë de ses déficiences physiques. Je rapporte son expérience :

« Mon regard devint très vif, à la fois fiévreux et calme. Je voyais tout très clairement.

« Je me sentais complètement déphasé. Je me suis assis sur une chaise, qui paraissait ne pas reposer sur le sol. J'avais l'impression de flotter au-dessus du sol. J'avais l'impression de ressentir physiquement la répartition des tensions de mon corps : en bandes autour de ma tête, en travers de la poitrine, au bas des jambes et autour des aisselles. Mes bras me donnaient l'impression d'être détachés de mon corps. C'était comme si j'étais dans une camisole de force, sans bras. Ma jambe gauche me paraissait plus courte que ma jambe droite. (Noter la différence entre les deux jambes dans le dessin de Paul.)

« Je jouais du piano sans effort. J'éprouvais une incroyable nostalgie, et aussi l'impression que je pouvais faire n'importe quoi. C'était une impression très ambivalente, extraordinairement positive envers le piano, alors qu'auparavant je me sentais très négatif à cet égard. Mais j'avais l'impression que ce n'était pas moi qui jouais. J'étais en dehors de moi-même, et j'observais ce qui se passait. J'avais l'impression qu'il y avait une autre personne dans la pièce, à côté de moi et de mes amis. Je sentais un génie diabolique en moi, une force méphistophélique qui planait au-dessus de moi et me dirigeait. J'avais l'air de jouer parfaitement, mais c'était dû au fait que si je faisais une faute, c'était délibérément.

« Ce fut une expérience fondamentalement insatisfaisante. Elle se termina par un mal de tête, puis je sombrai dans la léthargie. »

Il y a une similitude frappante entre la perception de lui-même qu'avait Paul sous l'effet de la drogue, et son dessin. La conscience qu'il a de ses bras détachés et ballants, de ses jambes de taille différente et de son corps ligoté dans une camisole de force, est parfaitement parallèle aux distorsions de son dessin. L'impuissance ressentie au niveau de son corps est dépeinte par le personnage de nigaud ou de clown. La perception du pouvoir est ressentie comme une force dissociée extérieure au corps.

Paul fut impressionné par le pouvoir que représentait le génie. Il lui semblait omnipotent par rapport à son impression d'être dans une camisole de force. Pendant qu'il jouait, Paul se sentait possédé par le génie. Plus tard, il réalisa que ce pouvoir résidait quelque part en lui, et que, s'il pouvait posséder le génie plutôt qu'être possédé par lui, il pourrait réaliser quelque chose de grand.

A mesure que se rétablit la sensibilité physique de Paul, le masque du clown disparut. Il apparut un jeune homme triste, conscient de son manque de bonheur, et grave dans son désir de vivre et de découvrir le plaisir.

L'esprit du schizoïde est pris au piège dans un corps figé. Alors qu'il rêve d'accomplissement personnel, son énergie n'est pas disponible pour son plaisir personnel. Son énergie est ligotée par des tensions musculaires chroniques, son esprit est verrouillé par les émotions refoulées. C'est une partie du travail thérapeutique que d'aider le patient à se libérer de ces tensions qui le restreignent ; comme d'ailleurs de l'aider à découvrir ses émotions refoulées et à les libérer. S'il veut reconquérir ce pouvoir qu'est la vie, cela implique pour lui un voyage au bout de l'enfer (son inconscient) et une lutte contre les démons (ses émotions refoulées).

## *La poupée*

Une autre distorsion courante de l'image normale du corps est révélée par les dessins qui représentent un corps à l'allure de poupée. De plus, l'apparence physique de l'auteur du dessin, qui est en géréral une femme, suggère souvent que sa personnalité a aussi ce côté « poupée ». On retrouvait cette allure de « poupée » à la fois dans les dessins de Mary et dans son apparence physique. On remarquait sa petite taille : elle mesurait 1,50 m et pesait environ 45 kg. Physiquement, elle paraissait très jeune, presque une enfant, malgré ses 33 ans. Elle me fit l'impression d'être peu mûre et peu développée : une femme-enfant. Au niveau structurel, ses traits étaient réguliers et de proportions juvéniles. Au niveau fonctionnel, son corps était rigide. Sa peau était pâle, sèche et terne. Son visage était peu expressif, et elle avait tendance à avoir un regard vide, qui ne se fixait pas et qui manquait d'expression. Mary avait cependant un côté attirant et séduisant.

Quelle image Mary se faisait-elle de son corps ? Quelle était son attitude envers son corps ? Les dessins d'homme et de femme reproduits dans les figures VIII et IX, et les commentaires qu'elle fit au sujet de ces dessins, nous en donnent une indication.

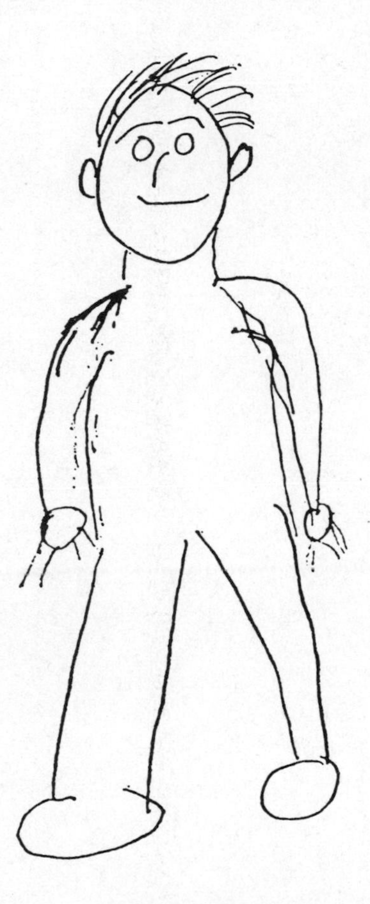

*Figure VIII*

Il est significatif qu'elle ait dessiné spontanément trois personnages pour représenter son concept du corps de la femme. Ceci indique une scission de sa personnalité en trois parties. Le personnage du haut de la figure IX a une allure très enfantine et puérile ; il n'a ni mains, ni pieds, ni caractéristiques sexuelles. Le personnage du milieu, la matrone dont la tête est détachée du tronc, rappelle l'aspect féminin de Mary ; c'est toutefois une image non intégrée du corps. Le personnage du bas, qui ne montre qu'une tête à l'expression sophistiquée, représente son Moi dissocié.

*Figure IX*

Toutes les esquisses sont stylisées, ce qui dénote une piètre conception du corps humain. Elles paraissent irréelles et dépourvues de sensibilité humaine. Mary fit sur ces dessins le commentaire suivant : « Elles me ressemblent un peu. Toutes mes femmes sont très nettes, c'est vraiment l'air que j'aimerais avoir. »

La figure x représente la conception que se fait Mary du corps masculin. Après l'avoir dessiné, elle remarqua :

« D'instinct, je ne dessine pas de pénis à l'homme. Je ne dessine pas non plus de bras ni de mains. Je ne peux pas faire des mains qui ressemblent à des mains. Pas de hanches et pas de sexe. Trop

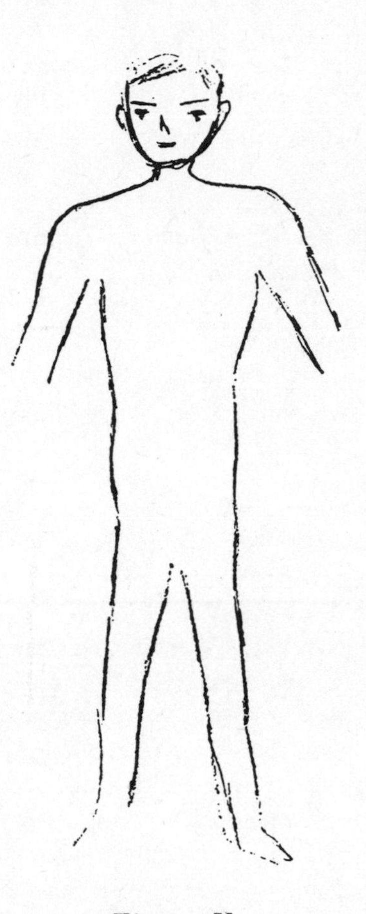

*Figure X*

beau garçon. Le visage et la tête trop puérils. C'est l'air que je voulais avoir — comme un pédé. Je les aimais bien. Il n'éprouve aucun sentiment ; il est intellectuel et raffiné. »

Quand je demandai à Mary de décrire les sentiments que lui inspiraient les mains, elle remarqua : « Les mains sont comme des griffes, surtout quand elles ont de longs doigts aux ongles pointus et d'un rouge brillant — comme ceux de ma mère. » Puis elle ajouta : « Je suis terrifiée par les chats. J'imagine que le chat va me bondir dessus et me griffer à mort. Mon sang se glace quand je regarde ses yeux. »

De toute évidence, Mary identifiait sa mère à un chat, et sa peur des chats était un reflet de sa peur de sa mère. L'identification de sa mère au chat évoque le jeu du chat et de la souris, pendant lequel Mary avait l'impression d'être un objet impuissant, un jouet pour sa mère. L'absence de mains et de pieds dans son dessin dénote son incapacité à combattre ou à s'enfuir.

De ce qui précède, je tirai la conclusion que Mary avait pour image du corps l'image d'une poupée. Ses personnages ressemblaient à des poupées, son entourage la décrivait comme une poupée, et elle-même se considérait comme une poupée. Elle dit un jour : « Je suis comme une poupée à câliner, jolie, asexuée et sans vie. » Mais, alors que son image de son corps était l'image d'une poupée, son image du Moi était l'image d'une femme mûre, sexuellement attirante, et blasée. Elle se plaignait souvent de ce que les hommes lui couraient toujours après. Beaucoup d'hommes sont très fortement attirés par ce type femme-enfant-poupée, qui ne se pose pas de défi à leur virilité. Ainsi, la personnalité de Mary était scindée : son image du Moi, qui déterminait son comportement conscient, était en désaccord avec son image du corps, qui reflétait ses impressions réelles.

Chez la personnalité schizoïde, l'image du Moi se développe par réaction à l'image du corps. Le Moi ne peut pas accepter la valeur négative que le corps représente pour lui. Il crée sa propre image de la personnalité, en opposition à une image du corps inacceptable. Cependant ces deux images opposées se développent simultanément par réaction aux forces externes qui scindent l'unité de la personnalité. L'élucidation de ces forces nécessite l'analyse de la structure de caractère du patient, en se référant à ses expériences infantiles.

Quelles identifications donnèrent sa forme à la personnalité de Mary ? Quelles expériences transfigurèrent son corps ? Au cours d'une séance, alors qu'elle discutait de la signification symbolique de son apparence physique, Mary fit les remarques suivantes :

« Ma mère disait toujours qu'elle adorait avoir une poupée à habiller et à exhiber. Je me souviens que cela me donnait l'impression de ne pas m'appartenir. Et le contact de ses mains — j'en avais des fourmis. Mon corps appartenait à ma mère comme si j'avais été sa poupée. Si je disais *non,* et qu'elle me poursuivait, ça me paralysait. »

Mary abandonna son corps parce que sa mère en avait pris possession. Son corps devint possédé comme par un esprit — l'esprit de sa mère. D'après la réaction de Mary, on peut supposer que c'était un esprit malveillant, mais sa nature exacte était encore inconnue. A ce moment-là, tout ce que Mary pouvait dire, c'était que, dans son rôle de poupée et de jouet de sa mère, elle était « un lutin, mi-fille, mi-garçon ».

« Je me souviens très bien que chaque soir, sans exception, me dit-elle un peu plus tard, ils me mettaient debout sur le siège des toilettes et ils m'administraient un lavement. Ils faisaient cela parce que je pleurais pendant la nuit et qu'ils pensaient que j'avais des gaz. J'étais toute nue et si leurs amis arrivaient, ils regardaient. Ma mère était une personne très phallique. »

Puis Mary hurla d'une voix hystérique :

« Je ne peux pas supporter cette sensation dans mon corps. J'ai tout le temps l'impression d'être violée. J'ai perpétuellement conscience de mon pelvis et de mon vagin. Je me sens comme s'il y avait des choses qui grouillaient dedans. J'ai l'impression que je ne veux pas respirer. Je ne veux pas bouger. »

Elle se mit à sangloter hystériquement, puis continua :

« J'ai étouffé mon corps. Je l'ai figé. Voilà ce que je viens de faire. Je veux être un garçon. »

On peut expliquer la « poupée » comme une manœuvre inconsciente pour supprimer et refouler des sensations sexuelles qui sont perçues comme étrangères et menaçantes. En devenant une poupée ou un mannequin (une poupée taille adulte), on étouffe son corps et ou le dépersonnalise. Le rejet par Mary de son corps et de sa féminité, qui apparaît dans ses dessins, est en relation avec les sensations étranges de son ventre et de ses organes génitaux. D'après ses paroles, il est évident que sa tendance à étouffer son corps, c'est-à-dire à se dépersonnaliser, est une réaction contre ces sensations qu'elle ressentait comme une menace contre l'intégrité de sa personnalité. J'ai constaté le même phénomène dans tous les cas de scission de la personnalité que j'ai traités.

## *La dépersonnalisation*

C'est l'inhibition de la respiration et des mouvements qui constitue le mécanisme de la dépersonnalisation. Mais, en réalité, cette manœuvre ne s'accomplit pas aussi consciemment que le laisseraient entendre les paroles de Mary. On ressent une impression de terreur, cachée en arrière-plan, que l'on perçoit consciemment comme « une sensation étrange », et contre laquelle l'organisme se défend en « s'étouffant ». Face à cette terreur, on fige son corps, on retient sa respiration et on arrête tout mouvement.

Une fois la dépersonnalisation accomplie et le Moi scindé du corps, on entre dans un cercle vicieux. Tant que l'on sépare le corps et les perceptions, les sensations physiques donnent l'impression d'être étranges et terrifiantes. Si l'image du corps n'est pas adéquate, l'esprit ne peut pas interpréter correctement ce qui arrive au corps. C'est pourquoi l'hypocondrie est un symptôme si fréquent chez les personnes présentant des tendances schizoïdes. Là où une personne normale comprendrait, et par conséquent tolérerait, des phénomènes tels qu'un serrement de gorge, des palpitations cardiaques ou des gargouillements intestinaux, le schizoïde réagit avec une crainte exagérée. Le schizophrène « voit » réellement de tels phénomènes comme le résultat d'influences externes, bien qu'ils se produisent à l'intérieur de son corps sans aucune interférence avec l'extérieur.

Eugen Bleuler donne de nombreux exemples de la distorsion de la perception de soi qui caractérise l'état de dépersonnalisation :

« Les patients sont battus et brûlés ; on les transperce avec des aiguilles chauffées au rouge, des poignards, ou des épieux ; on leur arrache les bras ; on pousse leur tête en arrière ; on leur raccourcit les jambes ; on leur arrache les yeux, et dans la glace ils les voient pendre au-dehors de l'orbite ; on leur écrase la tête. Ils ont des yeux à l'intérieur de la tête ; on les a mis au réfrigérateur. Leur corps est rempli d'huile bouillante, leur peau est pleine de cailloux. Leurs yeux vacillent, leur cervelle aussi [31]. »

Deux raisons expliquent le caractère effrayant de ces sensations. Tout d'abord, elles se produisent dans un organisme qui est par ailleurs relativement dépourvu de sensibilité. Le contraste entre le corps « étouffé » et la sensation spontanée explique en partie l'intensité anormale de celle-ci. La deuxième raison, c'est que le schizophrène ne possède pas la capacité d'intégrer ses impulsions et ses sensations pour les orienter vers des activités tendant vers un but. Chez une personne normale les impulsions s'organisent selon des schémas d'action qui canalisent l'énergie de l'impulsion vers des actions expressives ou agressives qui se dirigent vers le monde extérieur. Cela, le schizophrène ne peut pas le faire. Il en résulte que l'impulsion chaotique reste bloquée à l'intérieur de son corps où elle surexcite les organes et provoque des sensations qu'il perçoit comme étranges et menaçantes.

Au point de vue psychologique, les sensations étrangères et troublantes décrites par les patients sont associées inconsciemment à des expériences infantiles effrayantes. Les sensations étranges que ressentait Mary au niveau du pelvis et des organes génitaux rappelaient des sensations similaires qu'elle avait éprouvées pendant son enfance. Il faut, en général, élucider ces associations par l'analyse des rêves et des souvenirs. Cependant, se contenter de rendre l'association consciente ne soulage pas l'anxiété. Tant que le Moi est scindé d'avec le corps, les excitations génitales qui surviennent à l'âge adulte provoquent une impression d'anxiété. Cette anxiété le pousse à se séparer encore davantage de l'ensemble des sensations physiques.

C'est l'absence d'une image du corps adéquate, fondée sur la vitalité et la réactivité de la surface corporelle, qui explique les comportements de promiscuité sexuelle. L'excitation génitale est ressentie comme une force étrange et troublante qu'il faut éliminer ou décharger. Ceci conduit à une sexualité compulsive, sans discrimination et sans affection. Un comportement sexuel de ce type permet de calmer l'excitation génitale, mais comme l'ensemble du corps ne s'engage pas émotionnellement, il ne peut procurer ni satisfaction ni plaisir positifs. L'homosexualité, en particulier, se caractérise par ce type de sensibilité sexuelle, comme je l'ai souligné dans mon livre *Love and Orgasm.* Chacun des homosexuels que j'ai traités présentait ce trouble, qui est en relation avec une image du corps non adéquate.

L'expérience montre que lorsque la vitalité du corps augmente, le comportement sexuel compulsif et la promiscuité cessent. La sexualité prend une nouvelle signification pour le patient. Elle représente un désir d'intimité plutôt que le moyen de calmer une tension désagréable. Elle devient une expression d'amour et d'affection. A ce nouveau stade, le patient éprouve son excitation génitale comme une part de l'ensemble de sa sensibilité, et il la trouve donc agréable.

Au cours de la thérapie, à mesure que la sensibilité physique de

Mary et son intimité avec son corps augmentaient, elle prit conscience des expériences infantiles qui l'avaient forcée à abandonner son corps. Elle rapporta le souvenir suivant.

« Il m'arrive souvent maintenant de m'étendre sur mon lit et d'avoir conscience de l'ensemble de mon corps. Je me sens si bien de le savoir là, entier. Mais, même à ces moments-là, je sens les tensions qui me séparent du bas de mon corps. C'est là que les parents chatouillent les enfants. Mon père me chatouillait jusqu'à ce que je ne puisse plus le supporter. J'avais l'impression que j'allais mourir s'il ne s'arrêtait pas. Il me semblait qu'il ne s'arrêtait jamais à temps. Il me prenait par les genoux. C'était horrible ! Même maintenant, je ne peux pas me toucher moi-même là ! »

Des parents capables d'amener un enfant au seuil de l'hystérie, au nom de leur affection, présentent un élément pervers. Un tel comportement évoque un lien sexuel inconscient avec l'enfant. Dans un sens, on peut également interpréter le fait d'administrer un lavement comme une intrusion sexuelle. Introduire la canule dans l'anus est un parallèle trop évident à l'acte sexuel pour ne pas avoir cette signification, même si les parents n'en ont pas conscience. En fait, les parents qui administrent des lavements à leurs enfants de façon répétée ne sont pas conscients du symbolisme sexuel de leur acte, mais cet aveuglement parental reflète leur insensibilité à l'enfant. A voir le comportement du père et de la mère de Mary, il n'est pas surprenant qu'elle ait eu l'impression d'être violée. A la suite d'une visite chez ses parents, un week-end, elle raconta ses réactions :

« J'ai réalisé que ma mère est une lesbienne. Elle m'a touchée et j'avais envie de la tuer.

« Ce soir-là je me sentais horriblement mal dans ma peau, et je ressentais au niveau du pelvis des sensations sexuelles très désagréables, mauvaises. Je me sentais mauvaise, comme si je devais extirper quelque chose de moi. Aussi, quand je suis allée me coucher, je me suis masturbée. Seul le clitoris était sensible. Je me suis aperçue que je me masturbais de façon violente, comme si j'essayais de faire disparaître quelque chose. L'orgasme fut tendu et rageur. Ça ne m'a pas beaucoup soulagée.

« J'avais les mêmes impressions quand j'étais adolescente. Je me masturbais de la même manière — en essayant de me débarrasser de ces sales sensations sexuelles. Une fois j'ai essayé de me laisser aller à ces sensations avec des pensées homosexuelles au sujet de ma mère. C'était très excitant, mais horrible. Terriblement insatisfaisant. A la même époque, j'ai eu une courte liaison avec une fille, mais ça ne me faisait pas de bien. »

Puis Mary ajouta : « La bouche de mon père me fait le même effet. Quand j'étais petite, il me léchait et me mordillait pour jouer ou pour me câliner. »

Mary disait que sa mère était lesbienne parce qu'elle percevait que sa mère tirait une émotion sexuelle de son contact avec le corps de sa fille. La mère de Mary lui avait confié qu'elle ne faisait que tolérer la sexualité et qu'elle n'avait jamais éprouvé d'orgasme. Mary décrivait sa mère comme une femme masculine et agressive, qui dominait sa maison et son mari. Alors que la mère tenait le rôle masculin dans la famille, le père adoptait une position passive et féminine.

### *Séduction et rejet*

Mary fut séduite à la fois par son père et par sa mère. L'enfant est séduit lorsque l'un des parents profite du besoin de chaleur et d'intimité de cet enfant pour tirer de sa relation avec lui une émotion sexuelle inconsciente. Les parents séducteurs ne sont pas conscients de la signification sexuelle de leurs actes quand, par exemple, ils embrassent leurs enfants sur la bouche, ou quand ils montrent leur corps à leurs enfants. On rationalise un tel comportement sous la forme de l'affection ou du libéralisme, mais l'enfant perçoit les harmoniques sexuelles de ces actes. Un autre élément de la situation séductrice, c'est que l'enfant est placé en position de soumission. C'est l'adulte qui prend l'initiative du comportement séducteur, et l'enfant ne peut pas résister, puisqu'il ne peut pas refuser les avances du parent dont il est dépendant. En cas de séduction, l'enfant est entraîné vers la relation intime parce qu'il est excité sexuellement, et il est lié au parent par cette excitation.

La séduction pose un grave dilemme à l'enfant. Il y gagne une impression d'intimité, mais il y perd son droit à s'affirmer lui-même et à réclamer la satisfaction de ses propres pulsions vers le plaisir. Physiquement, l'effet de la séduction est tout aussi désastreux. L'enfant est excité sexuellement, mais, à cause de son immaturité physiologique, il ne peut pas assouvir complètement son excitation. Elle ne peut pas se localiser fortement sur l'appareil génital qui n'est pas développé et il s'ensuit que l'excitation se transforme en sensation physique déplaisante. En même temps, la culpabilité sexuelle associe l'excitation et l'anxiété. Le seul choix qui reste à l'enfant c'est de se séparer de ses sensations physiques. Il abandonne son corps.

Le parent séducteur est aussi un parent rejetant. C'est violer l'intimité d'un enfant et lui dénier le respect et l'amour nécessaires à sa personnalité en formation que d'utiliser son corps comme source d'émotion sexuelle. En effet, l'enfant que l'on utilise ainsi est rejeté en tant que personne indépendante. En général, on ne se rend pas clairement compte de ce que le parent rejetant est également séducteur. On attribue souvent le rejet à la peur de l'intimité qu'éprouvent les parents, parce que celle-ci éveille leur culpabilité sexuelle. De tels parents ont peur de toucher et de caresser l'enfant, et quand ils le font c'est avec une gêne que l'enfant ressent comme une manifestation d'anxiété sexuelle. L'enfant perçoit cette anxiété comme l'expression d'une sensation sexuelle inhibée, et réagit par un intérêt sexuel exagéré pour le parent rejetant. Cependant, l'enfant prend peur d'approcher le parent à cause de la réaction hostile qu'il éveille, et qu'il associe ultérieurement à sa propre sexualité.

Les parents qui n'ont pas une relation intime avec leur propre corps n'ont pas conscience du degré de séduction qu'ils exercent sur leurs enfants. D'autre part, l'enfant, qui vit plus près de son corps, est extrêmement sensible à toutes les nuances émotionnelles et repère l'intérêt sexuel caché. En général, la mère séduit son fils en ayant avec lui une intimité érotique d'apparence innocente, tandis que le père exprime par son regard, ses mots ou ses actes son intérêt sexuel pour sa fille. De telles relations sont de toute évidence incestueuses.

Une patiente me raconta que sa mère lui avait montré ses organes génitaux lorsqu'elle avait six ans afin de lui donner une éducation sexuelle libérale. La petite fille trouva le spectacle répugnant et s'enfuit de la chambre. Elle éprouva de la répulsion pour le corps de sa mère et se sentit révoltée à l'idée de ses propres organes génitaux. Un enfant est davantage choqué par l'insensibilité du parent capable d'un tel geste que par l'acte lui-même. Un autre exemple d'une telle insensibilité me fut rapporté par une patiente qui me raconta que lorsqu'elle avait dix ans sa mère remarqua que ses seins commençaient à se développer. « Elle arriva et mit une main sous mon sein en disant d'un ton graveleux : *Oh, je vois que tu deviens grande !* Je me sentie tellement dégoûtée... J'ai eu l'impression de quitter le sol. »

La patiente continua en disant : « Je me rétractais à la pensée d'être touchée par ma mère. Je voulais m'éloigner de ce contact. Je sentais que c'était sexuel. Ses seins et son corps me répugnaient. Une fois, quand j'avais quinze ans, elle vint dans ma chambre avec une culotte déchirée. Je lui dis innocemment : *Tu as un trou dans ta culotte.* Elle me répondit : *Tu en as un aussi.* J'en eus presque la nausée. Elle était tellement pervertie, sale et séductrice. »

Dans le cas de Mary, ce fut le comportement séducteur et rejetant de ses parents qui la poussa à nier son corps et sa féminité. La personnalité de Mary — le côté poupée, l'absence de maturité féminine et sa passivité homosexuelle — venait de sa soumission à l'agressivité phallique de sa mère et à la séduction orale de son père. Il en résulta que se soumettre à un homme lui devint impossible. « Je peux les séduire, cela me donne le contrôle. La situation inverse me fait peur. » Mary devint séductrice par autodéfense. En même temps, elle était terrifiée par ses sensations sexuelles spontanées, qui pouvaient la rendre femme, et faire d'elle une menace pour sa mère.

Il y avait dans la personnalité de Mary une scission entre sexualité et génitalité. Plus elle essayait de fuir la sexualité de son corps, plus elle était préoccupée de sa génitalité. Elle remarqua : « Je réalise que j'ai tout le temps conscience des organes génitaux. J'ai l'impression d'être inhumaine. Est-ce que je veux les voir, ou est-ce que j'essaie de m'en défendre ? » Cette obsession des organes génitaux était entretenue à la fois par l'anxiété et par la curiosité sexuelle refoulée. La réponse aux deux points de la question de Mary était l'affirmative.

L'anxiété sexuelle refoulée diminuait la perception qu'elle avait de son corps, en particulier du bas de son corps. Un jour, au cours d'une séance, Mary dit : « Je ne sens pas mes jambes. Je n'ai pas l'impression qu'elles fassent partie de mon corps. » La perte de sensibilité des jambes notée par Mary est un trouble fondamental, qui se retrouve fréquemment dans l'image du corps des schizoïdes. Les silhouettes qu'ils dessinent n'ont souvent pas de jambes, ou bien elles sont piètrement dessinées. Gisela Pankow, dont les travaux sur les schizophrènes consistent essentiellement à reconstituer de façon dynamique l'image du corps, relie la « scission entre la zone de la tête et la zone des jambes » au rejet de la « notion d'un corps sexualisé [32] ». Il y a un rapport direct entre les jambes et la fonction sexuelle. La génitalité implique la maturité, et vice versa. En séparant le Moi (zone de la tête) de sa génitalité (zone des jambes), le schizoïde nie son indépendance et sa maturité et se retire dans une position infantile et impuissante. En d'autres termes, en se détachant de l'image du bas de son corps pour éviter les sensations sexuelles, le schizoïde se dissocie de ce que représentent ses jambes, l'indépendance et la maturité. Mary exprimait cette tendance schizoïde.

« Je ne me permets aucune sensation localisée en dessous de la taille. Si j'éprouve des sensations au niveau du pelvis, c'est une agonie. J'ai peur de devenir folle. Je voudrais être une sirène. »

Mary fit un rêve dans lequel elle couchait dans le même lit que son père qui était nu. Elle essayait d'éviter le contact entre le bas de leurs deux corps pour que « cela ne devienne pas sexuel ». Ainsi, le fait que Mary niait sa sexualité venait de sa peur d'une relation sexuelle avec son père. Ceci éveillerait la jalousie et la colère de sa mère, dont elle avait terriblement peur.

Comme elle était incapable de s'accepter en tant que femme, Mary essaya de s'identifier à son frère. Petite fille, elle se demanda : comment savent-ils que je suis une fille et pas un garçon ? « Je pensais au pénis, dit-elle, et j'en avais envie, mais je n'en avais pas. Si j'avais été un garçon, j'en aurais eu un. » Elle ne s'était finalement identifiée ni à l'homme ni à la femme ; elle devint le « garçon sans pénis », le jeune homosexuel.

Nous avons ainsi retrouvé certaines des expériences et des identifications qui déterminent l'attitude de Mary envers son corps. Ces attitudes, qui se manifestaient à la fois au niveau de son image corporelle et au niveau de son apparence physique, se reflétaient dans les personnages qu'elle dessinait. A la suite de l'analyse de ses attitudes, du travail au niveau du corps, et du fait que je l'acceptais comme un être humain, son image du corps changea. Un jour, elle dit : « Vous savez ce que je sens aujourd'hui ? Je sens mieux les contours de mon corps. Il ne me paraît plus si flou. »

Le mécanisme de défense schizoïde consiste à diminuer la sensibilité de la périphérie du corps. La perte de charge de la surface du corps affaiblit la conscience que l'on a des contours de son corps, et rend impossible l'exécution d'une représentation graphique correcte de la silhouette humaine. Ceci abaisse la barrière contre les stimuli externes, et rend le schizoïde hypersensible aux forces extérieures.

Il y a identité fonctionnelle entre l'image du corps et le corps réel. Arriver à une image du corps adéquate nécessite de mobiliser toute la sensibilité corporelle. Ressentir son corps comme vivant et sain nécessite qu'il le soit effectivement. La thérapie devrait non seulement écarter les blocages psychologiques qui empêchent d'accepter le corps, mais aussi fournir au patient des moyens de prendre conscience de son corps

« immédiatement ». On doit l'encourager à bouger et à respirer, car si ces fonctions sont inhibées, on perd sa sensibilité physique. Mon propre travail avec Mary mit un accent considérable sur ces activités. Entre autres, elle donna des coups de pied, elle frappa le divan, elle s'étira et elle respira. L'observation suivante montre l'amélioration qui en résulta :

« J'ai acheté un bikini et, malgré mes craintes, je l'ai mis à la plage. Je me sentais si sensuelle et féminine... Vous savez ce que je ressens au sujet de mon corps. C'était une impression merveilleuse. Je ne me rappelle pas m'être jamais sentie si bien. J'avais l'impression d'être une autre personne. »

Dans cette discussion au sujet du cas de Mary, j'ai mis l'accent sur le développement et la fonction de l'image du corps. Au chapitre 13, je traiterai d'un autre aspect de sa thérapie, qui consista à ôter son masque de « poupée à câliner ».

Le schizoïde est un être dont la sensibilité est emprisonnée comme le génie dans la lampe d'Aladin. Mais le schizoïde semble avoir oublié la formule magique qui pourrait libérer le génie. Si l'on interprète comme une métaphore l'histoire d'Aladin et de la lampe magique, la lampe correspond au corps, les incantations sont des mots d'amour et frotter la lampe équivaut à une caresse. Lorsque l'on caresse le corps, celui-ci s'illumine comme une lampe et émet un effluve puissant, l'aura de l'excitation sexuelle. Quand le corps « s'illumine », que les yeux brillent, le génie de la sexualité peut accomplir ses transformations magiques. En fait, le schizoïde n'a pas oublié la formule magique ; il parle d'amour et recherche la sexualité, mais la lampe est absente, fêlée ou brisée, et il ne se passe rien. Désespéré, il se tourne vers la perversité, essaie de diverses drogues, ou s'abandonne à la promiscuité. Aucune de ces manœuvres de désespoir ne peut libérer le génie de l'amour et de la sexualité.

# 6

# Psychologie du désespoir

## *Comportement autodestructeur*

De nombreux individus s'engagent dans des activités dont ils reconnaissent qu'elles leur sont nocives, et les poursuivent malgré cette prise de conscience. L'on a parfois l'impression qu'un individu, et tout particulièrement le schizoïde, est poussé par un mauvais démon à des actes qui mettent en danger sa vie ou sa santé mentale. Même dans les cas moins graves, il y a dans la personnalité une tendance poussant à l'échec, dont il est très difficile de venir à bout en thérapie.

On suppose généralement que si l'on prend conscience du caractère autodestructeur de certaines activités ou de certains schémas de comportement, on changera de conduite. Même des thérapeutes expérimentés font cette supposition, et sont surpris et déçus quand le patient n'arrive pas à réagir positivement à l'analyse. Cette situation, connue sous le nom de réaction thérapeutique négative, amena Freud à énoncer le concept de « compulsion de répétition », c'est-à-dire le besoin de répéter les expériences traumatiques douloureuses. Par exemple, un individu peut souffrir de l'intime impression d'être rejeté, et s'exposer cependant continuellement à des situations où il se fait rejeter, tout en ayant souvent conscience au préalable qu'il sera rejeté. Le concept de compulsion de répétition fut ultérieurement élargi par Freud jusqu'à l'hypothèse d'un « instinct de mort ».

Certes, tous les patients dont j'ai entrepris l'analyse présentaient des tendances autodestructrices. C'est pourquoi ils étaient en traitement. Mais je n'ai trouvé chez aucun de mes patients de preuve qui fonde l'hypothèse de Freud. Beaucoup exprimaient des souhaits de mort, mais un souhait de mort ne constitue pas un instinct de mort. On peut souvent modifier radicalement un comportement autodestructeur. Un tel comportement indique la présence dans la personnalité d'une force qui dissipe l'énergie vitale de l'organisme. Une telle force « antivie » apparaît dans la personnalité schizoïde, mais elle est le résultat direct de la scission schizoïde et non sa cause. Comme tous les aspects de la personnalité schizoïde sont soumis au processus dissociatif, son existence elle-même se divise entre des forces de vie et des forces de mort.

L'habitude de prendre des tranquillisants et des somnifères est un exemple courant de tendance autodestructrice. Le médecin de l'une de mes patientes l'avait prévenue que ces cachets portaient préjudice à sa santé. Ils diminuaient son énergie, la maintenaient en état d'anémie, et la rendaient en général apathique et fatiguée. « Je sais, remarquait-elle, que je meurs un peu chaque fois que je prends ces cachets. » Elle avait essayé plusieurs fois de s'arrêter d'en prendre. Chaque fois qu'elle y arrivait, elle se sentait mieux et plus vivante, et elle avait une attitude plus positive vis-à-vis de l'existence. Curieusement, toutefois, elle reprenait les cachets exactement à la période où elle se sentait bien. Et dès qu'elle avait repris sa dépendance envers ses cachets — pour contenir son anxiété et assurer son sommeil — elle perdait toutes ses impressions de bien-être.

Son anxiété, comme celle de toutes les personnalités schizoïdes, augmentait quand tout allait bien et qu'elle se sentait mieux. « Me sentir bien, disait-elle, me fait prendre conscience de la douleur et de la fatalité. » Finalement, l'anxiété devenait intolérable. « Je ne veux pas me sentir aussi bien parce que j'aurai à le payer plus tard », observait-elle. Les cachets diminuaient l'anxiété par une sorte d'amnistie. L'association du sentiment de bien-être et de l'anxiété semble si étrange pour un esprit normal qu'il faut l'avoir souvent rencontrée avant de pouvoir l'accepter sans étonnement.

J'ai traité une patiente alcoolique qui réagissait de façon positive au cours des séances thérapeutiques. Elle discutait de ses problèmes et de ses sentiments ouvertement et facilement. A la fin de chaque séance, elle remarquait à quel point elle se sentait mieux et pourtant, quand elle rentrait chez elle après le traitement, elle ne pouvait pas résister à la tentation de prendre un verre. Un autre patient, qui avait fait des progrès significatifs pendant la thérapie, exprima soudain une violente peur de la mort. Auparavant, sa lutte désespérée pour la survie écartait cette anxiété. Sa peur de la mort devint consciente au moment où il sentit qu'il avait une raison de vivre. Une telle anxiété vient de la peur d'être puni parce qu'on s'est senti bien. Si l'anxiété devient trop forte, on ne peut qu'annihiler l'impression de bien-être.

L'anxiété liée aux éléments positifs de la vie naît de l'impression sous-jacente de soumission à la fatalité. On n'a généralement pas conscience d'être aux prises avec cette impression de soumission à la fatalité, bien que l'on puisse occasionnellement prendre brusquement conscience d'un sentiment inconscient de désespoir. Mais ce sentiment est rapidement refoulé, dans l'intérêt de la survie, et l'on continue à lutter en vain. Lorsque, pendant la thérapie, on analyse la structure du comportement autodestructeur d'un patient, il admet qu'il a une connaissance anticipée de l'échec. A un certain niveau de conscience, il savait qu'il ne pouvait pas réussir, et même qu'il ne devait pas réussir.

Pourquoi devrait-on tellement redouter le succès, et quel est ce succès si redouté ? Le succès redouté, c'est la possession sexuelle du parent ; mais il faut souvent une longue analyse avant que le patient n'arrive à cette prise de conscience en profondeur. Au début, il n'a pas conscience de ce que cette sensation d'une fatalité suspendue au-dessus de lui vient de la terreur de commettre l'inceste, du danger de rompre le tabou impressionnant, et de la peur des sinistres représailles qui s'ensuivraient inévitablement. En se défendant de cette terreur, le schizoïde sacrifie son droit à jouir de son corps et à éprouver la chaleur des contacts humains. Ainsi, il se sent banni de la société humaine par son incapacité à partager le plaisir que constituent le désir et la satisfaction érotiques. Comme son exil est psychologique, la frontière en est la culpabilité — non la culpabilité des rapports sexuels (que le blasé peut rationaliser), mais la culpabilité du plaisir de l'intimité érotique. L'acte sexuel, lorsqu'on le sépare de la sensibilité physique, n'évoque pas le conflit œdipien parce que le corps fonctionne mécaniquement. Mais le plaisir nécessite de relâcher les contraintes, d'écarter la répression, et d'accepter les nostalgies et les désirs incestueux. L'acceptation de ces émotions sexuelles permet de les intégrer dans la personnalité et de les transférer sur autrui sous la forme d'une relation adulte.

La fatalité qui rôde autour du schizoïde, c'est la menace d'être abandonné ou détruit pour avoir violé le tabou de l'inceste. Pour éviter cette fatalité, il refoule ses émotions sexuelles et il abandonne son corps. A l'âge adulte, il découvre que la voie normale vers les relations humaines lui est barrée par ce refoulement. Ainsi, ses défenses l'isolent, l'aliènent à la société humaine, et le condamnent au destin même qu'il redoutait. Le dilemme du schizoïde consiste à ne pouvoir lier de relation satisfaisante, à cause de sa terreur, et à ne pouvoir rester comme il est, à cause de son isolement et de sa solitude.

Mais tant que le refoulement existe, le conflit œdipien n'est jamais parfaitement apaisé, car le refoulement n'est jamais total. Les émotions sexuelles menacent perpétuellement de surgir à nouveau, et la peur du châtiment redouté persiste. Le schizoïde lutte tout en ayant l'impression qu'il n'échappera pas à la fatalité, quoi qu'il fasse. Confronté à une telle impression, il ne peut qu'apprendre à s'en accommoder.

Si l'on arrive à s'accommoder de l'idée de la catastrophe, elle perd de son mordant et la terreur s'émousse. Si l'on n'a rien à gagner, l'on ne risque pas de perdre quelque chose. Un châtiment que l'on s'inflige à soi-même a pour fonction d'écarter un châtiment plus grave que d'autres infligeraient. C'est ce qui explique les fantasmes de coups et les coups réels recherchés par les masochistes, comme Wilhelm Reich le montre dans son analyse du caractère masochiste [33]. Pour le masochiste, le châtiment réel est toujours plus doux que le châtiment redouté, qui est la castration. De la même façon, une solitude que l'on s'impose est moins effrayante que l'abandon et la mort.

Le comportement d'autodestruction du schizoïde a, au niveau inconscient, une valeur d'aide à la survie. C'est une technique de survie, anachronique dans sa situation présente, mais valable au niveau de ses expériences infantiles. Ce type de défense, que l'on rencontre parfois dans le règne animal, consiste à faire le mort ou à se tenir coi en présence du danger. L'un de mes patients m'en donna une représentation littérale, au cours d'une séance. Il était allongé sur le divan, en position de détente. Je remarquai alors que ses yeux se révulsaient, on n'en voyait plus que le blanc, sa respiration se ralentit, il gisait absolument immobile et il semblait agonisant. Lorsque je lui fis remarquer la signification de ce qu'il avait exprimé physiquement, il me raconta qu'il avait l'habitude d'adopter cette attitude lorsqu'il était petit et que ses parents le menaçaient. Ils prenaient peur quand ils voyaient ses yeux révulsés et passaient des menaces à la sollicitude.

On peut interpréter de la même manière les tentatives de suicide des adolescents, dont la fréquence augmente actuellement. Malgré la part d'autodestruction évidente d'un tel acte, il constitue également un dramatique appel à l'aide. Beaucoup de parents ne prennent conscience de la gravité de l'état émotionnel d'un enfant que lorsqu'ils sont confrontés à des actes aussi violents. Il est regrettable que les manifestations du problème schizoïde passent souvent pour des manies personnelles, pour un manque d'intérêt, ou pour une résistance obstinée. L'insensibilité parentale pousse souvent l'adolescent à un comportement ouvertement autodestructeur qui a pour but de les obliger à tenir compte de façon sérieuse de ses difficultés.

Le danger de mesures aussi violentes réside en ce qu'on peut aller trop loin. Chaque fois on meurt un peu ; le retour à la vie et à la santé se fait plus long. Finalement, on peut en arriver à un degré de désespoir où l'on ne se soucie plus de rien et l'on peut franchir la frontière qui sépare la vie et la mort. Combien de temps peut-on réclamer une aide qui ne vient pas ? Combien de temps peut-on vivre dans l'ombre de la fatalité sans appeler cette fatalité ? Des manœuvres désespérées ne peuvent finir que par un résultat désespéré. Celui qui désespère lance un défi au destin.

## *La technique de survie*

Voici un exemple de psychologie du désespoir. C'est le cas d'un jeune homme qui me consultait à cause d'un état dépressif prolongé et d'une incapacité à travailler. Bill était un mathématicien à l'esprit calme et précis, qui pouvait analyser clairement un problème sauf si celui-ci l'impliquait personnellement. Au cours de la thérapie, son problème se fixa sur l'impression qu' « il ne se passait rien ». Cette impression surgit de façon aiguë pendant l'analyse de deux rêves dans lesquels, remarqua-t-il, « il ne se passe rien ». Il réalisa alors que cette impression dominait son existence, et qu'elle était à la base de sa dépression et de son inaptitude au travail. Cette impression s'accentua lorsque la thérapie, après un départ prometteur, sembla ne mener à rien. Au début, lorsqu'il mobilisait ses muscles au moyen de divers exercices, il ressentait de violentes vibrations, spontanées, dans les jambes et le corps. Cela l'excitait, parce qu'il lui semblait que quelque chose se passait. Mais ces premiers mouvements spontanés ne le menèrent à rien ; il n'obtint qu'un certain soulagement de l'émotion, grâce aux pleurs. L'enthousiasme initial s'effondra et sa dépression devint plus profonde. Il avait davantage de difficultés à travailler. Je l'avais averti de cette évolution. L'expérience montre, en effet, que les patients doivent, avant d'aller mieux, se confronter à leurs peurs intérieures.

Nous reconnûmes tous les deux qu'il se pouvait qu'il perdît son emploi, à cause de son inaptitude au travail. Cela signifierait qu' « il se passait quelque chose » pour lui, et il admit que c'était peut-être cela qu'il recherchait, bien que cela constituât certainement une évolution défavorable.

Physiquement, Bill était un jeune homme au corps mince et tendu, que l'on pouvait qualifier d'asthénique. Les épaules étaient larges, le pelvis étroit, et les jambes très raides et très contractées. La poitrine, assez large, était déprimée au niveau du sternum et la musculature abdominale fortement contractée. A cause de cela, sa respiration était seulement thoracique. Ses bras et ses jambes étaient bien musclés mais ils ne s'intégraient pas à l'ensemble du corps. En dépit de sa force apparente, il y avait de la faiblesse dans son corps. La scission de sa personnalité se manifestait aussi par les expressions de son visage. Au repos, son visage semblait triste, vieux et fatigué, mais dès qu'il souriait, son visage s'illuminait comme celui d'un jeune garçon. Le conflit entre l'optimisme et le découragement l'entraînait dans des activités dangereuses où, heureusement, il « ne se passait rien ».

Bill faisait de l'escalade ; il était parmi les meilleurs, disait-il. Il avait accompli plusieurs ascensions de falaises escarpées sans aucune peur ni hésitation. Il n'avait consciemment aucune peur de la chute, ni des hauteurs. Il n'avait pas peur parce que, à un certain niveau de sa personnalité, cela lui était égal de tomber. Il raconta un incident : il faisait une escalade seul et il fit un faux pas sur la falaise. Il resta pendu un moment, s'agrippant par les mains à une corniche étroite. Pendant qu'il cherchait à tâtons une prise de pied, son esprit restait détaché. Il se demandait : « Quel effet cela me ferait-il de tomber ? » Il ne ressentait aucune panique.

Le conflit de la personnalité de Bill était un conflit entre le désir qu'il se produise quelque chose de significatif et la peur que, s'il en était ainsi, il ne s'ensuive un résultat catastrophique. Ce conflit le portait à relever le défi que lui lançaient les situations dangereuses, liées spécifiquement au danger de chute. Quand il était près d'une falaise, il se forçait à l'escalader jusqu'au sommet pour prouver qu'il n'avait pas peur. Selon son raisonnement, la présence du vide ne faisait aucune différence puisqu'il marchait de toute façon sur un sol plat. C'est la psychologie de désespoir qui déterminait ce raisonnement. Celui qui désespère s'expose à des dangers inutiles pour prouver qu'il peut survivre. Le désespoir de Bill se révélait par d'étranges fantasmes. Il avait des impulsions, qu'il contenait bien pour le moment, à toucher des câbles électriques à haute tension et à se jeter en face de voitures roulant à grande vitesse pour voir ce qui se passerait. Il remarqua que s'il se suicidait, ce serait en se jetant du haut d'une falaise. « Si je pouvais le faire sans risque », dit-il. Bill recherchait à la fois l'excitation du danger et la garantie qu'il ne se passe rien.

On peut montrer analytiquement que ceux qui ont peur de faire des chutes ont également peur de tomber endormis ou de tomber amoureux. Le Moi peut ériger contre la peur des hauteurs, des défenses qui refoulent cette peur et permettent d'agir en cas de situation menaçante. Cela peut même comme dans le cas de Bill le forcer à mettre au défi son anxiété inconsciente. Mais le Moi ne peut pas empêcher quelqu'un d'effrayé de tomber amoureux, puisque ce sentiment n'est pas sous le contrôle du Moi. Je ne fus pas surpris d'apprendre que Bill souffrait d'insomnie et que ces nuits sans sommeil revenaient de plus en plus fréquemment. Et Bill n'avait jamais non plus été réellement amoureux. Une personne capable d'aimer ne se plaint pas qu'il ne se passe rien. L'amour est un événement d'une importance transcendante.

Il devint évident que Bill était terrifié à l'idée de tomber. Sa défense contre cette peur consistait à se soumettre à des situations où cela pouvait lui arriver pour se prouver qu'il n'avait rien à craindre. Une telle tactique nécessitait un contrôle exagéré de son corps, surtout des jambes. Ses jambes étaient raides et contractées, il pouvait à peine les plier ; ses chevilles étaient raides et la voûte plantaire si contractée que le contact du pied avec le sol était très réduit. A considérer ses handicaps physiques, il était la dernière personne dont on aurait pu s'attendre à ce qu'elle escalade des falaises, mais il compensait ses handicaps par une forte volonté. Il vivait donc sur le pied de guerre, relevant chaque défi de toutes ses forces pour prouver qu'il ne se passerait rien.

Tant que cette comédie durerait, il ne pouvait rien se passer qui sorte Bill de sa dépression. Il devait apprendre à se laisser aller ; sa volonté devait relâcher l'emprise qu'elle avait sur son corps. A ce stade de la thérapie, je demandai à Bill de prendre une position de tension utilisée par les skieurs et d'autres athlètes pour fortifier les muscles des jambes. L'effet de tels exercices physiques consiste à concrétiser les attitudes émotionnelles et à faire prendre conscience au patient de ses problèmes par l'intermédiaire de la perception qu'il a de ses rigidités physiques. Dans le cas de Bill, l'exercice avait pour but de lui faire prendre conscience de sa peur de tomber.

Debout au bord du divan, Bill devait fléchir les genoux et se pencher en avant de façon à ce que tout le poids de son corps repose sur la pointe des pieds. Pour garder son équilibre, il pouvait arquer légèrement le dos en arrière et toucher le divan du bout des doigts. Les athlètes arrivent en général à tenir la position environ une minute. Quand je demandai à Bill combien de temps il pouvait la tenir, il me répondit : « Toujours » (ce qui signifiait indéfiniment). Je lui demandai donc d'essayer. Il garda la position plus de cinq minutes pendant que ses jambes tremblaient et que la douleur augmentait. Quand la douleur finit par devenir trop intense, Bill ne tomba pas. Il se laissa tomber sur les genoux, comme s'il ne se souciait pas des conséquences. Il répéta l'exercice plusieurs fois, jusqu'à ce qu'il devienne clair qu'il avait peur de laisser la sensation de chute se développer. Bill sentait qu'il ne pouvait pas laisser faire ses jambes. J'interprétai cette attitude physique comme une résolution inconsciente de sa part de garder les pieds sur terre à n'importe quel prix. Psychologiquement, cela signifiait qu'il ne voulait pas « qu'on le tienne par la main ». Il rejetait inconsciemment toute dépendance vis-à-vis d'autrui et niait son besoin de contact et d'intimité. Au cours de la séance suivante, Bill relata une irruption de sentiments violents.

« Cette nuit-là, après notre dernière séance, j'ai fait mon premier cauchemar. Je me suis réveillé persuadé qu'il y avait quelqu'un dans la pièce. Je pense que j'ai crié. Une fois réveillé, j'ai pensé avoir vu une silhouette à la porte. J'avais peur de sortir du lit. Finalement, j'ai entendu mon chat et après l'avoir appelé je me suis senti mieux. Cette expérience m'a rappelé les peurs de mon enfance. Je réalise maintenant que mon habitude de me coucher tard est due à ma peur de m'endormir. »

Avant ce rêve, Bill n'avait aucun souvenir de ses anxiétés d'enfant. Lorsqu'il évoquait des incidents c'était sans montrer d'émotion. A la suite du rêve nous discutâmes sa relation avec son père et sa mère, et Bill réalisa qu'il avait refoulé tout sentiment à l'égard de ses parents. Il avait étouffé son amour pour sa mère et sa crainte de son père. Ainsi, le tabou contre l'engagement sexuel de la situation œdipienne s'était élargi dans l'esprit de Bill jusqu'à signifier qu' « il ne doit rien se passer ». Pour qu'un tabou ait des conséquences aussi extrêmes, la situation œdipienne doit présenter une réelle possibilité d'inceste et la menace imminente d'un désastre. Dans de telles circonstances, l'on adopte des mesures sévères pour prévenir la catastrophe. Ces mesures consistent à nier son corps et ses perceptions physiques, et à isoler les membres de la famille les uns des autres. Quand il était enfant, Bill s'était senti très seul, et il continuait à être seul une fois devenu adulte.

Le cauchemar de Bill était la première irruption de ses sentiments refoulés. Il reconnut que l'étrange silhouette de son rêve représentait son père, et qu'il devait l'avoir redouté étant enfant. Quand il grandit, cette crainte se recouvrit d'une attitude d'arrogance puisque « il ne se passait rien ». Il n'était ni puni ni chassé. Cependant, l'impression sous-jacente de soumission à la fatalité demeurait dans l'inconscient de Bill et se transférait sur sa situation professionnelle. Sa psychologie de désespoir exigeait qu'il défie les autorités pour voir si elles useraient de représailles, tandis qu'en même temps il avait terriblement peur de perdre sa place. Bill avait consacré son existence à maîtriser la technique de survie au bord de l'abîme.

La psychologie de désespoir naît d'attitudes contradictoires : une soumission extérieure recouvrant le mépris intérieur, ou une rébellion extérieure cachant la passivité intérieure. La soumission signifie que l'on accepte d'avoir le statut « de l'étranger », de la minorité, du dépossédé ou du rejeté. Cela entraîne le sacrifice de ses droits à la satisfaction et à l'accomplissement personnel, ou en d'autres termes, l'abandon de son droit au plaisir et à la jouissance. Le mépris intérieur exige du désespéré qu'il porte des défis à la situation où il se trouve. Le mépris le force à une attitude provocatrice qui attire sur lui le châtiment qu'il redoute. Mais, pour survivre, la provocation ne doit pas dépasser les dernières limites, afin qu'il échappe au châtiment.

Bill était un « loup solitaire ». Il montrait une attitude de provocation envers toute situation, mais c'étaient des défis qui ne pouvaient aboutir parce qu'ils étaient niés par sa passivité intérieure. Tant que Bill acceptait la solitude comme mode obligatoire d'existence, il devait renoncer à la poursuite du plaisir et vouer toute son énergie à renforcer sa capacité à se débrouiller tout seul.

Peu de temps après son cauchemar, Bill raconta un autre rêve. Il était dans une pièce avec un autre homme. Tous deux étaient nus. L'autre homme, dont Bill pensait qu'il était possible que ce fût également lui-même, se pencha à la fenêtre pour regarder à l'extérieur. Bill s'approcha de lui par-derrière et inséra son pénis dans l'anus de l'homme. Bill remarqua : « Je ne ressentais aucune émotion. Je me demandais simplement quel effet cela me ferait. »

Quand je suggérai que l'autre homme représentait la nostalgie de Bill pour le contact humain et son besoin qu'on lui donne quelque chose, il éclata en sanglots. Bill avait refoulé le côté passif de sa personnalité, où se trouvaient ses émotions, parce que cela représentait pour lui la soumission homosexuelle. La peur de tomber de Bill était également en relation avec cette peur de la soumission homosexuelle. Il fallait qu'il travaille sur ses émotions pour résoudre ses difficultés, puisque son inaptitude à assumer son travail représentait en fait sa peur de se soumettre à son employeur.

Le comportement d'autodestruction que l'on constate actuellement dans l'alcoolisme, la toxicomanie, la délinquance et la promiscuité reflète le degré de solitude, de détachement et de désespoir des individus de notre civilisation. Que la dépression soit réelle ou imaginaire ne fait que peu de différence, si ce n'est qu'en cas de réel désespoir, la stratégie défensive cesse quand l'urgence de cette défense disparaît. Le schizoïde, cependant, vit en perpétuel état d'urgence. On peut déterminer d'après son comportement quel est le destin spécifique qu'il redoute, puisque ce comportement est à la fois un défi lancé à ce destin et un essai de s'accoutumer aux conséquences possibles. Quand le schizoïde s'est comporté de manière à forcer la main du destin, il peut dire : « Tu vois, j'avais raison. Tu me détestais. Tu m'as rejeté. Tu m'as écrasé. » Ainsi, il peut expliquer sa solitude, son indignité et son vide. Et il peut s'arranger pour prouver à lui-même et au monde qu'il est capable de surmonter cette fatalité.

Le cas suivant illustre la complexité des forces qui sous-tendent le comportement autodestructeur.

Penny, comme nous l'appellerons, passait souvent ses soirées à boire dans un bar et finissait la nuit avec n'importe quel homme rencontré là. Quand elle se réveillait le lendemain matin, après un épisode semblable, elle ne pouvait pas se rappeler ce qui s'était passé la nuit précédente. Penny fut enceinte plusieurs fois dans de telles circonstances et dut avoir recours à des avortements illégaux, qu'elle redoutait. La seule explication que donnait Penny de ce comportement était qu'elle ne pouvait pas rester seule chez elle le soir. Mais cette explication n'était qu'une rationalisation. Penny avait vingt ans la première fois que je la vis, et ce schéma de comportement durait depuis quelques années. Elle faisait partie des désespérés qui se sentent détachés et qui errent dans les limbes d'une demi-existence. Quand j'employai cette expression pour décrire son état, elle remarqua qu'elle venait d'écrire à ce sujet :

> *Ecoute.*
> *Pars et laisse-moi seule.*
> *Non pas reposer en paix*

*Mais flâner et rôder*
*Dans les limbes*
*Où l'on me connaît,*
*Ni aimée ni aimante,*
*Mais l'on me connaît,*
*Abandonnée,*
*Perdue*
*Au milieu de dalles de pierre*
*Mortes,*
*Grises et froides*
*Et déchirées*
*Par l'écume*
*De ma folie.*

Elle poursuivit :

« Qu'est-ce qui m'est arrivé ? Pourquoi ai-je passé toutes ces années à me ligoter dans un nœud après l'autre ? Y a-t-il une possibilité de pénétrer les milliers de jours et de nuits qui m'ont rendue telle que je suis ? Et comment y arriver ? Je ne crois pas que l'on puisse y arriver, mais il faut que j'essaie et que je fasse confiance à votre habileté, à votre savoir et, j'espère, à vos bons sentiments envers moi. Sinon ce qui m'est insupportable maintenant me deviendrait rapidement impossible, et ce serait la fin. »

Penny avait quitté une ville du Middle West pour New York, où elle était secrétaire. Son intelligence et sa sensibilité ne rendaient son comportement que plus irrationnel. Mais c'était une irrationalité tout apparente. Si le fait d'être seule menaçait sa santé mentale, elle n'avait pas d'autre choix que de trouver de la compagnie à n'importe quel prix. Pourquoi Penny avait-elle si peur d'être seule ? La solitude signifiait ne pas être aimée et ne pas aimer, et une sexualité désespérée lui semblait préférable à ce destin. Cependant chaque tentative désespérée de Penny pour trouver l'amour lui laissait une impression de rejet plus forte qu'avant. Dans son désespoir, elle ne pouvait refuser aucune avance. Il y avait toujours la possibilité, disait-elle, que celui-là fût le bon.

La première fois que je vis Penny, elle avait l'apparence schizoïde typique : le regard terne et vide, le teint pâle et brouillé et le corps figé et rigide. Sa respiration était très superficielle. Quand elle essaya de respirer plus profondément, elle fut prise de panique. Pendant une minute, elle ne put reprendre son souffle puis elle se mit à pleurer.

Elle réalisa à quel point elle avait peur, et à quel point elle manquait d'intimité avec son corps. Je soulignai que le chemin qui la sortirait de sa souffrance passait par l'acceptation de son corps et par l'identification avec lui. Ceci avait un sens pour Penny parce qu'elle réalisait qu'elle avait honte de son corps et que sa promiscuité sexuelle était une tentative désespérée pour regagner une certaine intimité avec son corps.

Ceux qui désespèrent, comme Penny, se lancent souvent dans l'activité sexuelle pour y réétablir leur sensibilité physique. Cette activité compulsive peut donner l'impression qu'ils sont hypersexués. Ils seraient plutôt hyposexués, car une telle activité naît d'un besoin de stimulation érotique plutôt que d'une impression d'excitation sexuelle ou d'énergie sexuelle. Une activité sexuelle de ce type ne mène jamais à l'accomplissement ou à la satisfaction orgastique, mais laisse une impression de vide et de désappointement. Au cours d'une séance de thérapie ultérieure, Penny parla de « l'excitation du désappointement ». Elle voulait dire par là qu'au cœur de chaque aventure se trouvaient à la fois l'espoir qu'elle eût une signification et la peur qu'elle fût désastreuse. Ce mélange d'espoir et de peur sous-tend la psychologie de désespoir. Il cache la réalité et pousse à se mettre dans des situations telles qu'elles ne peuvent avoir sur la personnalité qu'un effet destructeur.

Penny ne s'acceptait pas comme femme. Elle remarqua : « Je peux accepter d'être une femme, mais je doute d'arriver jamais à m'en réjouir. » Mais si l'acceptation n'est pas accompagnée de plaisir, elle ne dénote que la soumission à son destin. Pour Penny, ce destin consistait à être humiliée, dégradée et finalement rejetée et détruite. Elle se soumettait à ce destin parce qu'elle avait l'impression d'être abîmée et souillée. A considérer ce qu'elle avait été et ce qu'elle avait fait, elle avait l'impression que nul ne pourrait la respecter, et qu'elle-même le pouvait moins que tout autre. Elle fit ce commentaire : « Je me fais l'effet d'une marchandise d'occasion, d'être un bol de porcelaine fêlé. » Puis elle saisit la signification de son lapsus et s'exclama : « Qu'est-ce que j'ai dit ! »

On ne choisit pas son destin, on se contente de l'accomplir. On n'est lié par son destin que dans la mesure où l'on accepte les valeurs qui le déterminent. Si être une femme avait signifié *être inférieure*, la cause de Penny aurait été perdue. Mais elle était trop avertie et trop intelligente pour accepter ce jugement de valeur. Son stigmate n'était pas dû à la féminité mais à la sexualité féminine. Le mariage et la maternité étaient des vertus, mais le plaisir sexuel était un péché pour une fille. Penny n'avait pas conscience que telle était sa façon de penser ; elle se considérait comme une femme moderne et avertie qui acceptait sa sexualité. Cependant, sa promiscuité était un signe de culpabilité sexuelle. C'était ce mélange de culpabilité et de sophistication qui était responsable du comportement sexuel désespéré de Penny.

Les sentiments réels de Penny apparurent lorsque je l'interrogeai sur la masturbation. Elle ne pouvait se résoudre à prononcer le mot « masturbation ». La seule idée la dégoûtait. Une analyse plus poussée de ses sentiments montra qu'elle considérait le vagin comme sale et intouchable. Comme Mary, elle rejetait la partie inférieure de son corps et, dans ce processus, niait que la totalité de son corps puisse être une source significative de plaisir. Penny ne pouvait pas rester seule avec elle-même parce qu'elle avait honte de son corps et peur de ses sensations physiques. Elle ne pouvait pas se tourner vers elle-même — c'est-à-dire vers son propre corps — pour se réconforter et se donner de l'assurance. Dans son désespoir, elle était poussé à des expériences sexuelles qui augmentaient sa honte et sa culpabilité.

La satisfaction que l'on obtient en se masturbant est une indication de la capacité que l'on a à « se débrouiller tout seul ». Si l'on n'a pas la ressource de se débrouiller tout seul, on se désespère et on doit trouver quelqu'un d'autre pour obtenir satisfaction. Comme celui qui mendie ne choisit pas, on est souvent poussé à des manœuvres désespérées. Le besoin qu'éprouvait Bill d'escalader des falaises n'était pas une manœuvre moins désespérée que le recours de Penny à la promiscuité sexuelle. Tous deux allaient au-devant du danger pour obtenir une excitation qu'ils ne pouvaient pas trouver au niveau de leur propre expérience du corps. Le problème n'est pas la masturbation en soi mais la culpabilité sexuelle et le rejet du corps. L'incapacité à se satisfaire par la masturbation est le principal symptôme de cette culpabilité.

La technique de survie de Penny consistait à s'immerger dans sa culpabilité jusqu'à ce que celle-ci perdît de son horreur, ce qui ne se produisait jamais. Cependant, il y a dans ce comportement une certaine forme de salut, assez étrange. On apprend que l'on peut survivre à ce qui paraît être de la dépravation. Les répercussions ne sont jamais aussi graves que ce à quoi l'on s'attendait. On n'est pas frappé par la foudre pour avoir péché. La crainte de la sexualité diminue quelque peu, et l'on préserve sa santé mentale en dépit des tourments que procure une telle expérience.

Quand on perd le contact avec son corps, on affronte la menace de la schizophrénie. Les manœuvres désespérées représentent un moyen extrême pour obtenir ce contact. La promiscuité de Penny lui permettait d'écarter de son corps ses sentiments de honte et de les transférer sur ses actes. Le défi de Bill envers les hauteurs écartait la peur de son corps et la transférait sur la falaise. Si l'on peut projeter sa honte et sa peur sur les événements extérieurs, elles deviennent supportables. Les manœuvres désespérées constituent un moyen de préserver sa santé mentale en transférant la terreur sur des situations réelles. L'esprit peut affronter des peurs spécifiques, mais il se sent vulnérable devant l'inconnu. Si cette manœuvre échoue, le dernier recours qui puisse permettre au désespéré d'éviter la fatalité est le suicide.

La sexualité et la mort sont inextricablement entrelacées dans une personnalité scindée. La peur de la sexualité, c'est la peur de la mort. Quand on lutte pour rester en vie, tout ce qui menace de saper la maîtrise de soi constitue un danger mortel. La sensibilité sexuelle présente un tel danger. Une autre patiente l'exprima clairement. Elle dit : « Je lutte pour rester vivante. Si je me laisse aller, quelque chose prendra possession de moi et me fera tomber dans le vide. » Bill essayait de s'assurer qu'on ne pouvait pas le faire tomber dans le vide. Penny passait son temps à descendre du côté à pic. Dans chaque cas, c'était la sexualité qui était la force motrice. A l'occasion, ce démon montrait son visage, comme dans la remarque suivante : « J'ai éprouvé de violentes sensations sexuelles, et j'en fus mortellement effrayée. » Cette remarque, faite par une femme mariée, n'exprime pas la peur de l'activité sexuelle mais la peur des sensations sexuelles. En ce sens la promiscuité sexuelle de Penny avait pour effet de diminuer ses sensations sexuelles et donc de la protéger d'une terreur plus forte. A l'occasion, cette terreur faisait surface.

« Il m'arrive quelque chose qui me fait terriblement peur, raconta-t-elle un jour. Quand je me réveille, avant d'avoir repris pleinement conscience, je réalise que mon cœur bat fort et vite et je ne peux pas respirer. Je réalise que si je ne respire pas je vais mourir en quelques minutes. Cela me donne l'impression d'être en train de mourir. Ma tête se brise et ma poitrine est prête à éclater. Cela me rappelle une description que j'ai lue d'une personne qui avait une attaque cardiaque. »

Plus tard, Penny raconta un rêve qui fournit quelques explications au sujet de la terreur.

« J'étais dans une chambre à coucher et je regardais une autre pièce à travers un obstacle ; je me voyais moi-même dans l'autre pièce. J'étais pétrifiée et je me suis réveillée, le cœur battant. Une fois réveillée, j'ai pensé au rêve, et j'ai réalisé que l'obstacle, c'était mes parents qui se trouvaient au lit et qui avaient des rapports sexuels. Cela me remplit d'horreur. »

Pourquoi une telle vision devrait-elle terrifier un enfant ? Pourquoi l'idée des rapports sexuels des parents est-elle si difficile à accepter pour les enfants ? Si l'intimité physique s'associe dans l'esprit de l'enfant à la peur et à la honte, sa vision de l'acte sexuel sera celle d'un assaut contre le Moi et le corps. L'enfant le considère comme une violation de la vie privée et comme une insulte à la personnalité. A un niveau plus profond, la réaction de l'enfant à la vue de l'intimité sexuelle reflète les sentiments inconscients des parents au sujet de l'acte sexuel. L'horreur de Penny reflétait la crainte consciente ou inconsciente qu'éprouvait sa mère vis-à-vis de la sexualité. Penny décrivait sa mère comme une femme peu attirante, indifférente à son apparence physique, et qui n'éprouvait aucun plaisir au niveau de son corps. Son père, disait-elle, se tenait en retrait et était incapable d'exprimer de l'affection. Pour un homme de ce type, la sexualité représente le besoin de calmer une tension. Pour une femme de ce type, la sexualité consiste à se soumettre à un devoir désagréable.

Le caractère de l'intimité physique entre la mère et l'enfant reflète les sentiments qu'éprouve la mère pour l'intimité sexuelle. Si elle considère avec dégoût l'acte sexuel, tout contact physique intime est teinté de cette impression. Si une femme a honte de son corps, elle ne peut pas l'offrir de bonne grâce à l'enfant qu'elle allaite. Si la partie inférieure de son propre corps lui répugne, elle éprouvera une certaine répulsion à tenir cette partie du corps de l'enfant. Chaque contact avec l'enfant est une occasion pour lui de faire l'expérience du plaisir de l'intimité physique ou bien d'être repoussé par honte et par crainte de l'intimité physique. Quand la mère a peur de l'intimité, l'enfant est conscient de cette peur, et l'interprète comme un rejet. Si une femme a honte de l'intimité physique, il se développera chez son enfant une impression de honte au sujet de son propre corps.

C'est l'absence d'une intimité physique génératrice de plaisir entre la mère et l'enfant qui constitue le trauma fondamental de la personnalité schizoïde. L'enfant ressent l'absence de contact physique érotique comme un abandon. Si l'on n'accueille pas par une réponse chaleureuse la demande de contact de l'enfant, il grandira avec l'impression que nul ne se soucie de lui. Il se peut même qu'il s'aperçoive que s'il insiste sur ce besoin de contact physique, cela éveillera chez ses parents une réaction hostile. Il supprimera alors son désir d'intimité, pour éviter de souffrir de ses aspirations non satisfaites. Et il apprendra que pour survivre il faut supprimer le désir et la sensibilité. De plus, éprouver une violente nostalgie revient à se sentir abandonné, ce qui est l'équivalent de la mort pour l'enfant. Comme cette nostalgie se centre sur l'intimité, le fait d'éviter l'intimité physique sert à tenir refoulée la peur de l'abandon.

Quand les besoins d'intimité, de contact physique, et de gratification érotique orale d'un enfant ne sont pas satisfaits au cours des premières années de la vie, ils se transfèrent sur les perceptions sexuelles qui se développent à la période œdipienne. Ceci explique pourquoi le conflit œdipien prend une telle intensité chez ces enfants. L'attachement sexuel au parent de sexe opposé se charge du désir infantile non satisfait d'intimité et de gratification orale. Cet attachement surchargé crée un réel danger d'inceste, tout au moins en ce qui concerne les impressions de l'enfant. En analyse, nous parlons d'un déplacement de la bouche vers les organes génitaux. Le mélange d'oralité (désir infantile) et de génitalité (poussée préliminaire des perceptions sexuelles) est si confus que l'enfant ne peut établir de distinction entre ces désirs. Le besoin de contact physique pourrait amener l'enfant à accepter une intimité sexuelle qu'interdit le plus fort des tabous.

Le rôle des parents au cours de ce conflit est une combinaison de rejet et de séduction. Ils orientent le désir de l'enfant vers la voie de la sexualité, parce qu'ils rejettent ses besoins oraux de contact et d'intimité. En séduisant l'enfant, ils ajoutent à l'intensité de son conflit œdipien. L'enfant fait le sacrifice de toute sensibilité pour éviter de violer le tabou de l'inceste. Bill s'assura qu'il ne pouvait rien se passer. Penny espérait de toutes ses forces que quelque chose se passerait ; elle voulait tomber amoureuse et se marier, mais elle ne pouvait permettre que cela lui arrive.

Malheureusement, c'est à l'enfant de supporter le fardeau de la culpabilité qui lui vaut son état de désespoir. Les parents se retranchent derrière un code moral, qui ne fait souvent aucune distinction entre le désir infantile d'intimité physique et de gratification érotique et la génitalité adulte. Ils condamnent la masturbation infantile, de peur qu'elle n'éveille la sensibilité sexuelle de l'enfant, bloquant par là l'unique voie qui lui permettrait d'alléger sa tension. Dans leur crainte de la situation œdipienne, ils refusent à l'enfant le contact physique qui pourrait l'empêcher de désespérer.

Finalement, on prononce la condamnation de l'enfant en l'avertissant que la gratification érotique ne peut mener qu'à une fin funeste.

De façon ouverte ou insidieuse, on fait sentir à une fille la ligne nette qui sépare la vierge de la femme de mauvaise vie, la matrone de la prostituée. On considère comme un pas vers la perdition tout mouvement vers le plaisir érotique fait par la jeune fille. Si elle se rebelle, on la classe dans la catégorie des vauriennes, des vagabondes, ou même des catins. En désespoir de cause, les parents humilient leur fille en proférant : « Aucun garçon bien ne voudra de toi. » Furieux, ils jettent sur leur fille la malédiction : « Tu finiras dans le ruisseau. »

C'est ainsi que Penny fut élevée. Elle fut lancée dans la vie avec un handicap : une forte impression de honte et de culpabilité concernant son corps et sa sexualité. Tout contact avec un homme sur la base du plaisir évoquait ces impressions. C'est pourquoi elle devait s'enivrer quand elle recherchait une gratification érotique. Elle buvait pour diminuer l'intensité de ces impressions et pour que son abord du sexe opposé soit plus facile. Mais en buvant, elle renforçait ces impressions. Dans ce conflit avec sa sexualité, un mouvement désespéré en provoquait un autre, un verre la conduisait au suivant et à la fin, elle défiait son sort par des actes sexuels qui l'enchaînaient encore plus étroitement à lui. Les craintes de ses parents étaient confirmées, et la fille qu'ils cherchaient si désespérément à protéger était menacée par le destin même qu'ils lui avaient prédit.

Celui qui désespère réagit à toute situation comme si c'était « une question de vie ou de mort ». Tout choix lui pose le problème de la survie. Il considère chaque problème comme un choix entre le blanc et le noir. Il fait peser sur chaque décision une alternative de type *tout ou rien*. Il en résulte qu'il ne peut rien obtenir ; il réussit à survivre, mais ne peut satisfaire aucun de ses désirs.

On ne peut surmonter le désespoir schizoïde que lorsqu'on s'est assuré de son aptitude à survivre. Ceci signifie que l'on doit sonder les profondeurs de son désespoir et accepter la fatalité. Il est significatif que certains patients schizophrènes ne guérissent qu'après avoir séjourné dans les pires salles des hôpitaux psychiatriques. Ayant constaté qu'ils pouvaient survivre dans cette situation parfaitement désespérée, ils osent se confronter à la réalité ; ils osent accepter leur désir d'intimité physique. Ils peuvent surmonter la honte qu'ils éprouvent envers leur corps dans un environnement où la honte n'a pas de sens. Quand ils réalisent qu'il ne leur reste plus rien à perdre, c'est leur peur qu'ils perdent. Ils gagnent la conviction que la survie elle-même est un but dénué de sens si l'on n'a pas les plaisirs et la satisfaction que fournit l'intimité physique.

# 7

# Illusion et réalité

Le désespoir engendre l'illusion. Le désespéré élabore l'illusion pour aider son esprit dans la lutte pour survivre. Comme le souligne William V. Silverberg, dans son analyse de « la manœuvre schizoïde », ceci constitue une fonction valide du Moi : « Il semblerait, alors, que ce que j'ai appelé la manœuvre schizoïde puisse remplir une fonction bien définie et nécessaire en atténuant la terreur dans des situations où l'on ne peut échapper à des préjudices ou à la destruction [34]. » Comme exemple de ce mécanisme, Silverberg cite un poème de Rainer Maria Rilke dans lequel un jeune soldat, qui affronte la mort sur le champ de bataille, transforme les sabres de l'ennemi en « une riante fontaine » dans laquelle il plonge. Grâce à cette illusion, « il échappe à la terrifiante réalité de l'annihilation non point, certes, dans la réalité, mais en esprit ». C'est l'impossibilité d'exercer une action sur la réalité extérieure qui entretient le recours à l'illusion. L'illusion ne devient pathologique que lorsque cette impossibilité vient d'une impression d'impuissance sans rapport avec la réalité extérieure.

## *Désespoir et illusion*

Le danger de l'illusion tient à ce qu'elle perpétue l'état de désespoir. L'un de mes patients remarqua : « On se fixe des objectifs chimériques, et l'on se maintient dans un état de désespoir permanent parce que l'on essaie de les réaliser. » Le désir d'être « l'épouse parfaite » constitue un exemple d'illusion ou d'objectif chimérique. Ce souhait secret place la femme dans une situation sans issue. Son comportement est compulsif ; elle doit prouver par ses actes qu'elle est l'épouse parfaite. Elle a une attitude hypersensible ; elle interprète toute expression de mécontentement venant de son mari comme un signe d'échec et donc comme un rejet de sa propre personne. En même temps, elle est insensible à ce que ressent son mari, puisqu'elle se préoccupe de sa propre image du Moi ; et ce comportement pousse son mari à réagir par le mécontentement même qui menace cette image. A mesure que son désespoir augmente, elle fait des efforts de plus en plus compulsifs pour réaliser son illusion, et elle finit par se prendre elle-même dans un cercle vicieux.

Peu de gens sont assez naïfs pour entretenir consciemment l'illusion d'être la parfaite épouse, la mère parfaite, ou l'ami parfait, mais la façon dont ils se comportent indique souvent la présence de ces illusions au niveau de l'inconscient. Une personne hypercritique trahit par là son propre besoin d'être considérée comme parfaite. Son incapacité à accepter les autres tels qu'ils sont reflète son incapacité à s'accepter elle-même. Sa recherche de la perfection est une projection de ses propres exigences vis-à-vis d'elle-même. Le perfectionnisme est peut-être l'illusion la plus répandue, et c'est certainement l'une des plus nocives pour les relations humaines. L'illusion qui consiste à être une mère parfaite exige pour se réaliser un « enfant parfait » et conduit au rejet de l'enfant humain, qui a besoin de l'aide et de la compréhension de sa mère. La mère parfaite se transforme en femme désespérée et destructrice.

Le désespoir et l'illusion constituent un cercle vicieux dans lequel chacun des deux états conduit à l'autre. Plus l'illusion s'éloigne de la réalité et plus la lutte pour la réaliser devient désespérée. Quand, comme c'est le cas pour le schizoïde, l'illusion devient la base même de l'existence, il faut la défendre et la soutenir face à la réalité.

Au cours du chapitre 6, j'ai décrit le comportement sexuel désespéré de Penny. Nous avons considéré sa promiscuité comme un essai de faire face à une impression de rejet. On peut également considérer ce comportement comme le résultat d'une illusion. Malgré tout ce qu'impliquait son attitude sexuelle, que l'on pourrait tout au mieux qualifier de légère et d'irresponsable, Penny n'abandonnait pas son illusion de pureté et de vertu. Sa vertu n'était pas une vertu banale mais une vertu supérieure que n'entachaient pas la promiscuité et la boisson. Le fantasme associé à cette illusion était qu'un jour elle rencontrerait son prince charmant, et qu'il saurait discerner sa noblesse et sa supériorité sous l'impureté et le scandale de son existence. Il la proclamerait alors princesse et l'honorerait aux yeux du monde. C'est une version moderne de Cendrillon, transposée en termes de morale sexuelle. En se couvrant de honte, Penny mettait le prince à l'épreuve. S'il ne reconnaissait pas sa valeur, c'est que ce n'était pas un vrai prince. Et seul un prince est digne d'une princesse déguisée.

Le rêve de Cendrillon se retrouve chez toutes les jeunes filles schizoïdes. C'est une compensation à l'impression d'indignité dont elles souffrent. Cependant on pourrait aussi l'interpréter comme une manifestation de leur sentiment intime de ce que leur personnalité a des ressources inutilisées. Le schizoïde est scindé entre son potentiel non réalisé, que l'illusion embellit jusqu'à la grandeur, et son expérience de lui-même, que la désillusion a réduite au désespoir. Le thème de la Belle au Bois Dormant en est une autre version. Dans cette version, le potentiel endormi est éveillé par le courage et l'ardeur d'un prince qui surmonte la malédiction de la sorcière parce qu'il atteint la princesse en écartant les ronces et les épines qui la cachent. Malheureusement, les contes de fées se réalisent rarement dans la vie. Tant que l'illusion opère, Cendrillon ne peut que rester dans son arrière-cuisine, vêtue de haillons, et la Belle au Bois Dormant rester cachée derrière le bosquet impénétrable.

C'est le sentiment intime d'un désespoir total qui constitue la réalité que déforme l'illusion. L'illusion de Penny, selon laquelle elle était une princesse, lui servait à contrecarrer la conviction qu'aucun homme ne voudrait l'épouser. Grâce à cette illusion elle pouvait prétendre que c'était d'elle que venait le rejet. Quand la thérapie eut progressé et que son désespoir eut diminué, elle réalisa qu'elle avait fui son désespoir.

Cette prise de conscience se dégagea clairement après un séjour chez ses parents, pendant lequel son père lui exprima sa désapprobation de vive voix. Penny fut prise d'une colère irrationnelle et quitta violemment la maison. Le fait que son père la rejette était le coup final. Cela fit voler son illusion en éclats. Son image du prince était une transfiguration de son père qui, croyait-elle, l'aimait en dépit de tout. Cette illusion naissait de la profonde conviction que, quoi qu'il arrive, elle serait toujours une princesse à ses yeux.

L'incident eut un double effet. Immédiatement après qu'il eut lieu, Penny eut l'impression de posséder une force et une puissance qu'elle ne s'était jamais connues. C'était comme si l'on avait brisé la chaîne qui la ligotait. Cette force nouvelle naissait de la colère qu'elle ressentait envers son père, sentiment qu'elle refoulait auparavant. Cependant, cette colère ne dura pas longtemps, et son humeur tourna au désespoir ; celui-ci ne fut allégé que par l'analyse de sa relation avec son père.

Depuis sa plus tendre enfance, Penny avait transféré sur son père tous les désirs violents d'intimité, d'affection et d'aide dont un enfant demande normalement satisfaction à sa mère. Ce transfert était nécessaire parce que la mère n'avait pas réussi à satisfaire aux besoins de l'enfant et il était facilité par les réactions positives du père envers sa fille. Mais ses réactions étaient ambivalentes. Il ne pouvait pas satisfaire les besoins de contacts physiques de l'enfant parce qu'ils éveillaient ses propres sentiments de culpabilité vis-à-vis de l'intimité physique, qui étaient forts. Il acceptait sa fille en tant qu'être intelligent et pensant, mais il la rejetait en tant qu'être sexué et physique. C'étaient les éléments mêmes du rejet maternel dont Penny avait fait l'expérience quand elle était un nourrisson.

Un enfant ne peut pas survivre s'il ne ressent pas un minimum d'amour et d'acceptation parentale. Afin de survivre, Penny accepta les exigences de son père et se dissocia de son corps et de sa sexualité en échange de la promesse implicite qu'en agissant ainsi, elle deviendrait sa « préférée ». Mais cette dissociation la plaçait dans une situation désespérée. Comme Penny avait renoncé au plaisir au niveau de son corps, il fallait à son esprit des bases solides. Il lui fallait croire que son père l'aimait sincèrement et qu'il n'avait fait cette demande que pour la protéger d'une situation œdipienne difficile. Pour conserver sa santé mentale il lui fallait croire que quelqu'un l'aimait, et comme elle s'était tournée vers son père, elle devait croire en lui. Tout désappointement venant de son père ne pouvait que renforcer cette illusion car la seule alternative lui semblait être un désespoir qui la conduirait à la mort.

La situation infantile de Penny contenait un autre élément qui venait renforcer cette illusion. Sa relation avec son père la mettait en compétition avec sa mère et créait une dangereuse rivalité. Dans l'esprit de l'enfant, c'était la mère qui empêchait le père de répondre pleinement à l'amour de sa fille. La mère devint ainsi la méchante sorcière ou la méchante marâtre qui jette un sort à la fille pour l'empêcher de satisfaire son désir. Les sœurs aînées de Penny, qui se rangeaient du côté de la mère, tenaient le rôle des belles-sœurs jalouses du conte de fées. Toutes les conditions du mythe étaient remplies, au point de rendre difficile la distinction entre l'illusion et la réalité.

Il n'est pas toujours facile de différencier l'illusion de la réalité. En fait, le père et la mère de Penny l'aimaient. Il y avait une part de réalité dans sa croyance d'être la « préférée ». Chaque enfant a l'impression d'être le préféré de ses parents ; cette impression est remplacée à la maturité par la perception du soi et par la conscience de son identité. L'enfant a l'impression que l'amour de ses parents est centré sur lui. Toutefois cette impression devient une illusion lorsque cet amour exige l'abandon par l'enfant de sa nature instinctive et animale. L'illusion sert alors à étayer le Moi et à nier le sacrifice et elle ne peut pas être abandonnée à la maturité. On reste par conséquent fixé à sa situation infantile.

L'illusion schizoïde de supériorité et d'originalité se rencontre aussi chez les jeunes gens. Un de mes patients décrivit une telle illusion : « Je réalisai brusquement que l'image idéalisée que j'avais de moi-même était celle d'un prince en exil. J'ai fait le rapprochement entre cette image et mon rêve selon lequel mon père, le roi, viendrait un jour et me proclamerait son héritier présomptif.

« Je me rappelle avoir attendu l'arrivée de mon père pour la remise des diplômes, à la fin de mes études secondaires. Il ne vint pas. J'ai toujours essayé de me prouver à moi-même que j'étais digne de lui, par le sort, par mes activités et par ma scolarité. Il n'y fit jamais attention. Puis il mourut.

« Je réalise que j'ai encore l'illusion qu'un jour on me découvrira. Jusque-là je dois conserver mes " prétentions ". Un prince ne peut pas s'avilir par un travail ordinaire. Je dois montrer que je suis un être à part. »

Les prétentions de noblesse et de supériorité du patient contrastaient avec la réalité de ses luttes et de ses échecs. La disparité entre l'illusion et la réalité le plaçait dans une situation désespérée. Comme il était acteur, le rêve d'être découvert semblait particulièrement approprié. Et cependant, plus il travaillait dur, moins il réussissait. Ses auditions faisaient toujours impression, mais les représentations atteignaient rarement le niveau de ce qu'il semblait promettre initialement. Tout son effort passait à l'audition, dans l'espoir que son illusion se réaliserait. Comme ceci ne se produisait pas, il perdait courage pendant les répétitions, et les représentations en souffraient. Il comprit ultérieurement que ses efforts pendant les répétitions n'étaient pas sincères. Finalement, son talent d'acteur se détériora au cours d'une série de répétitions, et son contrat fut rompu.

Il eut le même comportement au cours de la thérapie. Au début il fit un effort important pour mobiliser son corps afin de me montrer comme il y arrivait bien. Cependant, la compulsion qui se cachait derrière cet effort augmenta son état de tension, et les impressions agréables du début disparurent. Comme cela se produisait au moment où il perdit son travail, il sombra dans un profond désespoir. Pendant cette crise, ses illusions se dévoilèrent. Puis il réalisa qu'il n'avait jamais fait tout son possible. « Si l'on ne fait pas tout son possible, on ne peut pas échouer », dit-il. Il voulait dire par là que l'on peut toujours, dans ce cas, trouver des excuses à l'échec. L'illusion l'empêchait d'affronter la réalité.

## *Désespoir et dissociation*

Bien que le fait de renoncer à son illusion soit un pas vers la santé, cela s'accompagne invariablement de désespoir. Ce désespoir naît de la peur de l'abandon. Mais c'est un désespoir irrationnel car, comme la peur de l'abandon, il représente la persistance à l'âge adulte de sentiments infantiles. C'est quand l'illusion s'écroule et que le désespoir qu'elle recouvrait surgit au niveau conscient qu'il devient possible au patient de comprendre que ses illusions et sa tristesse sont des excroissances de son désespoir sous-jacent.

Plus le désespoir est profond, plus les illusions seront fortes et exagérées et plus l'illusion est puissante, plus le désespoir sera immense. Une illusion qui gagne en puissance exige sa réalisation et entraîne de ce fait un conflit avec la réalité — ce qui conduit à un comportement désespéré. Pour essayer de réaliser son illusion, il faut sacrifier les impressions agréables du moment présent et celui qui vit dans l'illusion est par définition incapable de faire des demandes tendant à se procurer le plaisir. Dans son désespoir il va renoncer au plaisir et vivre en veilleuse en attendant que l'illusion-devenue-vraie le tire de son désespoir. La psychologie du désespoir explique pourquoi le schizoïde vit sur le bord de l'abîme. Son comportement désespéré et destructeur est un défi à son destin, il espère ainsi amoindrir sa terreur et par le biais de son illusion, il nie ce destin, essayant d'éviter le désespoir.

On peut décrire comme suit la connexion entre ces différents éléments dans la personnalité de Penny : le fait que son besoin infantile d'intimité physique ait été nié de façon répétée créa une impression de rejet, qui se transforma en impression de désespoir. Pour survivre, Penny refoula son désir de gratification érotique en se dissociant de son corps. Ce processus (rejet-désespoir-dissociation) eut pour résultat une scission de sa personnalité qui entraîna l'élaboration d'une illusion et l'impression de désespoir. On peut représenter cela sous forme de diagramme.

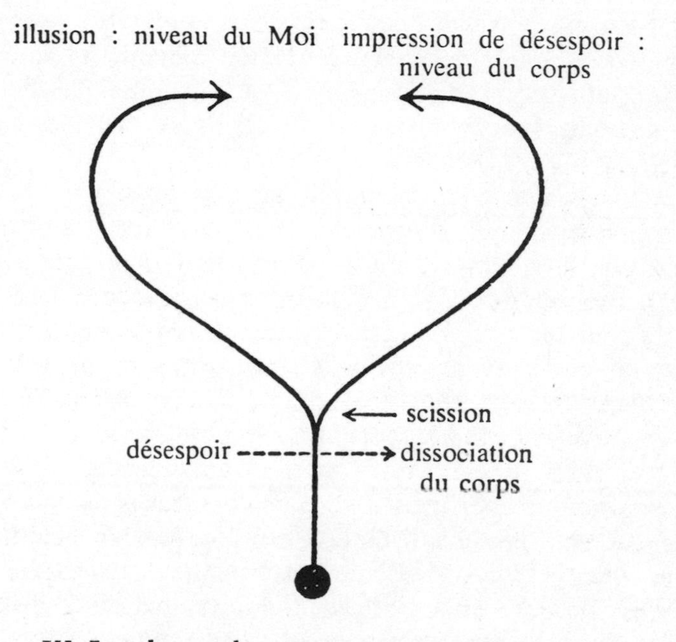


*Figure XI Les bases de ce processus reposent sur le rejet éprouvé pendant l'enfance et la petite enfance*

Tant que la scission de la personnalité persiste, on ne peut empêcher le va-et-vient entre illusion et désespoir. Seule l'identification du Moi avec le corps permet de se réunifier. Cette identification diminue le désespoir et met l'illusion en évidence. Quand l'illusion s'écroule, le désespoir sous-jacent se révèle et ouvre la voie à la reconstitution de la situation infantile. C'est à ce stade que l'on peut revivre les expériences traumatiques infantiles et s'en libérer.

L'illusion et le désespoir constituent un nœud coulant qui étouffe lentement la vie de l'individu. Curieusement, c'est le désespoir qui offre la seule issue à cet étouffement par l'irréalité. Prenons le cas de l'alcoolique : ce n'est pas parce qu'il est désespéré qu'il boit. Boire est pour lui un moyen de nier son désespoir, d'échapper à ses émotions et d'éviter la réalité. Admettre son désespoir le pousserait à rechercher une aide. Mais, comme le savent ceux qui s'occupent d'alcooliques, c'est ce qu'il y a de plus difficile à lui faire admettre. L'alcoolique est un être désespéré qui ne peut ni affronter son désespoir ni admettre une possibilité d'espoir. Ses illusions le soutiennent. La plus puissante d'entre elles consiste à croire qu'il pourrait s'arrêter de boire s'il le voulait — s'il l'avait décidé. Rien n'est moins vrai, comme l'expérience le prouve. La nature même d'une toxicomanie implique que l'on ne puisse échapper à son emprise. Quelle vanité que de se croire capable de contrôler par la volonté un schéma de comportement, face à tant d'échecs !

Ce qui est vrai de l'alcoolisme est tout aussi vrai de n'importe quel comportement autodestructeur. Si l'on pouvait contrôler un tel comportement, on commencerait par ne pas s'y engager. L'illusion de la volonté constitue l'entrave la plus forte à une aide efficace. On peut aider un alcoolique quand il admet son impuissance à s'aider lui-même. Le schizoïde admet ce besoin lorsqu'il recherche l'aide thérapeutique.

Si la maladie est constituée par le désespoir, la crise qui peut mener vers la guérison est l'abandon de tout espoir. L'abandon de l'espoir peut-il être total au point de ne contenir aucune lueur ? Peut-il être assez profond pour mener au suicide ? Nous répondrons à cette dernière question que le suicide constitue un acte de désespoir et non d'abandon de l'espoir ; c'est l'autodestruction poussée à l'extrême, l'ultime défi lancé à son destin. L'abandon de tout espoir peut mener à la mort, mais celle-ci ne sera pas le fait d'une action consciente. L'abandon de tout espoir dénote une attitude de résignation, mais la résignation n'est jamais totale tant que la vie continue. Là ou celui qui a perdu tout espoir abandonne, le désespéré lutte pour échapper à ce qui lui semble être une fatalité inévitable. Ce désespoir est rationnel si elle est réellement inévitable. Mais, comme le suggère Silverberg, juger que l'on est impuissant devant la fatalité et soumis à elle, reste subjectif.

Même au plus profond du désespoir, l'espoir reste réaliste parce qu'il admet la possibilité de la déception. Par contre, l'illusion ne laisse nulle place au doute, n'autorise pas de remise en question. Si l'on interroge sur ses motivations un individu qui a l'illusion de ne jamais agir que sur de bonnes intentions, il devient irrationnel. Un individu qui a l'illusion d'être important peut s'effondrer si l'on remet énergiquement en question son image du Moi. Le désespéré a l'impression d'être suspendu au bord d'un précipice, terrifié à l'idée de s'enfoncer dans un désespoir sans rémission s'il se laisse aller. Cependant, quand il abandonne ses illusions au cours de la thérapie, il découvre, à sa grande surprise, que cela ne le détruit pas et que l'espoir existe.

Les illusions cèdent lentement. Entreprendre une thérapie ne constitue tout d'abord qu'un geste, derrière lequel le Moi élabore ses défenses contre la profonde impression d'impuissance et de total désespoir. Chaque patient vient en thérapie en souhaitant secrètement que cela lui permettra de transférer ses illusions à la réalité. Des résistances surgissent, souvent difficiles à surmonter parce qu'elles masquent les illusions au patient et au thérapeute. Lentement, tout au long de la thérapie, le désespoir fait place à l'abandon de tout espoir, au fur et à mesure que le patient cesse d'échapper à lui-même. Abandonnant tout espoir — il comprend qu'il ne pourra jamais réaliser ses illusions — il a l'impression que la thérapie a échoué. Ce n'est qu'à ce stade qu'il dévoile ses illusions. Cet abandon de l'espoir s'accompagne d'une impression de fatigue et d'épuisement comparable à ce que peut ressentir un soldat après la bataille. Cette fatigue et cet épuisement servent aussi à empêcher tout comportement désespéré.

La perlaboration de ces problèmes est illustrée par l'histoire du cas suivant.

Joan, l'une de mes patientes, dit dans sa phase la plus sombre : « Je me sens si désespérément fatiguée. Je suis si fatiguée que je pourrais me nicher au fond d'un trou et y rester pendant dix ans. J'ai l'impression de ne plus pouvoir affronter l'existence. » En fait, Joan n'avait jamais été capable d'affronter l'existence. Elle avait passé toute sa vie d'adulte à essayer « d'être si forte que je pourrais affronter n'importe quoi. Il n'y aurait aucun problème que je ne puisse résoudre. Je pourrais modeler mon existence. Je pourrais adapter à moi n'importe quel événement.

« Je m'imaginais toujours en débutante sophistiquée, allant au *El Morocco*, donnant des soirées fabuleuses, réussissant professionnellement, tout en étant une mère parfaite.

« Mon mariage serait heureux parce que je serais l'épouse idéale — dévouée, loyale, compréhensive. Mes enfants seraient le reflet de mon amour désintéressé, de ma patience et de ma compréhension.

« Je pensais qu'au milieu de tout cela, je serais également un esprit supérieur, une érudite, un professeur. »

Les dures réalités de la vie de Joan renforçaient ses fantasmes plus qu'elles ne les affaiblissaient. Elle ne pouvait pas accepter la réalité. Sa naïveté était comparable à sa sophistication imaginaire. Cette naïveté faillit lui coûter la vie : elle permit à un homme d'allure étrange de l'accompagner le long d'une route déserte où il l'attaqua. Plus tard, bien qu'on l'eût prévenue, elle se maria avec un psychopathe qui l'injuriait et la maltraitait. Deux ans après que ce mariage se fût terminé par un divorce, elle nourrissait encore l'illusion qu'un jour elle serait heureuse en ménage parce qu'elle pouvait être l'épouse parfaite. Joan était une femme seule et désespérée qui adoptait le rôle du clown pour échapper à son humiliation, et qui s'accrochait à ses illusions pour éviter le désespoir.

Les illusions de Joan contenaient des contradictions fondamentales qui devinrent évidentes quand elles furent entièrement analysées. Elle n'avait jamais remis en question son idéal de femme à la mode et sophistiquée, bien qu'il présentât un conflit aigu avec son idéal de mère parfaite. Sa propre mère avait essayé de réconcilier ces deux rôles contradictoires et avait échoué. Mais Joan n'avait pas le choix, car elle ne connaissait pas d'autre mode d'action. Ses illusions s'étaient enracinées dans l'irréalité de l'idéologie familiale, qui est la seule réalité que connaisse un enfant.

L'illusion a un caractère désespéré et un élément compulsif. Les fantasmes de Joan n'exprimaient pas ses désirs mais ce qu'elle croyait être ses besoins. Elle croyait devoir être compétente, sophistiquée, intelligente, dévouée et compréhensive. Quand elle examina objectivement ses illusions, elle vit qu'elles correspondaient à l'image que son père avait de la féminité. C'était le besoin désespéré qu'éprouvait Joan de gagner l'approbation et l'amour de son père qui motivait l'identification de son Moi à cette image. Elle lui prouverait qu'elle était supérieure à sa mère. Elle serait compétente là où sa mère était insuffisante, dévouée là où sa mère était indifférente, et réussirait là où sa mère échouait. Quand ses illusions s'écroulèrent, Joan réalisa qu'elle n'était pas mieux que sa mère. Joan échouait en tant qu'individu à peu près de la même façon que sa mère avait échoué et pour les mêmes raisons. Elle avait employé toute son énergie à essayer de réaliser une image du Moi qui n'avait aucun lien avec ses besoins réels.

En pratique, Joan avait besoin de s'identifier plus fortement à son corps et de renforcer sa perception de soi. Elle travailla énergiquement sa respiration et ses mouvements pour obtenir un meilleur contact avec son corps. Elle fit de tels progrès qu'on remarquait des changements dans son apparence physique. Mais ses relations avec son père se détériorèrent. Plus elle faisait des progrès et plus elle essayait de s'imposer en tant qu'individu, plus il devenait critique à son égard. L'intensité de ce conflit avec son père fit réaliser à Joan qu'elle ne pouvait gagner l'approbation paternelle qu'en se soumettant, ce qui ne lui était plus possible. Le prix en était trop cher. Le fait d'en avoir conscience l'obligea à examiner de près ses illusions.

Le second facteur qui affaiblit ses illusions fut qu'elle s'aperçut que son fils avait des problèmes et que ces problèmes étaient provoqués par sa propre anxiété. Cette confrontation avec la réalité affaiblit le soutien porté par les illusions, et Joan sombra lentement dans un profond désespoir.

Joan avait l'habitude de remuer la tête de côté et d'autre lorsqu'elle était découragée. Quand je lui demandai la signification de ce geste, elle répondit : « Ça ne sert à rien. Ça ne sert à rien. Je serai toujours seule. Personne ne m'aimera, jamais. » Puis elle éclata en profonds sanglots et s'écria que la thérapie n'avait pas changé sa situation. « J'ai été seule toute ma vie », remarqua-t-elle. A ce moment-là, son désespoir était profond.

Malgré son désespoir, la destruction des illusions de Joan eut pour résultat de la rendre beaucoup plus humaine. Dans son désespoir, elle pouvait considérer son fils comme une personnalité indépendante et non plus comme l'image projetée de son Moi. Elle pouvait comprendre que les difficultés de son fils étaient le reflet de ses propres anxiétés. Et elle pouvait voir que la résistance qu'il lui opposait était un comportement qui avait une signification. Alors qu'auparavant elle essayait de faire face à un enfant difficile et qu'elle échouait, maintenant elle avait une relation avec une autre personne, fondée sur la compréhension. Elle pouvait également considérer qu'un homme était une personne avec qui elle pouvait partager les joies et les peines de l'existence, et non plus seulement quelqu'un chargé d'accomplir ses rêves.

### *Parents en dehors de la réalité*

Le conflit entre l'affirmation de soi et le besoin d'approbation entraîne une attitude de rébellion contre les valeurs parentales. Cette rébellion n'a cependant pas le pouvoir de modifier l'impression sous-jacente de soumission et ne constitue qu'une manière d'exprimer sa protestation. On peut prendre comme exemple de cette impuissance de la rébellion à changer les valeurs parentales, le cas des individus qui, enfants, se rebellaient contre la stricte discipline parentale mais qui s'avèrent être tout aussi stricts avec leurs propres enfants. Barbara, dont nous avons présenté le cas au cours du chapitre 1, remarqua qu'elle traitait ses enfants comme elle avait été traitée par sa mère, malgré la rancune consciente qu'elle éprouvait envers l'attitude de sa mère. Nombreux sont ceux qui oublient quand ils deviennent des parents ce qu'ils ressentaient lorsqu'ils étaient enfants. Ils oublient leurs luttes contre l'obligation de manger des aliments que l'on déteste, d'aller se coucher tôt, de ne pas sortir quand on le désire, et ils imposent des restrictions semblables à leurs enfants. On peut interpréter cet oubli de leur rébellion infantile comme un refoulement de l'hostilité qu'ils éprouvent envers leurs propres parents, qui les entraîne à s'identifier inconsciemment avec eux.

La plupart des enfants grandissent avec l'illusion que leur vie sera différente de celle de leurs parents. Chaque enfant est convaincu que lui-même parviendra au bonheur là où ses parents ont connu le malheur. Le besoin de cette illusion est évident. Il y a dans de nombreux foyers un manque de bonheur qui mènerait au désespoir s'il n'était pas contrebalancé par l'illusion. Mais l'illusion ne permet pas de voir les facteurs qui sont à l'origine de l'échec et du manque de bonheur. Ses promesses sont irréelles. Une partie importante du processus thérapeutique consiste à aider le patient à acquérir une compréhension en profondeur des illusions sur lesquelles se basait l'existence de ses parents — afin de lui permettre d'arriver à comprendre les siennes.

Un jeune homme décrivit comme suit cette prise de conscience en profondeur : « Quand je suis rentré à la maison j'ai considéré avec un peu plus de recul l'indifférence irréaliste de ma mère. Elle ne pense pas que l'armée puisse être réelle : pour elle, c'est un cauchemar. Elle n'accepte pas ce qui est déplaisant dans l'existence, par exemple vieillir, mourir, mes échecs, nos ressources limitées. Je m'aperçois qu'il faut que je devienne plus objectif et que je me détache du manque de réalisme que m'ont imposé mes parents. »

Le manque de réalisme fondamental imposé à l'enfant par l'amour névrotique de ses parents, c'est la négation de la vie du corps. La vie du corps consiste à poursuivre le plaisir par l'intermédiaire des mouvements et de l'intimité physique. Chez de nombreux parents, cette valeur passe après celles que représentent les réalisations, l'obéissance et les qualités intellectuelles ; l'importance du plaisir physique reste ignorée. Ceci a pour résultat de faire perdre à l'enfant son aptitude à l'auto-affirmation et à l'agressivité en ce qui concerne ses demandes de plaisir. Pour un parent névrotique, la vie du corps semble irrationnelle, imprévisible et pleine de dangers. L'anxiété qu'il ressent au sujet du corps naît de la peur qu'il a de sa propre violence et de sa propre sexualité, qu'il projette sur le monde extérieur. La survie lui semble exiger que l'on mate l'animal dans l'organisme nouveau-né. Cela, il l'accomplit au moyen d'une continuelle pression sur l'enfant, qui s'exprime par des injonctions telles que : « Tiens-toi bien ! », « Sois sage ! », « Calme-toi ! », « Reste tranquille ! » Une telle attitude parentale force l'enfant à se dissocier de son corps et à refouler sa sensibilité.

L'une de mes patientes fit l'observation suivante : « Il n'y a rien d'actif dans mon corps. Je me suis toujours sentie physiquement incompétente. Mes parents avaient toujours peur que je tombe. Ils avaient toujours peur que je laisse tomber ce que je portais et quand ils criaient, je le laissais effectivement tomber. Je n'ai jamais eu aucune confiance en mon corps. J'ai donc développé mon intelligence pour masquer cette impression de vide et de manque de vitalité. »

Puis elle ajouta : « Lorsqu'on rejette son corps, on devient un esprit dépouillé qui cherche un corps où pénétrer. »

Celui qui ne vit pas par l'intermédiaire de son propre corps doit vivre par l'intermédiaire du corps d'un autre. C'est pour cette raison que tant de mères se « sur-impliquent » dans leur relation avec leur enfant, et détournent cette relation vers leurs propres besoins.

Le rejet du corps entraîne une illusion schizoïde courante qui est l'illusion de la non-agressivité. L'une de mes patientes décrivit son mari en des termes qui conviendraient à la plupart des schizoïdes. « Il ne voit pas en quoi il devrait y avoir quelque chose de désagréable dans l'existence. Il pense qu'il ne devrait pas y avoir d'hostilité dans le monde. Tout le monde devrait être aimable. » Un tel univers n'existe pas et n'a jamais existé. Celui qui fonde ses actes sur cette base vit dans l'irréel. C'est pour compenser son propre manque d'agressivité que l'on élabore cette illusion. Dépourvu d'un *Moi-qui-agit* efficace, pour utiliser le terme de Rado, le schizoïde se sent incapable d'assurer la satisfaction de ses désirs. Sa personnalité reste fixée à un niveau infantile. Cette illusion, poussée un peu plus loin, mène à la croyance selon laquelle on doit être pris en charge sans avoir besoin de faire des efforts en ce sens. C'est le thème classique du nourrisson inassouvi qui s'accroche à l'illusion que quelqu'un va satisfaire ses désirs infantiles sans qu'il fasse d'efforts.

Renoncer à l'agressivité réduit la capacité de plaisir de l'organisme. Dans l'existence adulte, le plaisir est un processus actif : satisfaire à ses désirs grâce à l'activité. Ceci ne signifie pas qu'il n'y ait pas de plaisirs passifs à l'âge adulte, mais que les plaisirs passifs ne suffisent jamais à assurer une vie émotionnelle saine. En revanche, le plaisir passif domine la vie du nourrisson. Le désir de plaisir passif qui caractérise tant d'individus de notre société est un reflet de leur fixation à des niveaux de comportement infantiles. C'est l'illusion que le plaisir passif peut satisfaire pleinement aux besoins adultes, qui empêche la mobilisation d'attitudes agressives. Ainsi, le concept que propose Rado à propos d'une déficience du plaisir dans la personnalité schizoïde est valable, mais cette déficience est déterminée par le renoncement à l'agressivité et par le rejet du corps.

Dans le vocabulaire psychologique, le terme « agressivité » n'est pas lié au résultat de l'action. Un mouvement agressif peut être constructeur ou destructeur, tendre et aimant ou bien haineux et cruel. Le terme en lui-même indique que l'action « se dirige vers » quelque chose au lieu de « s'en éloigner ». Ce sont les actes agressifs qui permettent les relations avec autrui, avec des objets, des situations. C'est pour cela que l'agressivité est syntone au Moi. Elle a pour but la satisfaction des besoins. L'opposé psychologique de l'agressivité, c'est la régression. Une conduite régressive consiste à délaisser un besoin et à retourner à un niveau de comportement où ce besoin n'est plus ressenti comme impératif. Comme c'est au niveau du monde extérieur que les besoins sont satisfaits, l'agressivité indique que l'on est orienté vers la réalité. La régression consiste à tourner le dos au monde, à s'éloigner de la réalité, à se retirer dans l'illusion.

### *Les illusions dominantes*

Deux illusions sont largement répandues dans notre société : l'une concerne l'argent et l'autre la sexualité. L'illusion selon laquelle l'argent est tout-puissant, peut résoudre tous les problèmes et apporte à son détenteur la joie et le bonheur, est responsable du culte voué à l'argent. De la même façon, le culte voué à la sexualité naît de la croyance en la toute-puissance de la sexualité. Dans l'esprit de ceux qui partagent ces illusions, le sex-appeal, comme l'argent, constitue une puissance que l'on peut utiliser pour ouvrir les portes du paradis. Pour de nombreuses personnes, l'argent et la sexualité se sont transformés en dieux tout-puissants.

Chacun des patients schizoïdes que j'ai traités avait l'illusion de la toute-puissance de la sexualité. Chaque jeune femme schizoïde, bien qu'elle fût consciente de ne pas être une « déesse de l'amour » adulée, avait la conviction profonde de posséder un attrait sexuel irrésistible. Quelques-unes « l'actualisaient » ; chez les autres, cette conviction était masquée par la peur et l'anxiété. Cette illusion donne à la sexualité une importance qui n'est pas justifiée, au détriment de l'ensemble de la personnalité. Dans mon livre précédent, *Love and Orgasm*, j'ai souligné que sexualité et personnalité sont les deux faces de la même pièce. Essayer de séparer la sexualité de ses bases, qui se fondent sur l'ensemble de la personnalité, conduit à l'illusion de « libertinage ».

Le « libertin », au sens sexuel, utilise la sexualité comme un moyen de créer des liens ou comme un instrument de puissance. Cette utilisation de la sexualité déforme sa fonction. Au lieu d'être l'expression de ce que l'on éprouve envers son partenaire sexuel, elle devient une manœuvre pour étayer son propre Moi ou établir sa propre supériorité. L'homme qui joue le rôle d'un « Casanova » irrésistible essaie de réaliser son image du Moi qui est celle de « l'amant passionné ». La femme qui se pense « sexy » croit que c'est son « sex-appeal » qui établit la supériorité de sa féminité.

Le personnage de la figure XII montre à quel point l'illusion d'être sexuellement attirante peut s'éloigner de la réalité.

La patiente fit les commentaires suivants sur son dessin : « Elle ne ressemble à rien. Son corps semble s'ennuyer. Elle a un sourire faux. J'ai l'impression que j'ai quelquefois la même expression. J'ai à peu près la même allure, sexy et féminine. »

Comment peut-on trouver au même personnage un air à la fois « faux » et « sexy et féminin » ? La seule représentation mentale qui puisse réunir des concepts aussi opposés consiste à se figurer la femme comme un être au corps vide, rond et doux, aux seins généreux et aux hanches larges, fait pour le plaisir de l'homme. Par ailleurs, les personnages féminins droits, sans hanches, à la poitrine plate, impliquent une identification masculine et suggèrent une approche homosexuelle de la sexualité. Que la sexualité soit l'expression de ce que l'on ressent et qu'un organisme dépourvu de sensibilité soit également dépourvu de sexualité sont des vérités niées par le schizoïde. L'illu-

*Figure XII*

sion qui consiste à penser que l'on est sexuellement attrayant fait prendre l'enveloppe pour le contenu et confond le « libertinage » avec la maturité sexuelle.

Cette illusion, comme beaucoup d'autres, se développe à partir d'une exagération de la situation infantile. Elle indique une fixation au stade œdipien et une amplification des sentiments incestueux entre parents et enfants. Cette illusion se développe chez une fille si elle a pris conscience de ce que son père éprouve de l'intérêt pour elle en tant qu'objet sexuel. A cause de ses désirs d'aide et d'affection, elle va réagir à cet intérêt, et adopter inconsciemment le rôle d'objet sexuel comme un moyen de se procurer l'aide et l'affection d'autres hommes.

Si une femme se considère elle-même comme un objet sexuel, elle croit que son sex-appeal est irrésistible. Même si son propre corps lui répugne, elle reste convaincue qu'il a le pouvoir d'attirer l'intérêt de l'homme. Après tout, si son père ne pouvait pas résister à ses charmes, quel homme le pourrait ? Elle va consacrer toute son énergie à l'élaboration de son sex-appeal, comme si celui-ci représentait l'ensemble de sa personnalité. Elle va exprimer par ses manières et par son apparence un « sex-appeal » superficiel, que démentent ses impressions intimes. Elle va attirer les hommes dont l'immaturité correspond à la sienne. Elle aura de nouveau avec eux l'impression d'être irrésistible, mais se plaindra en même temps à son psychiatre de ce que « les hommes ne peuvent jamais me laisser tranquille ». Elle n'a pas conscience d'avoir un comportement séducteur parce que le « sex-appeal » fait partie de sa personnalité. Elle flirte trop facilement, balance trop librement les hanches et s'habille de façon trop provocante. Comme son illusion dépend des réactions des hommes, elle a obligatoirement tendance à la promiscuité, à cause de son besoin désespéré de maintenir son illusion.

Une femme « libertine » ne peut pas arriver à s'accomplir en tant que femme. Ses activités sexuelles n'arrivent pas à lui procurer satisfaction. En ce qui concerne l'orgasme, elle est impuissante et sa frustration sexuelle met perpétuellement en pièces son image du Moi. L'abandon de tout espoir d'arriver à trouver l'amour par l'intermédiaire de la sexualité augmente son désespoir : ainsi se referme le cercle vicieux.

Normalement, le respect qu'inspire au père la jeunesse et l'innocence de sa fille guide ses sentiments pour elle. Si sa femme le satisfait sexuellement, son affection pour sa fille est dépourvue de tout désir sexuel inconscient. Mais, dans les familles sans épanouissement sexuel, la fille devient, au niveau inconscient, un objet sur lequel le père projette ses désirs sexuels inassouvis et la mère sa culpabilité sexuelle. La mère considère sa fille comme une prostituée, alors que le père la considère comme une princesse. Se sentant rejetée par sa mère, désespérée, la fille se tourne vers son père et reçoit de lui un amour mêlé d'intérêt sexuel. Elle n'a pas d'autre choix que d'accepter l'intérêt que lui porte son père. La situation se complique ultérieurement du fait que sa personnalité est particulièrement vulnérable à l'excitation sexuelle entre quatre et six ans, à cause des pulsions sexuelles préliminaires qui ont lieu à cet âge. La fille réagit à son père par l'intermédiaire d'un fantasme dans lequel elle s'imagine en train de remplacer sa mère dans la vie de son père. Toutefois, la peur de l'inceste la pousse à se dissocier de la réalité que constitue son corps infantile et la conduit à l'illusion d'être sexuellement irrésistible.

Le conflit de l'homme moderne naît de l'opposition des valeurs que le Moi et le corps représentent à ses yeux. Le Moi s'intéresse à la réalisation et le corps au plaisir. Le Moi fonctionne grâce aux images et le corps grâce aux sensations. Lorsqu'on fait coïncider l'image et les sensations, on peut mener une vie émotionnelle saine. Mais lorsqu'on refoule ou qu'on subordonne les sensations à l'image du Moi, on ne peut mener qu'une vie d'illusion et de désespoir. L'illusion contredit la réalité que représente l'état du corps, et le désespoir permet d'échapper aux besoins du corps.

Derrière toute illusion se retrouve le désir de liberté et d'amour. Celui qui désespère essaie d'atteindre la liberté et l'amour par l'intermédiaire de l'illusion du pouvoir. Dans son esprit, le pouvoir est la clé de la liberté et de l'amour. Bien que cette illusion serve à le soutenir dans son désespoir et son impuissance, nous avons vu qu'elle renforce le désespoir et l'impuissance, une fois terminée la période infantile critique. Pour arriver à surmonter l'illusion du pouvoir, il faut expérimenter la réalité de la liberté et de l'amour sous la forme des sensations physiques. On réalise ceci en se concentrant sur les tensions que présente le corps. Si on ressent la rigidité de son corps, on sait qu'on n'est pas libre, malgré sa rébellion et sa défiance. Si on sent que son corps est figé, on sait que cela le ligote quel que soit son état apparent. Si on prend conscience de l'inhibition de sa respiration et de sa perte de motilité, on réalisera qu'on n'est pas capable d'aimer.

La signification émotionnelle des tensions musculaires n'est pas comprise de façon adéquate. Les conflits émotionnels infantiles non résolus se structurent au niveau du corps et se traduisent par des tensions musculaires chroniques ; celles-ci réduisent le corps en esclavage en limitant sa motilité et son aptitude à éprouver des sensations. Avant de pouvoir atteindre la liberté intérieure, on doit éliminer ces tensions qui étreignent le corps — le moulent, le scindent et le déforment. Sans cette liberté intérieure, il est illusoire de croire que l'on puisse penser, sentir, agir et aimer librement.

# 8

# Démons et monstres

LE DÉSESPÉRÉ n'a en général pas conscience d'abriter une force démoniaque à l'intérieur de lui-même. Il rationalise ou excuse son comportement en l'imputant à son désespoir et à son impuissance. Il s'identifie à son démon et il est incapable de le considérer objectivement. A ce stade, la force démoniaque fait partie de la structure de caractère que le Moi est chargé de défendre. Cette force est comme le cheval de Troie : à l'intérieur des remparts de la cité, et le Moi ne peut en voir le danger insidieux. Ce n'est que lorsque l'ennemi est sorti du cheval et que la cité est menacée par le désastre que l'on peut apercevoir la nature de la duperie. Quand la vie ou la santé mentale de quelqu'un est menacée par son comportement autodestructeur, il peut réaliser que c'est une entité étrangère, à l'intérieur de sa personnalité, qui est la cause de ce comportement. Alors qu'auparavant, il justifiait ses actes comme une réaction naturelle à la frustration et au désappointement, il est maintenant capable de les considérer comme des actes compulsifs, donc comme des symptômes de sa maladie. A ce stade, le thérapeute peut dévoiler la force démoniaque qui se cache sous la compulsion et démanteler cette entité active en analysant ses éléments. Comme l'on rencontre une composante démoniaque chez chaque personnalité schizoïde, l'on doit savoir comment est engendré le démon si l'on veut réunifier la personnalité.

Le démoniaque constitue le négatif de l'illusion. Le but de la force démoniaque c'est de détruire l'illusion et de ramener l'individu au stade de l'abandon de toute espérance. Elle a pour armes le cynisme et le doute. Le démon, masqué sous l'apparence de la rationalité, cache sa nature irrationnelle. Lorsque, comme l'avait prédit le démon, l'illusion s'écroule, il continue à conseiller : *Montre-leur que cela t'est égal.* Il pousse à l'autodestruction — puisque rien ne compte vraiment et que personne ne fait vraiment attention. Il tourne le Moi en dérision et diminue sa stabilité. En effet, il dit au Moi : *Alors tu croyais pouvoir vivre sans moi ! Tu croyais que tes illusions allaient te soutenir !* Cela produit un effet comparable à celui que provoquerait le soulèvement des esclaves sur lesquels repose tout un système économique. La voix du démon, c'est la voix du corps rejeté qui tire vengeance du Moi qui l'a renié. Comme le Moi avait mis toute sa foi dans l'illusion, il est sans défense lorsqu'elle s'écroule. Le corps, qui a été forcé de se mettre au service de l'illusion, réagit de façon destructive quand la force qui le contrôlait se relâche. Il submerge le Moi réduit à l'impuissance et prend temporairement possession de ses facultés. Il surgit sous la forme d'une force hostile et négative, détruisant tout ce que l'illusion avait pour but de réaliser.

L'enfant naît sans illusion et sans connaissance du bien et du mal. A sa naissance, c'est un organisme animal dont le comportement a pour but de satisfaire ses besoins physiques et ses désirs de plaisir. Le bien et le mal deviennent pour lui des concepts chargés de sens lorsqu'on lui apprend à résister au miroir aux alouettes du plaisir physique et à mettre un frein à son agressivité. L'enfant « gentil » obéit et se soumet, l'enfant « méchant » se rebelle et s'affirme. Si l'autorité parentale l'écrase, l'enfant rejette ses instincts animaux afin de survivre. Il les enterre au creux de son ventre et les y enferme par la contraction musculaire. Sa paroi abdominale devient plate et dure, ses fesses se contractent, l'arrière du pelvis se soulève et le diaphragme se fige. Les instincts de sexualité et d'agressivité, isolés et renfermés, se consument lentement sous forme de haine et de perversion. Séparées de leur participation à la vie consciente, les passions physiques rejetées créent leur propre domaine infernal. C'est ce processus qui engendre un démon.

Les démons humains naissent des mêmes mécanismes psychologiques qui créèrent le diable originel, Lucifer. Celui-ci était à l'origine l'un des anges de Dieu qui fut chassé du Ciel et précipité en Enfer parce qu'il s'était rebellé contre l'autorité de Dieu. Avant que Lucifer ne se rebelle, tout était paisible dans le Ciel, qui était le Paradis. L'expulsion de Lucifer correspond au péché originel de l'homme qui succomba à la tentation du serpent et mangea le fruit de l'arbre de la Connaissance. Lucifer et l'homme ont tous deux transgressé la volonté de Dieu, mais Lucifer fut précipité aux Enfers, tandis que l'homme, chassé du Jardin d'Éden, resta suspendu entre le Ciel et l'Enfer.

Il y a un parallèle intéressant entre les idées qui assignent au diable les entrailles de la terre et le concept, qui est le mien, selon lequel le diable humain se loge au creux du ventre. On peut également mettre en parallèle les flammes de l'Enfer et la brûlure de la passion sexuelle qui se localise dans cette région du corps. C'est le plaisir charnel qui est la principale tentation que fait miroiter le diable pour entraîner le Moi dans les abîmes infernaux. Le Moi, terrifié, lutte contre cette catastrophe en essayant de garder à n'importe quel prix son contrôle sur le corps. La conscience, qui est associée au Moi, s'oppose à l'inconscient, ou au corps pris en tant que dépositaire des forces infernales. Mais on ne peut supprimer la tentation ni vaincre le diable tant que le corps reste vivant. Au cours de cette lutte qui n'a pas de fin, l'activité des émotions refoulées affaiblit en permanence les illusions du Moi.

Cette interaction entre l'illusion et la force démoniaque se rencontre dans le cas de la femme qui a l'illusion d'être une mère parfaite, et qui agit cependant souvent de manière à détruire l'enfant et à nier son illusion. Mais ce n'est pas délibéré chez elle. Au contraire, son désir conscient, c'est d'être parfaite et d'avoir un enfant parfait ; mais il n'y a pas d'enfant parfait, et elle est frustrée par les échecs humains de son enfant. Partant du principe que c'est elle qui sait le mieux ce qu'il faut faire, elle nie que son enfant possède l'aptitude de développer sa propre personnalité par l'autorégulation. Elle considère que la résistance que l'enfant oppose à sa domination est une tactique d'obstruction et elle en rejette le blâme sur la perversité naturelle de l'enfant. Comme son irritation augmente devant la continuelle incapacité de l'enfant à réagir positivement à cette manière de le traiter, elle se retourne contre lui avec rage et hostilité. Il est étonnant de constater à quel point la mère peut se sentir sûre de son bon droit quand elle se comporte de cette manière.

Le conflit entre l'enfant et ses parents ne peut qu'avoir un résultat négatif pour les deux partis en présence. L'enfant ne peut pas l'emporter sur ses parents, car il dépend d'eux pour sa survie et pour sa croissance. Mais les parents ne peuvent pas non plus l'emporter sur l'enfant, car l'enfant, tout en se soumettant extérieurement, garde sa rébellion intérieure. La rébellion réapparaît à l'adolescence, quand surgissent les sensations sexuelles qui attisent son désir d'indépendance. L'ancienne lutte reprend, mais cette fois l'hostilité est plus ouverte des deux côtés. Dans une telle situation, quand on arrive à faire la paix, l'adolescent a perdu la conscience de son identité et son aptitude à éprouver des sensations physiques lui procurant du plaisir. Que ce soit de façon calme ou violente, il en vient à désespérer et sa personnalité se développe sur le mode schizoïde. Les parents ont perdu l'amour de leur enfant, c'est une évolution qu'ils ne parviennent pas à comprendre.

L'aspect démoniaque d'une mère qui se comporte ainsi envers son enfant se remarque à la manière compulsive et implacable dont elle poursuit ses buts. Le conflit entre la mère et l'enfant perd rapidement la justification superficielle du « c'est pour ton bien » et se transforme en affrontement de deux volontés. Il n'est pas rare de voir cet affrontement dégénérer en guerre armée et on en arrive à la violence ou à la menace de violence. J'ai vu dans mon cabinet des mères se tourner vers leurs enfants avec un tel regard de rage et d'hostilité que je reculais instinctivement. La mère semble décidée à ce que son enfant se conforme à l'image qu'elle a de lui, et à le détruire s'il s'y refuse. Cette image que la mère projette sur son enfant lui permet de satisfaire pleinement son Moi au détriment du bonheur de l'enfant. Comme cette image est une projection de l'image que la mère a d'elle-même, il est clair que ses actions ont pour but d'empêcher l'enfant d'avoir davantage de liberté ou de joie qu'elle n'en a eu elle-même. Tout ceci se produit au niveau inconscient, pendant qu'au niveau conscient, la mère est encore obsédée par son illusion de maternité parfaite. C'est une force démoniaque qui dirige la mère dans cette voie et qui va à l'encontre de ses intentions conscientes.

En fait, on peut constater momentanément cet aspect démoniaque dans l'expression du visage de la mère lorsqu'elle se met en colère contre l'enfant. Son front se rembrunit, son regard devient noir, ses mâchoires se contractent et sa voix devient dure. Au total, elle exprime une rage refoulée, meurtrière, qui donne l'impression d'un démon échappé de l'enfer. Quel est l'enfant qui, confronté à une telle expression, ne serait pas frappé de terreur ? On dit qu' « il n'y a pas de pire furie qu'une femme dédaignée ». Mais, alors qu'un adulte peut affronter une telle rage, elle est dévastatrice pour la personnalité d'un jeune enfant qui n'est pas capable de riposter parce qu'il est dépendant de sa mère. Le thème de la sorcière dérive de ces expériences infantiles de l'aspect démoniaque de la mère.

L'acte démoniaque, à la différence de l'acte normal, n'est pas syntone au moi ; son expression se fait contre la volonté du Moi, en opposition aux désirs du Moi, et ne constitue donc pas l'expression complète de ce que l'on ressent. Par exemple, dans le cas d'une rage démoniaque, on baisse les sourcils comme si l'on voulait retenir ou nier la force destructrice mais il en résulte un regard d'hostilité non déguisé dont on reste inconscient. La colère, par opposition à la rage ou à l'hystérie, met en jeu l'ensemble de la personnalité et est acceptée par le Moi. L'acte démoniaque est lié à un mécanisme de refus : le Moi désavoue l'action en même temps que le corps l'accomplit. Le terme *diabolique* se réfère à un comportement par lequel on effectue un passage à l'acte en même temps qu'on nie avoir eu l'intention d'accomplir cet acte. Si on ne s'identifie qu'avec son Moi, on reste inconscient de cette mauvaise foi. Un tel comportement naît d'un fort sentiment de culpabilité qui entraîne une dissociation entre la part consciente de l'esprit et ce que l'on ressent physiquement.

En fait, la mère qui se retourne contre son enfant commet un acte d'autodestruction. Le fait qu'elle projette sa propre image sur l'enfant révèle son identification inconsciente avec lui. Son hostilité envers lui est donc le reflet de sa propre haine d'elle-même. En rejetant l'individualité de l'enfant, c'est inconsciemment sa propre individualité qu'elle rejette. L'enfant est une extension de son propre corps, qui a acquis une vie indépendante. Oter à l'enfant son affection et sa chaleur équivaut symboliquement à se séparer de son propre corps. L'enfant représente non seulement une extension du corps de sa mère mais aussi l'expression de sa sexualité. Toute la culpabilité sexuelle refoulée de la mère et tous ses sentiments négatifs envers son propre corps se concentrent sur l'enfant, qui va réagir à cette projection par une attitude hostile que la mère interprète comme de la perversité.

Si les jeunes enfants se comportent comme des démons, c'est parce que les parents ont déformé le caractère naturel de l'enfant en un ensemble de forces négatives qu'il lui faut renier. On considère trop souvent que la demande de contact érotique avec les parents qu'expriment les enfants, qui est normale, est une tactique pour harasser les parents et pour attirer leur attention. On dit que l'enfant, avec son irrépressible spontanéité, « a le diable au corps ». Certains parents considèrent comme une perversion son intérêt naturel pour la sexualité. On prend fréquemment pour une attitude irresponsable son désir primordial d'être libre et de s'amuser. On dit qu'il est têtu quand il ne mange pas ce que sa mère a choisi. Cela provient du fait qu'il vit la vie de son corps d'une manière proche de celle d'un animal, ce qui détermine tous les actes d'un enfant. Son comportement est déterminé par le principe de plaisir. Il fait ce qu'il éprouve comme étant agréable et évite ce qui est douloureux. Mais ceci est intolérable pour un parent qui a renié son propre corps. De nombreux parents pensent que l'on doit exercer un contrôle sur l'enfant et lui apprendre à obéir, qu'il doit adopter les valeurs des adultes, et qu'il doit renoncer à son corps, c'est-à-dire renier ses instincts naturels. Il n'est donc pas surprenant que certains enfants se transforment en petits démons et agissent avec perversité. Un enfant n'adopte une attitude perverse que lorsqu'il perd l'espoir de voir ses parents réagir avec compréhension à l'expression ouverte de ses sentiments.

La manière dont une mère réagit vis-à-vis de son enfant est conditionnée par sa personnalité. Si elle est détendue et satisfaite de son rôle de femme et d'épouse, elle reportera ces bons sentiments sur le fruit de son mariage. Si elle est tendue, frustrée, et que son rôle féminin dans l'existence la remplit d'amertume, elle réagira envers son enfant avec les mêmes sentiments. Dans *Love and Orgasm,* j'ai souligné le fait qu'une femme ne peut pas séparer complètement les sentiments qu'elle éprouve envers un enfant des sentiments que lui inspire l'acte qui est à l'origine de l'existence de cet enfant. Les sentiments qu'elle éprouve envers la sexualité vont déterminer son attitude vis-à-vis de l'enfant. Quel que soit son désir conscient, ses anxiétés et sa culpabilité vis-à-vis de la sexualité vont influencer son comportement envers lui. La manière dont elle tient le corps de l'enfant reflète ce qu'elle éprouve pour son propre corps. J'ai vu une jeune mère horrifiée parce que son enfant venait de vomir sur sa robe. Elle repoussa l'enfant comme s'il était un objet sale. L'enfant peut ressentir comme un rejet l'expression de dégoût qui peut apparaître sur le visage de la mère quand elle doit changer ses couches. L'intolérance envers les pleurs des bébés dont font preuve certaines mères montre à quel degré elles ont refoulé leurs propres sentiments.

La mère qui traite son enfant comme s'il était un objet ou comme s'il lui appartenait se comporte de façon démoniaque. Une telle attitude nie tout ce que ressent l'enfant ; elle découle de ce que la mère nie ses propres sentiments. Au lieu d'avoir un comportement déterminé par ce qu'elle ressent, elle manipule les autres pour réaliser son image du Moi. Elle traite également son mari comme un objet et ses relations sexuelles avec lui représentent pour elle l'exécution d'un contrat et non pas une expression d'amour. C'est son mépris de l'homme qu'une femme exprime par ce comportement et, bien entendu, son Moi nie ce mépris. Les impressions hostiles et les impressions sexuelles qu'elle refoule se transforment en une force démoniaque qui la contraint d'agir de façon destructrice. Tout comme elle rejette inconsciemment l'homme chez son mari, elle va rejeter la personne chez son enfant. Le démoniaque chez la mère découle toujours du refoulement de la sexualité. Le cas de Barbara, que nous avons commenté au cours du chapitre 1, en constitue un exemple. Barbara se considérait comme une femme émancipée — artiste, bohème, libérale. Son émancipation prenait la forme d'un comportement sexuel pervers. Barbara justifiait son comportement en disant que : « Cela montre que l'on peut dépasser la sentimentalité, quand la sentimentalité n'a aucun sens. » La sentimentalité qu'elle écartait consistait à considérer la sexualité comme une expression d'amour. Son comportement était un acte de rébellion contre un idéal qui avait de toute évidence perdu toute signification à ses yeux : l'idéal de pureté et de dignité du corps humain. Partie de l'illusion de l'émancipation, Barbara en arriva à une impression de vide, une perte de la conscience de son identité et un effondrement physique. Sa soi-disant émancipation sexuelle était une négation de son besoin d'amour et, en ce sens, un mode d'expression démoniaque.

L'idée que le facteur qui perturbe la personnalité n'est rien d'autre que le refoulement de la sexualité, perçue comme étrangère à soi, n'est pas neuve en psychiatrie. Wilhelm Reich a souligné que l'on sait depuis 1919 que les sensations génitales constituent le facteur de persécution du délire schizophrène [35]. Il n'y a qu'une différence de degré entre l'illusion et le délire, qui reflète la différence entre le stade schizoïde et la schizophrénie. Chez la personnalité schizoïde, cette excitation génitale est à l'origine des illusions d'émancipation, de libertinage, de « sex-appeal ». Dans le délire schizophrène, l'excitation génitale est à l'origine des thèmes paranoïdes à composante homosexuelle.

L'autre élément qui entre dans la composition de l'entité démoniaque, c'est la rage refoulée. La personnalité de tout schizoïde contient une assise de rage refoulée qui surgit occasionnellement sous la forme démoniaque d'une impulsion irrésistible et destructrice. Elle diffère de la colère, qui est syntone au Moi et dirigée par le Moi. La rage est comme une coulée de lave volcanique : elle détruit tout ce qui se trouve sur son chemin. Le schizoïde, assis sur ce volcan, se sent constamment menacé par la possibilité d'une éruption. Il se défend contre cette rage intérieure par la raideur et l'immobilité, comme il se défend contre sa terreur. Le fait qu'il utilise la même défense dans les deux cas indique que la terreur et la rage sont intimement liées. La peur des impulsions destructrices et meurtrières contenues dans la personnalité constitue la terreur schizoïde. La réponse à cette terreur est la rage schizoïde.

C'est à travers l'expérience du rejet parental que la terreur et la rage naissent dans la personnalité. L'enfant réagit par la colère à la négation de son droit à être un individu indépendant, intact et unique. Mais un enfant qui exprime sa colère se heurte souvent à une réaction hostile de la part de ses parents, ce qui augmente sa peur et transforme sa colère en une réaction irrationnelle de rage. Malheureusement, de tels schémas d'action et de réaction ont tendance à devenir chroniques et, en conséquence, l'enfant se sent de plus en plus aliéné, de plus en plus effrayé et manifestement négatif. Pour l'enfant il n'y a pas d'autre issue au conflit que de refouler sa rage et de se soumettre en apparence à ses parents. Proportionnellement à la gravité du conflit, sa personnalité va présenter les traits caractéristiques de la structure schizoïde : terreur, rage, désespoir, illusion et finalement, un comportement pervers qui permet à ses sentiments négatifs de trouver une issue.

A l'âge adulte, la rage refoulée s'exprime par les actes d'autodestruction qui peuvent être dirigés contre soi-même ou bien contre son enfant. Elle peut aussi surgir violemment si elle se dirige contre le conjoint auquel elle s'identifie ; mais elle ne se dirige que très rarement contre d'autres personnes. Le schizoïde passe sa rage sur ceux qui dépendent de lui, retournant ainsi la situation originelle où lui-même, enfant dépendant et impuissant, faisait l'expérience de la rage de sa mère. Toutefois, l'objet originel de la rage peut apparaître dans les rêves. Ainsi un patient, qui commentait un rêve au sujet de son père, me dit : « Je ne peux pas faire face à mes envies sanguinaires. J'étais tellement en colère que je me faisais l'effet d'un chat sauvage. J'aurais pu le lacérer et le réduire en morceaux, mettre son pénis dans un hachoir à viande et le réduire en bouillie. »

L'existence de cette rage refoulée, qui constitue une force explosive, diminue les possibilités de réaction de la personnalité schizoïde. Rado suggère que « l'absence ou la rareté de réactions modérées lui donne une extrême ambivalence et le réduit à osciller d'une crainte excessive à une rage excessive, d'une obéissance aveugle à une méfiance tout aussi aveugle [36] ». Le fait est qu'une bombe ne peut être modérée : ou elle explose, ou elle ne le fait pas mais on ne peut pas la désamorcer graduellement. L'absence ou la rareté de réactions modérées est due à la rage refoulée plutôt qu'à la terreur. C'est également la rage refoulée, avec ses impulsions meurtrières, qui est responsable de l'attitude du « tout ou rien » du schizoïde. Chaque décision est une question de vie ou de mort, puisque, à un niveau profond de la personnalité, la question de savoir si l'on doit agir ou non touche au problème de cette violence enfouie. Ouvrir si peu que ce soit la porte à ses émotions risque de laisser s'échapper l'ouragan intérieur.

Les crimes sexuels montrent où peut entraîner la force démoniaque qui résulte de la combinaison de la sexualité refoulée et de la rage refoulée. On décrit le meurtrier sexuel comme un monstre. C'est aussi un être très malade, car de telles actions dénotent la folie. Mais le meurtre est, de façon générale, souvent lié à la sexualité. En d'autres termes, les conflits sexuels d'une personne émotionnellement instable la poussent souvent au meurtre.

Chez la personnalité schizoïde, la force démoniaque se cache et « s'actualise » de façon plus subtile. Comme le Moi nie l'existence de cette force, l'apparence superficielle du schizoïde est toute de douceur et de bonté. Le démoniaque se cache sous le masque de l'angélique. Mais l'angélique est suspect chez une personne au corps rigide et au sourire figé. Au cours de la thérapie de caractères ayant ce type de structure, il faut souvent un temps considérable pour que le patient se sente assez en sécurité pour laisser tomber le masque et exprime une attitude négative. On s'aperçoit ultérieurement que cette attitude était présente depuis le début et prenait la forme d'un manque de confiance dans la valeur de la thérapie. Ce manque de confiance peut ne pas sembler tellement démoniaque, mais rien n'est plus destructeur pour des relations qu'une négativité profondément enracinée et masquée par une apparente coopération.

Le pouvoir destructeur de cette structure de caractère repose sur sa malhonnêteté. Une relation avec le schizoïde est toujours frustrante parce que, bien qu'il semble coopérer, il nie ce qu'il ressent. A cause de son sourire et de sa douceur superficielle, on se sent d'autant plus coupable en cas de conflit. Bien que l'on puisse percevoir l'attitude négative sous le masque, on se sent incapable de la mettre à découvert. Finalement, on devient soi-même ouvertement négatif et hostile sans être toujours capable de le justifier. Le schizoïde se retire dans l'autodéfense, inconscient du rôle qu'il a joué dans la genèse de la querelle.

L' « actualisation » est une tactique plus délibérée. Elle implique que l'on nie son propre manque de foi et que l'on projette cette mauvaise foi sur l'autre. Sous couvert de l'accusation de mauvaise foi (« Je t'aime, mais tu ne m'aimes pas ! », « Je donne et tu te contentes de prendre ! »), l'on fait des demandes que le partenaire n'a pas la possibilité de réaliser. Le schizoïde a alors une justification apparente qui lui permet de faire en sorte que ce soit l'autre qui se sente responsable de tout son malheur. On peut décrire un comportement comme une « actualisation » lorsqu'il est rationalisé et imputé à autrui ou à une force extérieure.

Celui qui a un lien intime avec son corps est conscient de sa propre hostilité et ne la projette pas sur les autres. Il a conscience de la faiblesse de ses sensations sexuelles et n'accuse pas son partenaire de le châtrer. Mais lorsqu'on rejette et que l'on nie son corps, on perd ce principe de réalité. Les impressions refoulées se transforment en une force démoniaque qui nie tout espoir.

La tactique qui consiste à rejeter le blâme sur les autres constitue l'essence de ce que l'on appelle le comportement paranoïde. Le comportement paranoïde consiste à projeter sur autrui ses propres sentiments négatifs et plus précisément, la sexualité et l'hostilité que l'on refoule. Quand cette tactique rencontre une résistance, le paranoïde réagit par une rage irrationnelle où il perd toute notion de responsabilité de ses propres actes.

Quand le paranoïde est « en rage », il a très exactement l'air d'un diable. Son regard devient malveillant, il hausse les sourcils et tire les lèvres vers le bas avec une expression mi-sourire mi-grondement. Les représentations de diables et de sorcières sont inspirées par de telles expressions. A d'autres moments, son visage prend un air angélique qu'un je-ne-sais-quoi empêche d'être convaincant. Le schizoïde figé qui reste en retrait est par contre réellement un « pauvre diable », ou plutôt un diable effrayé, ce qui est, je le suppose, la même chose.

Malheureusement, le démon est à l'image de ce qu'a vécu le corps. S'il doute de toute intention sincère, c'est qu'il s'en tient obstinément à une tactique infantile qui lui a permis de survivre. S'il rejette cyniquement tout sentiment positif comme du sentimentalisme dépourvu de signification, c'est qu'il exprime les déceptions de l'enfance. Si l'on n'apprécie pas ce fait à sa juste valeur, on ne peut pas surmonter la force démoniaque de la personnalité schizoïde.

Le caractère monstrueux a une signification et une fonction différentes. Je qualifie un corps humain de monstrueux s'il est dépourvu d'émotions humaines. Par exemple, l'une de mes patientes schizoïdes décrivit le personnage qu'elle avait dessiné (voir fig. XIII) comme une « goule ».

« Elle n'a pas l'air vivante, ajouta-t-elle. Elle est étrange, dure, et pourtant, on dirait qu'elle s'enfuit. Elle a le regard vide et fixe, comme moi quelquefois. On dirait un monstre. Elle a l'air complètement déphasé. Quelquefois je me vois en passant devant la glace et cela me fait un choc. J'ai exactement cet air de goule, comme si je ne savais ni qui je suis ni ce que je devrais être en train de faire. Je ne sais pas ce que je veux.

*Figure XIII*

« Quand je mange, je me sens mieux. Mais alors mon corps devient hideux, grotesque, difforme. Quand je suis mince, j'ai une allure gracieuse et alanguie. Je me plais. Quand je mange, je deviens passive et indolente. Je ne fais que manger, dormir et aller dans la salle de bains. Quand je ne mange pas, je suis exaltée. Je ne peux ni dormir ni aller à la selle. Je deviens frénétique. Pour moi, il n'existe rien entre ces deux extrêmes. »

La scission de la personnalité de cette patiente apparaît clairement dans ses remarques. Elle se sent mieux quand elle mange mais son apparence physique la révolte. Elle est alors en contradiction avec son image du Moi : image d'une femme gracieuse et languissante, qui n'est toutefois qu'un mannequin incapable de dormir ou d'aller à la selle. Elle définissait la goule comme « un organisme qui vit des autres », mais décrire la goule comme un organisme qui mange, dort et défèque laisse entendre que c'est également un nourrisson. Bien entendu, un nourrisson se nourrit de sa mère lorsqu'elle l'allaite. Se pouvait-il que cette impression d'être une goule vienne chez ma patiente de son expérience infantile de l'allaitement ?

La patiente avait une sœur jumelle et leur mère était une femme menue qui n'avait que dix-huit ans au moment de leur naissance. Elle raconta que sa mère lui avait dit que son lait était devenu acide très rapidement et que « nous ne pouvions pas avoir assez à manger ». Ma patiente ne pouvait pas se souvenir de ses expériences alimentaires infantiles, mais on peut supposer avec vraisemblance qu'elle passa par une période difficile. Comme elle était la plus solide des deux filles, elle fut écartée par la mère au profit de sa sœur qui était plus fragile. Lorsqu'elle luttait pour avoir le sein, on peut concevoir que sa mère la considérait comme un monstre incapable de comprendre qu'elle faisait pour le mieux. Les mères ont la curieuse habitude de considérer que les demandes naturelles de leurs enfants sont monstrueuses lorsqu'elles ne peuvent pas les satisfaire.

Il est facile d'imaginer le conflit qui pouvait naître de telles expériences. Lorsqu'elle écoutait son appétit, elle se faisait l'impression d'être un animal, un nourrisson, un monstre. Lorsqu'elle ne mangeait pas, elle niait son désir au niveau du corps et il lui fallait chercher l'assouvissement à un autre niveau. L'autre niveau, c'est le niveau du Moi. La patiente s'aperçut qu'elle pouvait se satisfaire momentanément par son travail en tant qu'actrice. Elle vivait alors de ses propres ressources, son image d'elle-même l'exaltait et, comme elle le disait, elle se nourrissait d'elle-même. Combien de temps peut-on se nourrir de soi-même ? Elle s'aperçut qu'après quelques représentations exaltantes, son jeu perdait en intensité. Il lui sembla nécessaire de trouver une autre alternative. La patiente découvrit qu'elle se sentait toujours mieux lorsqu'elle nouait une relation sexuelle avec un homme. Mais, comme au théâtre, une fois la première flambée d'exaltation passée, elle était reprise de son ancienne impression d'insatisfaction et de sensation d'être une goule. En peu de temps, sa relation avec l'homme dégénérait en une

« actualisation » sadomasochiste faite d'hostilité et de récriminations. La sexualité était pour elle l'occasion de répéter l'ancien conflit dans un cadre nouveau. C'était une forme de nourriture et comme elle avait besoin de cette nourriture, cela lui donnait l'impression de se nourrir d'autrui. Finalement, elle se haïssait elle-même à cause de cette impression et elle méprisait l'homme qui se soumettait à ce besoin.

Cette patiente se transforma en goule lorsqu'elle se mit à lutter contre son corps et ses instincts animaux. Ses difficultés commencèrent lorsqu'on l'amena à se sentir coupable de ces instincts. Si l'on se met en tête qu'il est immoral de manger, de dormir et de déféquer, cela entraîne une invraisemblable confusion des émotions humaines. Ceux qui sont pris dans cette confusion cherchent à s'autoréaliser au moyen d'une activité créatrice, comme s'il leur fallait trouver une issue dans des modes non physiques de satisfaction. Dans tous les cas où l'effort créatif est un substitut à la vie du corps, il ne satisfait qu'à l'image de soi et non au Soi. L'activité créatrice n'est satisfaisante et significative que lorsqu'elle enrichit et accroît la vie du corps dont elle tire son inspiration.

Pour que cette patiente surmonte son impression d'être un monstre, il fallait l'amener à s'identifier avec son corps, à accepter ses sensations physiques et à relier sa pensée à son corps. Pendant six ans de thérapie verbale, on avait ignoré cette nécessité. Sa respiration était très restreinte à cause de l'inhibition précoce du réflexe de succion. Son premier effort pour respirer profondément provoqua une violente réaction de panique. Pendant quelques instants, elle fut incapable de reprendre son souffle et elle eut très peur. Puis elle se mit à pleurer et sa panique diminua. Elle devait mobiliser son corps au moyen d'exercices agressifs. Ceci fut réalisé en lui faisant donner des coups de pied dans le divan (quand elle y était étendue) et en le lui faisant frapper de ses poings. En même temps, on analysait ses sentiments de culpabilité et d'anxiété. Le résultat fut très positif.

« Je me sens comme je ne me suis jamais sentie auparavant, me dit un jour ma patiente. Je me sens moi-même. Je sens mon visage, mes pieds, mon corps. Je sais qui je suis. Je sais maintenant à quoi je ressemble, je n'ai plus si peur. Je ne me sens pas paniquée. Je ne me sens pas coupable. En ce moment je suis très directe et très sincère, et je trouve que cela paye. Quand je respire volontairement, je suis traversée d'une vague d'impressions agréables. »

Le monstrueux peut prendre diverses formes chez l'être humain :

le spectre, le zombie, la statue, la goule. L'une de mes patientes, une jeune femme de moins de trente ans, me consultait pour de graves réactions de panique dues à des difficultés respiratoires. Elle avait été auparavant en thérapie verbale pendant huit ans, mais l'on n'y avait pas abordé le problème central de sa relation avec son corps. Lorsque je la vis pour la première fois, son visage était tordu d'un côté, son corps était figé par la peur et ses yeux étaient élargis d'effroi. Après que l'on eut rétabli chez elle une respiration normale et que sa panique eut diminué, elle me raconta l'histoire suivante.

« C'est à seize ans que j'ai touché le fond. Je me souviens d'avoir décidé de cesser de sentir quoi que ce soit ou qui que ce soit. Je cessai toute relation avec autrui et je vivais dans une atmosphère d'irréalité. Si je touchais un morceau de bois, je n'avais pas l'impression que c'était du bois. Quand je traversais la rue, j'avais l'impression que les voitures ne pouvaient pas me toucher. J'étais un pur esprit.

« J'ai eu ma première liaison amoureuse à dix-sept ans et elle a duré un peu plus d'un an. Elle était très satisfaisante. J'avais des orgasmes vaginaux, mais j'ai rompu cette liaison parce que je me sentais trop coupable. Cela provoqua chez moi une grave réaction. Les docteurs disaient que c'était de " l'épuisement nerveux ". Après cela, je n'ai pas eu de rapports sexuels pendant des années.

« A vingt-deux ans, j'ai quitté la maison pour m'installer en ville. Dans les années qui ont suivi j'ai eu les relations sexuelles les plus " infernales ". J'avais perdu toute sensibilité sexuelle et c'était une sexualité compulsive. Mon corps changea. Il devint tendu et dur. Tous les os ressortaient. Mes hanches devinrent plus étroites. Je perdis du poids et je m'affinai parce que j'avais cessé de manger de façon compulsive.

« Je crois que j'ai perdu ma sensibilité sexuelle lorsque j'ai quitté la maison. La justification inconsciente que je donnais à ma promiscuité sexuelle, c'était : tout va bien tant que je n'y prends pas plaisir. »

Ce cas montre la liaison intime qui existe entre la sensibilité sexuelle et la perception que l'on a de son corps. Le refoulement des sensations sexuelles affaiblit l'identification du Moi avec le corps. Lorsqu'on n'a plus de sensibilité sexuelle, on désespère. Cette patiente, dans un effort désespéré pour regagner une certaine perception d'elle-même, eut recours à une activité sexuelle compulsive qui la laissait physiquement insensible. Mais, comme l'indique son récit, une activité sexuelle qui ne procure pas de plaisir ne peut pas maintenir le contact entre le Moi et le corps. Une sexualité compulsive et mécanique transforme le corps en un mécanisme qui se comporte comme un robot — c'est-à-dire qu'elle déshumanise le corps.

Un corps qui ressemble à une statue, c'est-à-dire un corps qui reste figé dans une pose, constitue une autre forme du monstrueux chez l'être humain. Le caractère monstrueux d'un tel corps, c'est la contradiction entre son apparent manque de vie et le fait qu'il abrite un être humain réel. L'analyse de cette structure de personnalité révèle toujours que l'être humain qui est à l'intérieur de la statue est un petit enfant perdu. Ce corps sculptural constitue sa défense contre la douleur et le désappointement qui le guettent au cas où il exprimerait ses demandes affectives infantiles d'amour et de compréhension. C'est aussi une tentative désespérée d'obtenir l'approbation en sacrifiant ses sentiments. En effet la statue dit : je suis devenu ce que tu voulais que je sois ; maintenant tu vas être fier de moi et m'aimer. Mais cette illusion va à l'encontre de la réalité de l'existence. Qui peut aimer sincèrement une statue ? La frustration et le désespoir que l'on éprouve lorsqu'on prend cette pose augmentent le désespoir et renforcent l'illusion selon laquelle la pose doit être rendue plus parfaite. Ils augmentent aussi l'anxiété intérieure de voir s'écrouler la pose et surgir le désespoir sous-jacent qui envahirait la personnalité.

Occasionnellement, on rencontre quelqu'un qui a vraiment l'air d'un monstre. Au cours d'un séminaire clinique de mon cabinet, on présenta un jeune homme qui ressemblait de façon frappante aux portraits du monstre de Frankenstein. Il avait la même expression que le monstre du cinéma, le regard mort, les épaules carrées et basses et la démarche raide et mécanique. La similitude était si frappante qu'après l'avoir vu, il était difficile de dissocier ce patient de cette image.

Ce qui était surprenant chez ce jeune homme, c'est qu'il était exactement l'opposé de ce que suggérait son apparence. Il était sensible, intelligent, artiste. Une analyse plus profonde de sa personnalité révéla que son apparence correspondait à une sorte de masque ou de travesti qui servait à cacher et à protéger une sensibilité à fleur de peau. Il me rappelait les masques de Carnaval que mettent les enfants afin de cacher leur identité et de faire peur aux passants. Sous son apparence extérieure, ce patient était en fait un enfant délicat et apeuré qui avait pris, je ne sais comment, cet aspect inhabituel pour se protéger d'un monde insensible.

Le caractère monstrueux du corps vient de ce qu'on l'a abandonné, et qu'il a pris cette forme pour se venger d'avoir été renié. Je ne veux pas dire que cela se produise consciemment ni volontairement. Le développement physique n'a aucun mobile. J'essaie simplement de donner une signification à un phénomène qui reste incompréhensible sans cela. Un corps vivant qui fonctionne sans sensibilité est monstrueux, tout comme l'est une machine qui fonctionne comme un être humain. Les monstres que crée notre imagination sont des caricatures de la vie que nous observons dans notre entourage. Les différentes expressions que peut prendre un corps sont déterminées par les expériences qu'il a subies. Celui dont le corps fonctionne comme une marionnette a été conditionné à un tel comportement depuis sa petite enfance.

Contrairement au démon, le monstre a un cœur d'or. C'est comme si tous les sentiments négatifs s'étaient incarnés dans l'aspect extérieur, laissant l'intérieur pur et intact. Dans tous les cas que j'ai rencontrés, ceux qui avaient une allure monstrueuse cachaient la personnalité intérieure d'un enfant innocent. En revanche, le démon arbore un aspect extérieur de douceur et de lumière. Exactement comme l'enfant se cache sous le monstre, le diable se cache sous une allure angélique. Dans les deux cas, nous avons affaire à une scission de la personnalité. L'être humain normal n'est ni un ange ni un démon, ni un monstre ni un enfant apeuré, ni le Dr Jekyll ni Mr Hyde. Ces dissociations n'apparaissent que lorsque l'unité de la personnalité se scinde et crée les catégories du bien et du mal, de l'esprit civilisé et du corps animal.

John Steinbeck a fait une analyse pénétrante du phénomène du monstre dans la nouvelle *Des souris et des hommes*. Lennie est un géant à la sensibilité enfantine. Cette discordance de sa personnalité finit par lui coûter la vie. L'enfant ne peut pas contrôler la force du géant et le géant ne peut pas exprimer ce que ressent l'enfant. Lorsque Lennie essayait de tenir un lapin dans ses mains, il le serrait trop fort et l'étouffait. Un jour, Lennie essaya de toucher la chevelure dorée d'une jeune femme. Elle eut si peur en le voyant qu'elle hurla. En essayant de la calmer, il l'étrangla par mégarde. Ainsi Lennie dut-il mourir.

La tragédie du monstre tient à ce que son apparence physique ruine son désir. Ses défenses l'isolent et peuvent le pousser vers sa fatalité. Avec le temps, j'ai été frappé par le fait que les monstres classiques du cinéma s'en révèlent souvent les vrais héros. Le Quasimodo de Notre-Dame en est un exemple parfait. Le cœur du monstre s'émeut lorsque quelqu'un répond à sa demande tacite d'amour et de compréhension, et n'est pas effrayé par son apparence physique au point de fuir. Dans ces circonstances, l'incroyable force du monstre peut se muer en force mise au service du bien.

# 9

# Physiologie de la panique

L'ORGANISME a besoin d'énergie pour se maintenir en vie. La terreur interne et le désespoir du schizoïde constituent un handicap pour ses fonctions vitales : sa peur de risquer de manquer d'énergie est toujours sous-jacente. Cette peur devient parfois consciente. L'impossibilité de respirer panique alors le patient et lui donne l'impression terrifiante qu'à cet instant précis sa vie ne tient qu'à un fil. Lorsque cela se produit, il arrive à réaliser à quel point ses fonctions vitales dépendent d'un apport suffisant en oxygène, et il prend conscience du rapport qui existe entre sa respiration réduite et son manque de vitalité.

De nombreuses observations cliniques contribuent à faire penser que les schizoïdes ont des difficultés à mobiliser et à conserver une quantité suffisante d'énergie. L'activité psychomotrice — puissance de travail, vivacité des réactions émotionnelles, activité sexuelle — permet d'évaluer le rendement énergétique d'un individu. Ces indices énergétiques sont en général assez faibles chez les patients schizoïdes. De plus, l'incapacité du schizoïde à réagir de façon adéquate envers certaines situations de tension (mariage, travail, etc.) permet de penser qu'il ne peut pas mobiliser le surcroît d'énergie qui lui serait nécessaire pour répondre aux demandes accrues qu'exigent ces situations nouvelles. Paul Federn écrit : « On observe fréquemment que l'épisode psychotique se déclare au moment du passage à un niveau scolaire supérieur, ou de l'école à la vie professionnelle, ou aux responsabilités impliquées par le mariage[37]. » La fréquence avec laquelle la fatigue mentale ou physique, le manque de sommeil, ou une activité sexuelle par trop insatisfaisante provoquent un épisode psychotique, indique que l'épuisement des réserves d'énergie de l'organisme affaiblit la capacité du Moi schizoïde à garder le contact avec la réalité.

L'énergie d'un être vivant est fournie par les réactions d'oxydoréduction dont l'étape finale consiste en la réduction de l'oxygène, soit par le processus de phosphorylation oxydative soit par des mécanismes de transfert plus lents mais plus directs. L'importance de l'oxygène dans la production d'énergie d'un organisme vivant est une évidence en soi. Il paraît donc très significatif que l'expérience clinique confirme le rapport direct entre l'état schizoïde et les troubles de la fonction de respiration.

## *Respiration*

Le patient schizoïde ne respire pas de façon normale. Sa respiration reste superficielle et il n'inhale pas assez d'air. Les physiologistes qui travaillent sur la schizophrénie sont arrivés à des conclusions similaires. Christiansen cite E. Wittkower : « La respiration du schizophrène est souvent anormalement superficielle[38]. » W. Reich[39], R. Malmo[40] et R.G. Hoskins font des observations identiques. Hoskins décrit comme suit les conséquences de la respiration superficielle.

« Ce qui détermine une déficience de l'assimilation de l'oxygène peut être considéré comme l'un des symptômes de la schizophrénie. En ce cas, on trouve presque toujours les phénomènes suivants : limitation de l'attention, hantises, apathie, dépression, émotions inappropriées à la situation — en particulier un rire bête —, faiblesse de jugement, brusques imprudences face au danger, diminution de la maîtrise de soi, anxiété, exaltation sans cause apparente, éclats émotionnels incontrôlables, perte insidieuse du pouvoir de décision, répugnance à prendre des responsabilités et incertitude dans les associations. Autant de choses qui entraînent graduellement la perte d'un jugement sain et le sens de ce qu'il convient de faire[41]. »

Le schizoïde se plaint de nombreux symptômes apparaissant dans l'énumération d'Hoskins mais, bien entendu, le patient ne se doute pas qu'il existe une relation quelconque entre ses désordres psychologiques et ses fonctions physiologiques. En fait, le schizoïde n'a pas conscience d'inhiber sa respiration. En réduisant ses demandes vis-à-vis de l'existence, il a adapté son organisme à un niveau inférieur de métabolisme énergétique. En général il ne perçoit pas comme un handicap la déficience de son apport en oxygène. Mais il peut arriver qu'un patient prenne subitement conscience de cette inhibition et remarque : « Je réalise que je ne respire pas. » Il entend par là qu'il respire d'une façon très peu efficace. De telles observations se font plus fréquentes lorsqu'on a dirigé l'attention du patient sur sa respiration.

Il est assez surprenant que de nombreux patients expriment une répugnance consciente à respirer profondément. L'une de mes patientes fit une observation très significative sur sa répugnance à respirer, qui reste à mon avis, valable pour de nombreux schizoïdes.

« Je suis très sensible aux odeurs, me dit-elle, surtout aux odeurs corporelles. Je ne peux pas supporter l'odeur d'une personne parfumée et je n'utilise jamais de parfum. C'est pour cela que je ne respire pas. La simple idée que j'inhalerais l'odeur d'autrui et qu'elle rentrerait à l'intérieur de moi me fait peur. »

Le névrosé exprime fréquemment la peur inverse. Il retient sa respiration parce qu'il a peur de laisser « sortir » son odeur, c'est-à-dire qu'il a peur de choquer son entourage. De nombreux patients névrosés sont anxieux au sujet de leur haleine, et l'on doit souvent les convaincre que leur haleine n'a pas une odeur désagréable. L'anxiété au sujet des odeurs corporelles et de la mauvaise haleine reflète l'impression que les émanations du corps sont dégoûtantes et « sales ».

Les patients schizoïdes donnent une autre raison de leur répugnance à respirer profondément. Beaucoup disent que le son de l'air lorsqu'il passe à travers la gorge est répugnant. Certains patients décrivent le bruit de la respiration comme « révoltant », « bestial », « non civilisé ». De nombreux patients font inconsciemment l'association entre ces sons et la respiration haletante des rapports sexuels. Respirer de façon audible fait prendre conscience du corps — ce que le schizoïde trouve répugnant. Cela attire également l'attention sur sa présence physique, ce qu'il trouve embarrassant. L'une des techniques de survie qu'utilisent les désespérés consiste à ne pas se mettre en évidence : cette tactique échoue lorsqu'on respire fortement. Faire le mort est une autre des manœuvres défensives qu'utilise le schizoïde et elle peut éventuellement mener à une inhibition de la respiration.

C'est le besoin d'éviter les sensations physiques déplaisantes qui constitue la plus importante des raisons d'inhiber la respiration. Ce besoin n'est pas conscient chez les patients, à moins que de telles sensations ne se produisent au cours de la thérapie. Ceci est tout particulièrement vrai pour les sensations qui affectent le bas du corps. La respiration superficielle empêche le développement de toute sensation au niveau du ventre, là où le schizoïde a emprisonné sa sexualité refoulée. Toute tentative pour obtenir du patient qu'il détende les muscles de la paroi abdominale ou qu'il relâche le diaphragme, rencontre une résistance. Il donne comme objection que c'est « une mauvaise position » ou que cela donne « l'air avachi ». La première objection n'a aucun sens puisque toute contraction musculaire chronique constitue pour le corps une fatigue non nécessaire qui empêche de se tenir correctement. La seconde objection signifie que l'on paraît moins attirant physiquement. La posture naturelle, où la paroi abdominale est détendue, va à l'encontre de la mode actuelle des hanches étroites et des ventres plats (qui, incidemment, représente un rejet de la sexualité pelvienne au profit de l'érotisme oral lié au sein).

Au début le patient trouve peu naturel de détendre le ventre pour que sa respiration devienne profonde et abdominale. Il se plaint de sensations désagréables. Elles sont de trois sortes : sensations d'anxiété, impression de tristesse et impression de vide. Comme disait l'un de mes patients : « Cela me donne l'impression d'avoir la peur au ventre. Cela me donne envie de pleurer. » En fait, la respiration abdominale profonde libère souvent des pleurs contenus que l'on retenait depuis des années. Après avoir réussi à pleurer, le patient remarque toujours qu'il se sent beaucoup mieux. L'impression de vide est exposée dans la note suivante, que m'envoya l'un de mes patients :

« J'ai eu beaucoup de mal à respirer ces derniers temps. J'ai pris deux leçons avec le professeur de chant dont je vous ai parlé. Merveilleux. Je pense que j'ai appris quelque chose sur mes problèmes de respiration. Diaphragme bloqué ? Je respire au niveau de la poitrine et je m'étouffe. Il me fait respirer en détendant le bas du ventre et inspirer l'air en partant de là, puis contracter en sens inverse. Est-ce correct ? Si c'est le cas, je n'ai jamais utilisé mon diaphragme pour respirer. De toute façon, j'ai essayé de respirer ainsi pendant la journée. C'est désagréable (j'ai l'impression d'un vide), mais cela semble alléger par moments la suffocation. »

Chez certains patients cette impression de vide au niveau du ventre est si effrayante qu'ils se refusent à essayer de respirer profondément. Ils se plaignent d'une sensation au fond de l'estomac qui leur donne l'impression « d'avoir un creux ». Le diaphragme bloqué joue le rôle d'une trappe ; si elle s'ouvrait, ils risqueraient de tomber dans un abîme. Je fais remarquer à ces patients que la sensation de vide vient du refoulement de leur sensibilité sexuelle (sensibilité pelvienne) et que, s'ils se « laissaient aller » à respirer, ils retrouveraient cette sensibilité. C'est comme s'ils étaient suspendus par les mains à deux mètres au-dessus du sol et qu'ils aient peur de se laisser tomber parce qu'ils ne verraient pas le sol sous leurs pieds. Au début de la chute, la panique est la même que si l'on était suspendu à trente mètres du sol. Lorsqu'on se laisse aller à respirer et à retomber sur le sol, c'est-à-dire le pelvis au niveau du corps, on est surpris par une impression de plaisir et de sécurité. Lorsque ceci se produit, le patient prend conscience de ce que sa panique venait de sa peur de la sexualité et de l'indépendance.

La difficulté à respirer du schizoïde est principalement due à son incapacité à dilater les côtes et à inspirer une quantité suffisante d'air. J'ai souligné que sa poitrine tend à être étroite, contractée et raide. Elle reste en général fixée en position d'expiration, c'est-à-dire qu'elle reste relativement creuse. Le névrosé, en revanche, souffre d'une incapacité à expirer complètement l'air. Sa poitrine tend à s'élargir et à rester fixée en position d'inspiration. On peut dire que cette différence reflète deux types distincts de personnalités. Le schizoïde a peur de s'ouvrir et de laisser le monde s'introduire en lui, le névrosé a peur de se laisser aller et d'exprimer ce qu'il ressent. Mais cette distinction entre le mode de respiration du schizoïde et celui du névrosé n'est pas absolue. La distinction entre les deux personnalités n'est pas non plus aussi nette que cela. Il existe chez les névrosés des tendances schizoïdes comme la dissociation du corps et l'inhibition, et d'ailleurs les personnalités schizoïdes ont fréquemment des problèmes névrotiques. Toutefois, dans le cadre de cette étude, nous sommes moins intéressés par les distinctions cliniques que par la dynamique de la dissociation du schizoïde d'avec son corps.

En général, dès que la respiration du patient schizoïde devient plus profonde, son corps se met à trembler et présente du clonisme — c'est-à-dire des contractions musculaires. Des sensations de picotement apparaissent au niveau des bras et des jambes. Il se met à transpirer. Si ces sensations physiques nouvelles l'effraient, il se peut qu'il soit pris d'anxiété. Cette anxiété semble reliée à sa peur de perdre le contrôle ou de « tomber en morceaux ». Si l'anxiété devient trop forte, il se peut que le patient soit pris de panique. Il se fige et s'arrête de respirer pour éviter ces sensations. Il lui devient alors impossible d'inspirer, ce qui, bien entendu, suffit à paniquer n'importe qui. La panique résulte directement de l'impossibilité de respirer lorsqu'on est envahi par l'effroi. L'inhibition de la respiration que présente le schizoïde le laisse perpétuellement vulnérable à la panique lorsque des sensations surgissent au niveau de son corps. Il est donc pris dans un piège. Si l'on prépare psychologiquement le client à cette nouvelle expérience par l'intermédiaire de la thérapie — ce que lui apporte la respiration profonde — cela peut être pour lui une révélation disons existentielle. Voici la réaction d'un client à cette expérience :

« J'avais l'impression que ma peau prenait vie. Et mes yeux — incroyable, fantastique ! C'est comme s'ils s'ouvraient pour la première fois. Tout me semblait plus brillant. Et mes jambes ! Elles étaient détendues. D'habitude, elles sont comme des cailloux ou comme des cordes de violon. »

Lorsque je le revis, à la séance suivante, il continua à raconter ce qu'il éprouvait :

« Je me sentais tellement vivant après la dernière séance ! J'étais parcouru de vibrations. Il me fallut une heure ou deux pour être à nouveau capable de marcher. C'était comme si je réapprenais à marcher sur des jambes détendues. J'avais l'impression que j'étais guéri. Il faut dire que ça n'a pas duré plus de vingt-quatre heures. »

C'est lorsqu'il accomplit des mouvements violents que les troubles respiratoires du patient schizoïde sont les plus évidents. Quand il fait un exercice (par exemple, frapper le divan avec les jambes de façon rythmique), sa respiration devient laborieuse et semble ne pas lui fournir assez d'oxygène pour qu'il puisse continuer son effort. Il se fatigue rapidement, se plaint de lourdeur dans les jambes et de douleurs abdominales. Il raidit le haut de son corps et ne le fait pas participer à l'activité des jambes. Le rythme de sa respiration n'est pas synchronisé avec celui de ses jambes. Il passe à un mode de respiration à prédominance costale, le ventre reste plat ou se contracte davantage. Cela provoque l'établissement, au niveau du diaphragme et de la paroi abdominale, des tensions qui empêchent les côtes de se dilater complètement au moment où il aurait besoin d'un apport accru en oxygène. On doit engager le patient à laisser tout son corps « suivre » le mouvement.

Certains patients schizoïdes arrivent à frapper le divan parce qu'ils présentent un hyperdéveloppement compensatoire de la poitrine. Il y a eu élargissement des côtes afin d'obtenir une meilleure capacité pulmonaire sans mobiliser le diaphragme. Leur poitrine devient « une poitrine de canard » ou « une poitrine en saillie » parce que le sternum reste déprimé à cause de la contraction chronique du diaphragme et du grand droit abdominal. Cela permet une dilatation exagérée des côtes sur les côtés.

Le névrosé moyen, placé dans une situation identique, développe ce qu'on appelle « un second souffle » qui lui permet de prolonger son effort. Ceci ne peut généralement pas se produire chez le patient schizoïde. Pour en comprendre la raison, il nous faut comprendre le mécanisme des mouvements respiratoires.

Quand la respiration est normale, l'inspiration est provoquée par un mouvement d'expansion de la poitrine et du ventre. Tout d'abord, le diaphragme se contracte et descend, repoussant les viscères abdominaux vers le bas et vers l'avant. Les viscères déplacés se logent dans les expansions antérieure et postérieure de la cavité abdominale. En second lieu, la contraction continue du diaphragme autour du tendon central surélève légèrement les côtes inférieures, élargissant ainsi la partie inférieure de la poitrine. Cela entraîne l'élargissement des côtes vers le bas et vers l'extérieur, direction où elles ont la plus grande liberté de mouvements. Ce type de respiration, appelée respiration diaphragmatique ou respiration abdominale, permet d'inspirer le maximum d'air avec le minimum d'effort. C'est ainsi que respirent la plupart des gens.

En cas d'activité musculaire soutenue, une quantité d'air plus importante est nécessaire pour faire face à la tension de l'effort ; des muscles supplémentaires sont mis en jeu. Ce sont les muscles intercostaux (entre les côtes), les petits muscles qui joignent les côtes au sternum et à la colonne vertébrale, et les scalènes, qui assurent la fixation des deux premières côtes. Ces muscles fonctionnent en accord avec le diaphragme, provoquant une extension de la partie supérieure de la cavité poitrinaire qui offre ainsi un espace additionnel à l'expansion des poumons. Cette action plus poussée repose sur la fixation du diaphragme en position contractée ; il maintient les côtes inférieures en position basse pour permettre aux côtes supérieures le mouvement vers l'extérieur. L'expansion de la partie supérieure des poumons est toutefois limitée par leur attachement au hile, où entrent les bronches et les vaisseaux sanguins, et par l'immobilité des deux premières côtes. La respiration costale, qui est le nom de ce type de respiration, s'emploie habituellement pour suppléer à la respiration abdominale en cas d'urgence ou de forte tension, lorsqu'on a besoin d'une quantité supplémentaire d'oxygène. La respiration costale, utilisée seule, ne fournit pas un volume d'air substantiel. Contrairement à la respiration abdominale, elle fournit un apport d'air minimal pour un effort maximal.

Le « second souffle » du névrosé vient de ce qu'il est capable de mobiliser les mécanismes accessoires de la respiration costale qui vient alors s'ajouter à la respiration abdominale et la rend plus profonde. Quand ces deux types de respiration sont intégrés, le diaphragme se contracte et se détend pleinement et la respiration prend le caractère unifié que l'on observe chez les jeunes enfants, les animaux et les adultes sains. La clé de cette respiration unifiée consiste à relâcher toute tension au niveau du diaphragme afin de permettre à l'ensemble du corps de participer aux mouvements respiratoires. Le mouvement de la respiration unifiée est semblable à une vague qui part, à l'inspiration, de l'abdomen et y prend sa plus grand amplitude vers le haut. A l'expiration, la vague descend de la poitrine vers l'abdomen.

Le schizoïde ne peut pas relâcher les tensions de son diaphragme et de ses muscles abdominaux. Ces tensions servent à garder le ventre « vide » ou « mort » ; elles empêchent toutes les sensations douloureuses, nostalgiques ou sexuelles de devenir conscientes. La respiration du schizoïde est donc essentiellement du type respiration costale sauf si elle devient très superficielle, auquel cas il est difficile de discerner à l'observation la distinction entre respiration abdominale et respiration costale. Lorsque le schizoïde exerce une activité qui fait intervenir la partie inférieure de son corps, comme par exemple avoir des rapports sexuels, donner des coups de pied ou se trouver dans des conditions de tension émotionnelle, la tension de son diaphragme augmente. Il est donc forcé de se reposer presque exclusivement sur la respiration costale accessoire lorsque ses besoins en oxygène augmentent.

Chez certains patients, ce phénomène s'exagère et l'on observe un type de respiration que j'ai appelé respiration « paradoxale ». Dans la respiration paradoxale, l'inspiration s'effectue par un mouvement dirigé vers le haut plutôt que par un mouvement dirigé vers l'extérieur. L'élévation et la dilatation de la poitrine sont accrues par un mouvement des épaules qui tire le diaphragme vers le haut et contracte la paroi abdominale. Ainsi, la dilatation de la poitrine s'accompagne d'un rétrécissement de la cavité abdominale. Quelquefois le ventre est rentré à l'inspiration et relâché à l'expiration. On n'observe ce type de respiration que dans des conditions de tension. La nature paradoxale de ce type de respiration repose sur le fait que bien que la tension entraîne des besoins accrus en oxygène, l'apport est moindre que si l'on respirait de façon détendue.

L'incapacité du schizoïde à mobiliser un supplément d'énergie pour faire face à une situation de tension est donc directement reliée à son mode défectueux de respiration. Son habitude d'utiliser la respiration costale reflète le fait qu'il compte sur une méthode qui n'est normalement qu'accessoire ou utilisée en cas d'alerte pour faire face à ses besoins habituels. On avait observé le même phénomène au niveau de son utilisation de la « volonté » pour les actions quotidiennes au lieu de garder la motivation normale du plaisir. Comme il a l'habitude de vivre sur ses réserves, le schizoïde est en état permanent d'alerte physiologique ; il ne peut s'en libérer tant qu'il dépend d'un type de respiration qui correspond à un état d'alerte. On trouve toujours un sentiment sous-jacent de panique, même dans les cas où l'hyperdéveloppement compensatoire du thorax permet des efforts plus soutenus.

C'est dans le cas de la respiration « paradoxale » que l'on voit le plus clairement la signification émotionnelle de la respiration schizoïde. C'est lorsqu'on est effrayé que l'on respire en hauteur, en soulevant la poitrine et les épaules et en rentrant le ventre. Si l'on essaie d'imiter volontairement ce type de respiration, on se rend compte qu'il constitue une expression de la frayeur. Lorsqu'on a peur, on rentre le ventre et on limite sa respiration à la partie supérieure de son corps. On peut retenir sa respiration, ou bien elle peut devenir rapide et superficielle. Quand la peur est passée, on soupire de soulagement et on laisse sa poitrine se rabaisser et le ventre se détendre. Si l'on a en permanence la poitrine gonflée, les épaules haussées et le ventre contracté, cela indique que l'on n'a pas résolu cette frayeur, bien que le sentiment de peur ait été refoulé et ne soit plus conscient. Le mode de respiration costale qu'utilise le schizoïde constitue la manifestation physiologique de cette peur refoulée. C'est un autre signe de la terreur qui est sous-jacente dans le corps du schizoïde. La défense contre cette peur et cette terreur consiste à réduire la respiration. Moins respirer équivaut à moins ressentir.

Les schizoïdes ont une autre difficulté respiratoire qui vient des tensions musculaires du cou, de la gorge et de la bouche. Ces tensions sont si fortes que les patients schizoïdes se plaignent fréquemment de sensations d'étouffement lorsqu'ils essaient de respirer profondément. Leur gosier se resserre s'ils tentent d'inspirer davantage d'air. Si l'on encourage le patient à ouvrir davantage le gosier pour laisser passer l'air, il prend peur. Il se sent vulnérable, comme si c'était son être intérieur qu'il ouvrait au monde. Quand la thérapie a éliminé cette peur et qu'il peut garder le gosier ouvert en respirant, il remarque que des sensations très agréables parcourent son corps et ses organes génitaux. Son impression d'étouffement résulte donc d'un resserrement inconscient du gosier, qui a pour but d'écarter les impressions menaçantes.

Ces contractions du gosier sont en rapport avec l'incapacité que montre le schizoïde à accomplir les violents mouvements de succion qu'effectue un nourrisson en bonne santé. Lorsqu'un nourrisson normal tend les lèvres et la tête, cela met en jeu tous les muscles de sa tête et de son cou. Cela rappelle les oisillons dont les becs s'ouvrent si largement pour recevoir la nourriture que leurs corps ressemblent à des poches rondes. Quand le schizoïde tend les lèvres, le mouvement se limite généralement aux lèvres et ne fait intervenir ni les joues, ni la tête, ni le cou. Au cours de la thérapie, lorsqu'il devient capable de mobiliser l'ensemble de la tête pour exécuter ce mouvement, sa respiration s'approfondit spontanément et devient plus abdominale. Le rapport étroit qu'il y a entre la respiration et la succion s'éclaircit lorsqu'on réalise que le premier mouvement agressif de la vie du nourrisson consiste à « aspirer » l'air dans ses poumons. Son second mouvement important consiste à « aspirer » le lait dans son estomac. La succion est le moyen primordial pour le nourrisson d'obtenir ses apports énergétiques. Tout trouble de la fonction de succion aura une répercussion immédiate sur la fonction de respiration.

Margaret Ribble souligne dans son livre *The Rights of Infants*[42] que les difficultés respiratoires de nombreux nourrissons sont dues à l'inhibition de leurs mouvements de succion. Lorsqu'on encourage ces mouvements, la respiration devient plus facile. Normalement, les bébés nourris au sein respirent mieux que les bébés nourris au biberon parce que téter le sein est un processus plus actif que téter une tétine de caoutchouc. Presque tous mes patients relatèrent un trouble quelconque de cette fonction vitale qui eut lieu au début de leur petite enfance. Leurs privations et leurs frustrations en ce domaine les poussèrent à rejeter et à nier leurs impulsions à téter. Très tôt dans leur vie, ils étouffèrent leur désir de gratification érotique orale afin de survivre à cet état de manque. Ces impressions et ces impulsions infantiles se réveillent à nouveau lorsque le patient essaie de respirer plus profondément. Il y réagit en les étouffant, comme il l'a déjà fait nourrisson.

Chez plusieurs patients, ouvrir grand la gorge pour respirer évoquait une impression de noyade. Un patient évoqua cette impression en de nombreuses occasions. Il n'avait pas cependant le souvenir d'un incident quelconque de ce type. L'interprétation logique, c'était que l'impression de noyade représentait sa réaction au flot de larmes et de tristesse qui inondait son gosier lorsque sa tension se relâchait. De la même façon, on peut interpréter les sensations d'étouffement souvent rapportées par les patients comme « l'étouffement » de ces impressions de tristesse qui les envahissent. Mais cette impression de noyade mène à se poser la question de la possibilité d'un rapport avec l'existence intra-utérine pendant laquelle le fœtus flotte dans une mer liquide. On sait maintenant que le fœtus fait des mouvements respiratoires dans l'utérus à partir du septième mois. Ces mouvements n'ont pas de signification fonctionnelle. Toutefois, on peut concevoir qu'au cas où un spasme utérin viendrait à couper l'apport de sang oxygéné au placenta pendant un temps significatif, ces tentatives de mouvements respiratoires pourraient devenir de réelles tentatives de respiration. L'impression de noyade viendrait du flux soudain de liquide amniotique pénétrant dans le gosier fœtal. Ceci est de la spéculation pure, mais on ne peut éliminer la possibilité de telles expériences intra-utérines.

Les exercices respiratoires n'offrent qu'une aide limitée au traitement du désordre schizoïde. Lorsqu'on respire de façon mécanique, on ne ressent rien de fondamental, et l'on en perd les bénéfices dès que l'exercice s'arrête. Un patient ne peut pas respirer profondément de façon spontanée avant d'avoir relâché ses tensions et exprimé ses émotions. Ce sont la tristesse et les pleurs, la terreur et les hurlements, l'hostilité et la colère. Le patient se libère lorsqu'il exprime sa tristesse par des pleurs, sa peur par un hurlement de terreur, et son hostilité par de la colère. Tout ceci — pleurs, hurlements, colère — nécessite une expression vocale qui est handicapée par l'inhibition de la respiration. Ainsi, le patient schizoïde se retrouve dans un autre de ses cercles vicieux : l'inhibition respiratoire l'empêche d'exprimer ses émotions, en même temps que le refoulement de l'émotion engendre l'inhibition respiratoire. Le cercle ne s'ouvre que lorsqu'on fait prendre conscience au patient de son inhibition respiratoire et qu'il essaie de façon consciente de s'en libérer. On l'encourage aussi à respirer en émettant des sons gutturaux. En général, de tels procédés permettent à certaines émotions de surgir et le patient se met spontanément à pleurer s'il est détendu.

Les premiers pleurs d'un patient surviennent souvent sans qu'il éprouve une impression de tristesse. A mesure que sa respiration devient plus profonde pour faire intervenir le ventre, il se met à pleurer doucement en réaction primaire à la tension précédente. Ces pleurs constituent un phénomène de rebond, tout comme les pleurs du nourrisson qui réagit ainsi à la frustration sans connaître la signification émotionnelle de sa réaction.

Primitivement, les pleurs constituent une réaction convulsive à la tension et mobilisent les muscles respiratoires pour permettre un soulagement. Au cours de ce processus, on émet un son. L'utilisation des cordes vocales pour communiquer un signal constitue un développement ultérieur. Le meilleur exemple de cette réaction primaire est le premier pleur du bébé après la tension de la naissance. Il fait démarrer la respiration, exactement comme cela se passe pour le patient au cours de la thérapie. Quelle que soit la forme de tension, l'organisme se fige et ce sont les pleurs qui le dégèlent.

Le développement du Moi et le développement de la coordination motrice permettent de réagir à la frustration par la colère. La colère a pour but la frustration, tandis que les pleurs servent simplement à soulager la tension. Quand la frustration persiste parce que la colère est bloquée ou inefficace, le recours aux pleurs permet de soulager la tension. Même les adultes peuvent pleurer lorsque la frustration persiste en dépit de tous leurs efforts pour la surmonter grâce à la colère. La persistance d'une frustration provoque une sensation de perte et conduit à une impression de tristesse qui s'associe alors aux pleurs. A ce moment-là, les pleurs prennent une signification émotionnelle. Le patient qui pleure en éprouvant de la tristesse est en contact intime avec ses émotions.

De façon similaire, les hurlements peuvent également se dissocier de leur association consciente avec la terreur. C'est ce qui advint à un jeune homme au cours de la thérapie. Sa respiration était devenue plus profonde et, à ma demande, il laissa tomber la mâchoire inférieure et ouvrit largement les yeux pendant qu'il était étendu sur le divan. Il eut une expression de frayeur, mais il n'en était pas conscient. Il poussa cependant un fort hurlement, sans éprouver aucune peur. Le hurlement cessa lorsqu'il ferma les yeux mais recommença involontairement dès qu'il les écarquilla à nouveau. Au cours de la thérapie, ce patient prit conscience de ce qu'il y avait en lui une frayeur latente qui se manifestait quand il écarquillait les yeux. Il sentait qu'il y avait quelque chose qu'il avait peur de voir, une image dans sa rétine qui était encore trop floue pour être discernée mais qui l'effrayait. Puis un jour, l'image se précisa. Il vit les yeux de sa mère qui le regardaient avec haine et il hurla de nouveau, de terreur cette fois. Il eut l'impression, me raconta-t-il, que cette vision était liée à un incident qui se produisit lorsqu'il avait environ neuf mois. Il était couché dans son landau et pleurait pour faire venir sa mère. Elle apparut enfin, mais la colère qu'elle ressentait d'avoir été dérangée s'exprimait par son regard haineux. A la suite de cette vision, la frayeur disparut du regard du patient.

La dissociation entre l'expression et la perception d'une émotion indique qu'un mécanisme de refus est à l'œuvre. Pleurer sans se sentir triste, hurler sans se sentir effrayé, ou être furieux sans éprouver de colère sont des signes de ce que le Moi n'est pas identifié avec le corps.

## *Métabolisme énergétique*

La régulation de la température corporelle est une fonction intimement liée à l'ensemble de la personnalité. Nous reconnaissons ce rapport dans notre langage. Nous décrivons une personnalité comme « chaude » ou « froide ». Une personne chaleureuse est une personne qui ressent des émotions ; une personne froide est dépourvue d'émotions. On utilise aussi le concept de chaleur pour décrire l'humanité, comme par exemple lorsque nous faisons contraster la chaleur humaine et la froideur de la machine. De façon générale, la personnalité schizoïde est devenue froide envers le monde et ses émotions sont au niveau minimal.

Certains états émotionnels augmentent la température corporelle, alors que d'autres la diminuent. On bout de colère et on tremble de peur. Nous savons tous par expérience personnelle que ces adjectifs représentent plus qu'une façon de parler, qu'ils reflètent réellement ce ce qui se passe dans notre corps. Lorsqu'on est exalté par la colère ou par l'amour, le métabolisme du corps change. Son rythme devient plus rapide. On respire plus profondément, on se déplace plus rapidement, on produit davantage d'énergie. La hausse de la température corporelle est une manifestation de l'accélération métabolique. Des émotions telles que la peur, le désespoir et la terreur ont un effet déprimant sur l'organisme. Même lorsqu'on refoule ces émotions, le métabolisme reflète leur influence. La froideur du schizoïde a un rapport direct avec la peur ou la terreur qu'il éprouve.

Certaines preuves objectives montrent que la température épidermique des schizophrènes est inférieure à la normale. F. M. Shattock a constaté qu'un pourcentage significatif de psychotiques présentent des extrémités cyanosées (teinte bleuâtre et froideur des pieds et des mains à la température de la pièce [43]). Un autre chercheur, D. I. Abramson, a noté que les artérioles de patients schizophrènes exposés au froid présentaient une vasoconstriction excessive. Il observa des améliorations de cet état après traitement [44].

On a également prouvé que la tendance à avoir un métabolisme basal ralenti est typique de la schizophrénie. R. G. Hoskins, qui a fait une étude extensive de la fonction métabolique chez les schizophrènes, fait l'observation suivante :

« Nous étions et nous sommes toujours convaincus que la déficience de l'apport en oxygène constitue l'un des traits caractéristiques de la psychose, qui se manifeste au niveau métabolique [45]. »

La froideur du schizophrène et du schizoïde reflète un désordre du métabolisme énergétique. La température épidermique inférieure à la normale, la vasoconstriction excessive et le ralentissement du métabolisme basal suggèrent que le schéma de réaction aux tensions de l'existence est infantile. Les réactions au froid du schizoïde sont semblables à celles du nourrisson, qui est incapable de mobiliser l'énergie nécessaire pour supporter cette tension. Il a les mêmes besoins de dépendance qu'un nourrisson : être tenu, être protégé et être réchauffé. En d'autres termes, le schizophrène, et le schizoïde à un degré moindre, ne sont pas complètement prêts à mener une existence indépendante. Leur répugnance à respirer et leur respiration superficielle expriment la tendance à régresser à un niveau infantile d'existence.

Le schizoïde s'accroche à l'illusion selon laquelle la survie repose sur la découverte d'une figure maternelle qui satisfera à ses besoins de chaleur, de protection et de sécurité. Couper le cordon ombilical symbolique qui l'attache à cette image maternelle équivaut à le jeter dans un monde qui lui paraît froid, hostile et incertain. Cette dépendance infantile choque les parents lorsqu'ils la perçoivent chez leurs enfants alors qu'ils sont supposés être devenus adultes. J'ai souvent entendu des parents gémir : « Il se comporte comme si le monde devait assurer son existence. » Mais un parent ne peut être choqué que s'il a aveuglément écarté les difficultés et les problèmes présentés par l'enfant au cours de sa période de croissance.

Le corollaire de ce concept, c'est que l'indépendance provoque chez le schizoïde une impression de panique. Le fait d'être indépendant lui produit l'effet d'un état d'alerte nécessitant des mesures d'urgence. Ces mesures consistent en :

1) la respiration costale ;

2) une tendance à des réactions métaboliques anaérobies ;
3) une réduction de la motilité.

1. Le caractère « d'état d'alerte » de la respiration costale a été discuté dans la première partie de ce chapitre. Brièvement, chez le schizoïde, la respiration costale remplace la respiration abdominale et ne peut pas fournir un apport suffisant en oxygène.

2. En cas de tension, ce manque d'oxygène peut conduire à des réactions métaboliques anaérobies (libération de l'énergie en réserve sans apport d'oxygène). Ce type de réactions métaboliques constitue une méthode de production d'énergie qui est moins efficace. J.S. Gottlieb et ses collaborateurs l'appellent « la réaction d'alerte », « puisqu'elle semble être nécessaire en tant que réaction productrice d'énergie en cas d'urgence physiologique [46]. » Ces chercheurs ont découvert que ce type de réactions métaboliques caractérisait les schizophrènes chroniques.

3. La réduction de la motilité constitue une mesure d'urgence pour conserver de l'énergie. Normalement la motilité diminue en état d'alerte, à la fois pour augmenter la réactivité et pour mobiliser l'énergie afin de « combattre ou fuir ».

Dans l'état schizoïde, ces mécanismes d'urgence tendent à constituer un schéma « normal » de réactions puisque le schizoïde considère son existence quotidienne comme une question de survie. Il s'ensuit donc qu'en cas de crise réelle, le schizoïde n'a pas de réserves sur lesquelles pouvoir compter. Hoskins parvient à cette conclusion grâce à son étude de la schizophrénie sous l'angle biologique. « Il semblerait que la prodigalité des efforts nécessaires pour s'adapter au niveau organique ne laisse au patient qu'une énergie insuffisante pour qu'il réussisse à s'adapter au niveau social [47]. »

J'ai souligné au cours du chapitre 3 que le schizoïde utilise toute son énergie pour assurer sa cohérence. Il immobilise son système musculaire pour assurer l'intégrité de son organisme. Il compte sur sa volonté pour affermir la perception qu'il a de lui-même. La volonté, comme nous l'avons vu, est un mécanisme accessoire qui est habituellement réservé aux situations d'alerte.

## *Motilité*

On peut également faire l'approche de la physiologie du comportement schizoïde au moyen de l'analyse des mouvements de son corps. Le terme « motilité » se réfère à la capacité des organismes vivants à bouger de façon spontanée. Il englobe une plus large gamme de mouvements que le terme « mobilité » qui concerne le déplacement de l'organisme dans l'espace. La motilité d'un organisme vivant est l'une des expressions de l'ensemble du processus vital. S'il y a des troubles au niveau de ce processus, comme c'est le cas pour la personnalité schizoïde, il en découle certaines distorsions de la motilité.

Le schizoïde fait preuve soit d'une motilité réduite, soit d'une hyperactivité exagérée et incessante. L'hypomotilité caractérise les schizoïdes qui ont tendance à être détachés et à se tenir en retrait. On la constate de façon évidente dans la rareté des mouvements et le manque de spontanéité. Elle est implicite dans le terme « visage semblable à un masque », qui décrit l'expression faciale de ces schizoïdes. On la voit à l'immobilité de leur corps quand ils parlent. Ils utilisent rarement leurs bras et leurs mains comme moyens de communication. Ce manque de mouvements expressifs pendant une conversation est partiellement responsable de l'impression de ne pas être « tout à fait là » que produit le schizoïde.

On peut également considérer l'hypomotilité schizoïde comme un état de choc partiel. Paul Federn a comparé la dépersonnalisation, ou dissociation complète d'avec son corps, à un état de choc [48]. Tout ce que nous avons dit de la physiologie schizoïde appuie ce point de vue : métabolisme basal réduit, respiration superficielle, etc. La rigidité physique du corps schizoïde constitue une tentative pour faire face au choc et assurer un certain niveau de cohérence et de fonctionnement. Cette tentative s'arrête net dans les états de prostration, où la perte de tonicité musculaire rend l'état de choc plus évident. Dans les deux cas, toutefois, le choc n'est pas assez grave pour paralyser les fonctions vitales et se limite à la surface du corps. Et c'est un état de choc chronique, et non aigu.

On peut interpréter le choc schizoïde comme une réaction au sentiment de rejet et d'abandon. Il représente une réaction infantile à une expérience infantile, suivie d'une fixation à ce stade de développement. Quel que soit son âge, le schizoïde est à la fois un nourrisson muet et un vieil homme avisé qui a fait l'expérience de la lutte, de la souffrance et de l'approche de la mort. Au cours du chapitre suivant, je traiterai de la peur de la mort qu'éprouve le schizoïde. Il est important ici de souligner le rapport entre l'état de choc, l'état inconscient de panique et l'impression consciente de désespoir.

L'état de choc rend compte du caractère automatique que l'on note souvent dans les mouvements des schizoïdes. Leur façon de bouger tient du robot. L'un de mes patients nota cette caractéristique sur lui-même : « Je marchais dans la rue et j'ai vu mon reflet dans la vitrine d'un magasin : j'avais l'air d'un soldat de bois. »

Par cette observation, le patient montrait que sa rigidité reflétait un état de choc. Il était comme un soldat de bois, en route vers la fatalité, oublieux de sa panique intérieure.

L'hypermotilité se rencontre souvent chez les schizoïdes aux tendances paranoïdes qui « actualisent » leurs émotions de façon impulsive. Leurs mouvements se caractérisent par leur manque de calme, leur manque d'à-propos, et leur rapidité. Ils s'accompagnent souvent d'éclats émotionnels dont l'intensité n'a que peu de rapport avec les idées exprimées. Ces mouvements montrent bien l'inaptitude de cette structure de personnalité à contenir et à contrôler l'excitation. La description suivante, que me fit une patiente de son comportement, illustre cette hyperactivité incessante.

« J'avais l'impression que je jouais un jeu. C'était très rapide et très chargé, et cela rendait nerveux tous ceux qui m'entouraient. Ils disaient que je dégageais comme un halo d'énergie. Je ne pouvais pas m'arrêter de le faire. Je ne pouvais pas m'arrêter de parler et mes idées devenaient très compliquées. Ma conversation était exaltée et rapide, elle semblait très intellectuelle. Je réalise maintenant que si je me comportais ainsi, c'était pour que rien ne puisse m'atteindre intérieurement. »

Pendant nos premières séances cette patiente m'impressionna par son apparente chaleur. Elle parlait, semblait-il, avec beaucoup de sensibilité. Ses mains étaient chaudes et moites, sa peau était tiède au toucher. Je pris rapidement conscience que ce n'était qu'un phénomène superficiel. Sa chaleur corporelle résultait de son hypermotilité, qui était une réaction à une profonde sensation de frustration. Elle raconta que lorsqu'elle n'arrivait pas à atteindre l'apogée sexuelle, la frustration la rendait presque sauvage.

« Ensuite, je poussais des cris et des hurlements. Puis je m'effondrais, je sanglotais pendant deux ou trois heures et me sentais enfin détendue et de nouveau en paix. Ou bien je partais faire une très longue promenade. Je montais beaucoup à cheval. Je prenais le cheval le plus rapide et je le faisais galoper comme un fou. Le risque de chute me laissait indifférente. J'avais l'impression de surmonter quelque chose ; que quelque chose devait éclater ou se déchaîner. Je galopais donc jusqu'à en être épuisée. »

A mesure que la patiente avançait dans la saisie en profondeur de sa personnalité, elle contrôlait et dirigeait son agressivité, restreignait sa rage et cessait les « actualisations ». En conséquence, le changement gagna son corps. Ses mains devinrent froides et son visage changea de couleur.

« Mon visage était beaucoup plus chaud auparavant. Je ne me souviens pas avoir eu le teint pâle. On avait l'habitude de me faire des remarques sur mes joues roses. J'ai remarqué que mes mains sont devenues plus minces. Elles n'ont plus beaucoup de sensibilité maintenant. Cela m'a fait peur de découvrir toutes ces choses sur moi. Je pensais que j'étais tout simplement quelqu'un d'émotif. »

Ces observations confirment le point de vue selon lequel il y a chez le patient paranoïde une froideur sous-jacente que masque son hypermotilité. Cela explique pourquoi les mesures physiologiques objectives concernant la schizophrénie sont rarement concluantes, tout en soulignant le rapport direct entre motilité et température corporelle.

L'hypermotilité du paranoïde est pour lui une façon de « s'évader » de son corps et de ses émotions. Il est constamment en envol ou prêt à l'envol. Sa très forte tendance à voler (ou à s'envoler) se manifeste par certaines attitudes physiques. Ses épaules haussées, qui semblent le pousser à quitter le sol, rappellent l'envol d'un oiseau effrayé. Le plus important, cependant, c'est son manque de contact avec le sol. Son impulsivité et son comportement irresponsable indiquent qu'il n'a pas « les pieds sur terre » ou, en d'autres termes, qu'il n'est pas « solidement amarré ».

Le schizoïde ne se sent pas prêt physiquement et émotionnellement à voler de ses propres ailes. Dans mon livre, *Physical Dynamics of Character Structure*[49], j'ai utilisé l'analogie du fruit vert pour illustrer son dilemme. La graine d'un fruit tombé trop tôt de l'arbre ne prend pas facilement racine dans le sol. Un être humain dans une situation semblable va s'efforcer de revenir vers sa source de force : sa mère. Sa tendance inconsciente consiste à se tendre vers elle, dans le désir d'être ramassé et porté. Il s'envole vers le haut, loin du sol et de l'indépendance. On peut décrire ce conflit sous forme de diagramme :

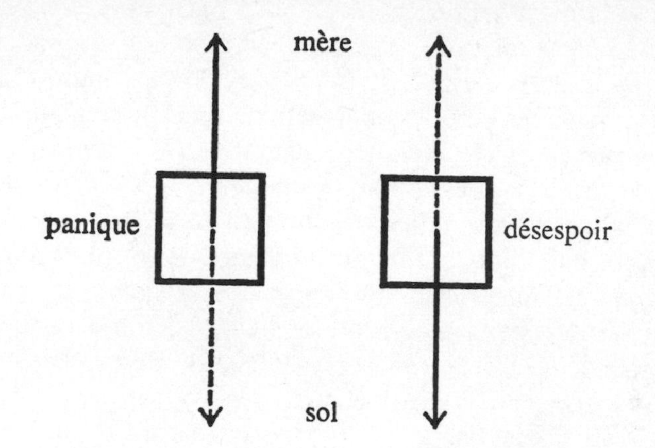


*Figure XIV La balançoire schizoïde*

Le chemin vers le haut est bloqué par un sentiment inconscient de désespoir. Comme toute sa personnalité a refoulé le nourrisson qui est en lui, il nie le désir de revenir vers la mère. Ce désir inassouvi se transforme alors en désespoir et crée l'illusion que la réunion avec une mère aimante se produira un jour, au cours de la vie adulte. Cette illusion transforme son image maternelle en celle d'un partenaire sexuel. En même temps, les forces démoniaques se gaussent de cette illusion et l'obligent à faire face à la nécessité de l'indépendance.

Le chemin vers le bas, vers une existence indépendante, est bloqué par une sensation inconsciente de panique. La conviction intime que ses jambes sont capables de le porter lui fait défaut. Il s'appuie sur des mécanismes d'alerte pour trouver une aide. Il a peur de tomber puisque, dans son désespoir, il sent qu'il n'y a pas de bras aimants pour le ramasser. Incapable de se tendre vers le haut, incapable de se laisser tomber, le schizoïde ne peut trouver ni répit ni paix. Il n'est jamais délivré de la peur : « Je ne pourrai pas y arriver et personne ne m'aidera. »

Le schizoïde vit dans les limbes, suspendu entre la réalité et l'illusion, la petite enfance et la maturité, la vie et la mort. Il rejette son passé mais se sent insécurisé par l'avenir. Il n'a ni présent ni sol sous ses pieds. Il a conscience des dangers intérieurs et il craint les dangers extérieurs : par conséquent, il se fige de frayeur ou reste en état d'alerte, prêt à fuir. Dans les deux cas, la panique reste toujours proche et il n'est jamais sûr de parvenir à l'enrayer.

Les fonctions physiologiques ne sont ni fixes ni immuables. Un tel point de vue est nié par l'importante interaction qui existe entre le corps et l'esprit dans l'organisme humain. Tout comme les schémas réactionnels constitués par des contractions musculaires peuvent engendrer une impression de panique, détendre ces tensions musculaires peut éliminer cette impression de panique. A cet égard, les tensions les plus importantes sont celles qui limitent la respiration. Si l'on peut respirer facilement, l'impression sous-jacente de panique disparaît. De la même façon les réactions physiologiques que détermine le sentiment inconscient de désespoir changent lorsqu'on affronte ce désespoir. Si on abandonne ses illusions, on sombre dans le désespoir et on s'aperçoit avec surprise que l'on est sur un terrain ferme, seul, mais non impuissant. Au cours de ce processus, on perd la panique imposée par la « balançoire ». Seul, on peut alors découvrir son identité grâce à son corps et, les pieds bien sur terre, commencer une vie adulte indépendante.

# 10

# Manger et dormir

## *Compulsion et illusion*

TOUT PSYCHIATRE est confronté à des patients qui ont des problèmes importants — comme ne pouvoir arriver à s'endormir. Devant de telles « réalités », le patient désespère. Il a conscience d'être sous l'emprise de forces qui agissent sur lui malgré sa volonté. Par exemple, face à l'envie de manger et à la rumination compulsives, il se sent impuissant ; il relie son désespoir à cette impression d'impuissance. Ceci explique pourquoi son humeur est au mieux quand il suit un régime. Apparemment, suivre un régime lui donne l'impression d'avoir repris le contrôle de ses pulsions, de garder sa maîtrise de soi et d'avoir regagné son empire sur lui-même.

Dans la plupart des cas, malheureusement, l'effort cesse net dès que le but recherché a été atteint. Lorsqu'on a perdu le poids voulu, on relâche son programme d'austérité et l'on retourne progressivement à ses anciens schémas alimentaires. L'une de mes patientes passait son temps à commencer un nouveau régime, sans jamais terminer le précédent. Dès que son poids augmentait de quelques kilos, elle se mettait au régime et se sentait mieux. Mais, quand elle avait perdu plusieurs kilos, elle retournait à son mode d'alimentation compulsif. Ceci dura un certain nombre d'années, alors qu'elle était en thérapie, jusqu'à ce qu'elle réalise que c'était une sorte de jeu. « Je sais, observa-t-elle alors, que je ne m'arrêterai de manger entre les repas que lorsque je m'accepterai moi-même. »

Un mode d'alimentation compulsif et l'impossibilité de s'endormir rapidement constituent des symptômes d'un désespoir intérieur qui est la conséquence directe du manque d'acceptation de soi-même. Par conséquent, lorsqu'on se met au régime, rien n'est résolu pour autant : le désespoir demeure. Celui-ci prend une nouvelle forme. On devient compulsif dans son régime comme on l'était dans son alimentation, mais on reste tout aussi désespéré qu'auparavant.

Celui qui a un mode d'alimentation compulsif a l'illusion que son prochain régime sera le bon. Il retrouvera alors la silhouette de sa jeunesse et la gardera à jamais. Derrière cette illusion se cache celle de la jeunesse perpétuelle. Mais quelle est l'illusion de l'insomniaque ? Sans en avoir conscience, il croit que rien ne peut lui arriver s'il reste en alerte. Il s'agrippe à la conscience comme si c'était son existence. Et rien ne lui arrive : il ne s'endort pas. Mais il y a une autre illusion, plus récente, liée au sommeil — l'illusion du somnifère. Cette illusion consiste à prétendre que l'on ne peut absolument pas s'endormir sans un somnifère. On peut démontrer dans de nombreux cas que la dépendance envers les somnifères est une illusion. Remplacez le cachet par un placebo, et le patient s'endormira tout aussi bien que s'il avait vraiment pris son somnifère. J'ai essayé cette méthode avec plusieurs patients qui tenaient absolument à leur somnifère et ce fut efficace. On peut considérer le cachet comme un substitut à la poupée de chiffon ou à l'ours en peluche que le patient serrait contre lui au moment de s'endormir quand il était enfant. A leur tour, ces objets étaient des substituts de la mère qu'il aurait aimé avoir à côté de lui. On retrouve un grain de réalité au cœur de toute illusion.

Derrière toute illusion se cache un diable qui prend le masque de la raison et essaie de vous persuader de vous abandonner à vos désirs immédiats. « Allez, dit-il, mange ce morceau de chocolat. Un tout petit morceau de chocolat ne peut pas te faire de mal. » Ou bien, il peut conseiller : « Prends le cachet ce soir. Grâce à lui, tu dormiras mieux, et demain tu n'auras donc pas besoin d'en prendre un. » Sa logique est difficile à contrer. Un tout petit morceau de chocolat ne fait pas de mal. Un cachet n'est pas dangereux. On croit que le cachet permettra de mieux dormir. Le diable proclame qu'il est la voix du corps, ce qui induit en erreur, puisque le propre des instincts, c'est justement de satisfaire les besoins du corps. Mais la voix du diable vient des sentiments que l'on a refoulés et qui se sont pervertis au cours du refoulement. Le désir infantile pour le sein, qui a été frustré, ne peut pas être assouvi par de la nourriture ou par un cachet.

L'illusion de gratification orale que semble assouvir la suralimentation ne fait qu'y ajouter un élément compulsif.

Il y a, bien sûr, une relation entre la suralimentation et la frustration sexuelle. Par frustration, j'entends le manque de détente sexuelle satisfaisante par l'orgasme. Car, bien que les rapports sexuels mettent en contact intime avec son propre corps, s'il n'y a pas d'orgasme, on reste inassouvi. Ce manque d'assouvissement conduit souvent à la suralimentation. Avant la vogue actuelle des régimes, on disait que l'on pouvait savoir quand cessait la sexualité conjugale : la femme grossissait. Maintenant, à cause des régimes, on ne peut plus le savoir. Toute personne frustrée sexuellement ne se suralimente pas mais l'inverse est vrai : toute personne qui se suralimente de façon compulsive est sexuellement inassouvie. Celui qui est satisfait au niveau sexuel tend à se libérer de ces pulsions névrotiques. Celui qui a un contact intime avec son corps a conscience de ses besoins réels et agit rationnellement afin de les assouvir.

## *Alimentation et sexualité*

Si l'on se pose la question de manger ou de ne pas manger, c'est un signe certain de ce que cette envie de manger vient d'un sentiment de désespoir. Celui qui a faim ne se pose pas cette question. Celui qui désespère y répond par l'affirmative. Il peut rejeter sur son impression d'ennui le blâme de cette incessante envie de manger, mais son ennui et sa passivité reflètent souvent un problème plus important qu'il ne veut le reconnaître. Sur de nombreuses personnes, la nourriture fait l'effet d'un sédatif. Elle calme temporairement leur agitation et apaise leur anxiété. Les parents utilisent souvent la nourriture dans ce but avec leurs enfants. On donne couramment quelque chose à manger à un enfant exigeant pour calmer son irritabilité. La nourriture peut donc se charger de significations autres que celle de la satisfaction de la faim.

L'une de mes patientes lutta contre sa façon compulsive de se nourrir pendant plus de quinze ans, sans être capable de surmonter cette tendance. Elle pensait beaucoup à ce problème parce que son poids constituait un handicap réel pour sa carrière d'actrice. Les idées qu'elle associait à l'action de « manger » montrent à quel point cette compulsion était profondément enfouie dans sa personnalité.

1. « Cela signifie que je suis aux petits soins pour moi. Je pense toujours à moi comme à une orpheline. »
2. « Manger, c'est affirmer une fonction primordiale de l'existence. »
3. « Mon seul plaisir, c'est de manger. Je ne peux pas trouver d'autre plaisir ni d'autre signification à mon existence. »
4. « J'ai peur d'avoir faim. J'ai peur de mourir si j'ai faim. »
5. « C'est ma façon de réagir à une impression de perte — perte de ma mère et de mon travail. »
6. « Je réalise que manger est une manière de refuser ma sexualité. »

La nourriture est toujours un symbole de la mère, puisque la mère est la principale source de nourriture. Les mères acceptent cette relation symbolique lorsqu'elles prennent le refus de nourriture pour un rejet de leur propre personne. De plus, certaines mères tirent une satisfaction personnelle de l'alimentation d'un enfant, comme si l'appétit de l'enfant était une expression d'amour et de respect pour sa mère. La nourriture s'identifie avec l'amour de façon très précoce pour la plupart des enfants. Si manger constitue une expression d'amour, le fait de ne pas s'alimenter est une expression de rébellion. Très souvent, l'enfant réalise que ne pas manger est un moyen de prendre sa revanche sur une mère obsessionnelle. Cette patiente avait subi de nombreuses expériences au cours desquelles ses goûts et ses dégoûts personnels par rapport à la nourriture avaient été soit complètement ignorés, soit traités comme des réactions négatives. Mais sa rébellion fut écrasée et elle dut se soumettre pour survivre. Dans son esprit d'adulte, la nourriture gardait encore son identification originelle à l'amour et à la mère. Pour elle, rejeter la nourriture, c'était nier le besoin qu'elle avait de sa mère et voler de ses propres ailes.

Cette patiente ne s'était jamais totalement engagée dans la condition d'adulte et dans la maturité. Elle exprima même le sentiment que la seule idée d'un tel engagement la remplissait de panique : la panique de la personnalité schizoïde confrontée à la nécessité de mener une existence indépendante. Incapable de s'enraciner et terrifiée à l'idée d'être déracinée, elle « actualisait » son désespoir en se suralimentant.

Les idées qu'elle exprimait à propos de la signification de la nourriture étaient des distorsions de ses sentiments réels. Son mode compulsif d'alimentation était un acte d'autodestruction et non pas une manière d'être « aux petits soins pour elle ». Chaque fois qu'elle mangeait plus qu'elle ne l'aurait dû, elle se sentait coupable et désespérée. Il n'y avait pas de plaisir réel dans cette façon de se nourrir qui ne lui semblait agréable que lorsque cela « calmait la tension ». Elle n'avait jamais souffert de la faim au cours de son existence, et je doute fort qu'elle ait redouté la sensation de faim — tout au moins au niveau de la nourriture. C'était à un niveau plus profond qu'elle avait faim : faim d'amour, faim de plaisir et faim de vie. Elle aurait allégrement restreint sa quantité de nourriture si elle avait pensé pouvoir satisfaire ses autres besoins. Son mode d'alimentation était un symptôme de son désespoir.

« Je suis paranoïde, me dit-elle un jour. Je me demande si les autres me sont hostiles, si je vais les tuer ou si c'est eux qui vont me tuer. Mais j'ai peur d'exprimer ces impressions ou de m'identifier avec elles. Je porte la tête haute pour montrer que je ne suis pas paranoïde. J'ai peur d'être empoisonnée, peur qu'un couteau ne me transperce. Je sais parfaitement que les gens parlent de moi.

« Quand je suis grosse, personne ne me regarde et mon mari n'a pas de raison d'être jaloux ou en colère contre moi. Ses colères me pétrifient. »

Sa peur de paraître sexuellement attrayante était responsable de ses idées paranoïdes. Pour comprendre ses idées, il faut les interpréter en référence à la situation œdipienne où l'enfant est le sommet d'un triangle sexuel comprenant le père et la mère. Il existait une attraction sexuelle avérée entre la patiente et son père. Il avait l'habitude de forcer l'enfant à se promener nue devant leurs invités pour montrer qu'elle n'avait pas honte de son corps. Il n'était donc pas surprenant qu'elle exprime le sentiment suivant : « Je sais parfaitement que les gens parlent de moi. » Il avait l'habitude d'examiner sa culotte tous les jours pour voir si elle était propre. Sa peur d'être poignardée trahissait sa peur d'être assaillie sexuellement par son père. L'intérêt sexuel que lui portait son père avait un caractère hostile et sadique qui l'effrayait.

Par ailleurs, on doit interpréter la peur d'être empoisonnée comme une peur de l'hostilité de sa mère, hostilité provoquée par les sentiments existant entre le père et la fille. L'enfant considérait sa mère comme une femme jalouse et rejetée qui pouvait détruire sa rivale. La patiente projetait cette image de sa mère sur son mari. Mais ceci n'explique pas la panique qu'elle ressentait lorsqu'elle assistait aux auditions de son mari. Elle ressentait alors une tension abdominale, due aux émotions sexuelles qu'elle éprouvait envers lui, émotions qui surgissaient lorsqu'elle le considérait comme un homme et non comme une image maternelle. Le refoulement de ces émotions provoquait la tension abdominale.

La patiente utilisait son embonpoint pour nier sa sexualité et éviter les dangers qui s'y associaient. En portant la tête haute, elle voulait montrer qu'elle était au-dessus de préoccupations aussi vulgaires que la sexualité et les attentions masculines. Mais elle ne pouvait nier sa sexualité aussi facilement. Elle avait souvent une attitude coquette et séductrice, sans en être consciente. Elle était donc toujours terrifiée à l'idée que ses émotions sexuelles puissent agir au mauvais moment.

## *Comportement paranoïde et suralimentation*

Manger de façon compulsive constitue une forme de comportement paranoïde. Se suralimenter permet « d'actualiser » ses impressions de frustration, de rage et de culpabilité. La suralimentation sert à atténuer l'impression de frustration, à exprimer la rage et à fixer la culpabilité. Manger et dévorer constituent des modes infantiles d'expression de l'agressivité. La suralimentation compulsive est littéralement une suppression ou une destruction de la nourriture, laquelle est un symbole de la mère. Elle permet à la rage refoulée envers la mère de trouver une issue inconsciente. Toutefois, en même temps, on incorpore symboliquement la mère, soulageant de ce fait de façon temporaire l'impression de frustration que l'on associe inconsciemment à elle. Finalement, la culpabilité se transfère de l'hostilité refoulée au fait de se suralimenter, manœuvre qui masque les émotions réelles et rend la culpabilité plus acceptable.

La frustration qui sous-tend le mode d'alimentation compulsif vient de ce que la mère a nié le besoin de gratification érotique orale du nourrisson. La rage vient de l'attitude séductrice de la mère. Celle-ci fait naître chez l'enfant des espérances qui ne peuvent être assouvies. Ce mélange de désir et de rage envers l'objet d'amour produit une envahissante impression de culpabilité, culpabilité si intolérable qu'elle doit être projetée sur autrui ou déplacée sur la nourriture. Une fois ce déplacement effectué, on est pris dans un cercle vicieux. La culpabilité augmente la frustration et la rage, ce qui pousse à manger de façon encore plus compulsive et augmente donc la culpabilité. Si l'on ne résout pas le problème de cette culpabilité, le problème de la suralimentation reste souvent insurmontable.

La nourriture est pour l'inconscient une représentation du sein de la mère, source première d'alimentation. Toutefois, lorsque la relation à la mère se charge d'une culpabilité intolérable, à cause de son schéma de comportement de séduction et de rejet, le désir de gratification orale se transfère sur le père. Son pénis devient un substitut du biberon et s'identifie également avec la nourriture. L'alimentation compulsive est donc une incorporation symbolique du pénis et, chez un homme, reflète la présence de tendances homosexuelles latentes. L'homosexualité se sublime par la suralimentation. Finalement, la satisfaction sexuelle se transforme en fruit défendu, et les fortes émotions érotiques de l'enfance sont refoulées.

Le cas suivant illustre les rapports qu'il y a entre les émotions sexuelles refoulées, le comportement paranoïde et la suralimentation. C'était le patient de l'un de mes collègues et il mangeait de façon compulsive.

Ce patient, que j'appellerai Aldo, était un jeune homme d'origine grecque dont les parents avaient immigré lorsqu'il avait deux ans. Aldo avait vingt-cinq ans et mesurait 1,62 m pour un poids de 97 kg. Il était serveur de son métier, ce qui ajoutait des raisons professionnelles à son problème de suralimentation. Le poids d'Aldo l'handicapait dans son travail, mais il restait étonnamment léger sur ses jambes. La graisse se localisait sur le tronc, les hanches et le haut des bras. Il avait le visage, les mains et les pieds petits, et le cou très fin. Sa poitrine était elle aussi étroite et mince.

La graisse d'Aldo se remarquait surtout autour de la taille et des hanches ce qui, joint à la position basculée vers l'arrière du pelvis, lui donnait à ce niveau une apparence féminine. Les éléments conflictuels de son apparence physique rendaient la perception de sa propre identité nébuleuse. Il était à la fois mince et gras, masculin et féminin.

Aldo se sentait désespéré et isolé par ce corps trop gras. Cela l'embarrassait quand il voulait approcher une femme et il avait trop honte pour pratiquer une activité physique. Il se sentait terriblement coupable au sujet de sa suralimentation, mais il était incapable de contrôler son appétit. Il pouvait perdre du poids en se mettant au régime, mais dès que sa volonté faiblissait, il se suralimentait à nouveau.

Peu avant de commencer la thérapie, Aldo fit une expérience qui lui fit réaliser qu'il avait besoin d'une aide. Son père était mort six mois plus tôt. A la suite de cet événement, il entreprit un régime strict, qui réduisit considérablement son poids. Ce fut au cours d'une soirée de Pâques que ses tendances paranoïdes se manifestèrent. Il avait bu et il se sentait « vraiment bien » lorsqu'il se mit à éprouver l'illusion de posséder un pouvoir. Il pensa qu'il était capable de prédire les événements et même de les contrôler. Voici ses propres termes : « Je vis une jeune femme dans un coin de la pièce. Une voix me dit : " Elle t'appartient. " Aussi, je m'approchai d'elle et lui dis : " Venez avec moi. Vous êtes à moi. " Comme elle résistait, je pris son bras et commençai à l'entraîner. Elle appela son mari qui essaya de m'arrêter.

« Tout cela n'avait aucun sens pour moi. Elle était à moi et elle aurait dû venir avec moi. Je m'agrippai à son bras en repoussant son mari. Un des autres hommes me frappa alors et m'envoya à terre d'un coup de poing. Tout le monde me regardait avec hostilité.

« Je fus pris de panique. J'avais l'impression que mon univers s'écroulait. Je pensais être perdu si je ne prenais pas ma vie entre mes mains. Je saisis l'un des hommes et, avec une force surhumaine, le lançai à travers la pièce. A ce moment-là, tous les hommes me sautèrent dessus et m'arrêtèrent. Ils me retinrent jusqu'à ce que je me calme. Finalement, plusieurs d'entre eux me ramenèrent chez moi. Lorsque je me suis réveillé le lendemain matin, j'ai compris que j'avais besoin d'aide. »

Aldo pensait que s'il arrivait à comprendre les causes de cet épisode, il y gagnerait dans la compréhension en profondeur de sa personnalité, y compris son problème de suralimentation. L'expérience de sa force fut une révélation pour lui. Il s'était toujours considéré comme quelqu'un de soumis, tremblant devant l'autorité et incapable de s'affirmer. Sa soumission recouvrait de toute évidence une violence refoulée. A cause de cette attitude soumise, il ne pouvait pas exprimer son agressivité dans la vie courante. Au cours de la thérapie, il s'avéra que la mort de son père et son amaigrissement avaient été des facteurs essentiels dans la genèse de sa manifestation paranoïde.

Au cours de la thérapie, Aldo se remémora un incident d'enfance qui montre la relation qui existait entre sa violence et sa sexualité. Il prit conscience de ce que la relation qui s'était établie entre lui et sa mère au cours de ses premières années était incestueuse. « Elle me traitait comme un amoureux. » Puis il ajouta : « Il me semble bien que quand j'étais petit j'ai surpris mon père et ma mère au lit et que je me suis jeté par la fenêtre pour les séparer — pour que mon père sorte du lit. »

Que ceci se soit réellement produit ou qu'il l'ait seulement imaginé n'a pas d'importance ; ce qui est important, c'est l'intensité de la situation œdipienne. Aldo considérait son père comme un ennemi, mais il s'identifiait aussi à lui. Il sentait que son père et lui étaient tous deux rejetés par la mère qui était la figure dominante de la maison. Il remarqua qu'elle le comparait constamment à son père, tout en laissant entendre que le père était un homme, mais que le fils n'était rien. Le père était de plus incapable de rendre la mère heureuse. Les deux hommes étaient l'objet de son mépris et de sa dérision.

La relation d'Aldo à sa mère était une relation complexe. Tout comme elle refusait sa virilité, elle l'encourageait à manger. La mère d'Aldo était très préoccupée par le fonctionnement du canal alimentaire. Le succès d'une journée se mesurait pour elle à la quantité de nourriture qu'il avait ingérée et à la régularité de ses mouvements intestinaux. Il suffisait qu'il soit constipé une seule journée pour qu'on lui administre un lavement. De fait, son corps était violé aux deux extrémités par sa mère, et il était obligé de se soumettre à elle avec respect. En même temps, elle le traitait comme « un amoureux ».

Consciemment, Aldo craignait son père et s'y identifiait. Inconsciemment, il haïssait sa mère et s'identifiait à elle. Chacun de ses parents se servait de lui pour prendre sa revanche sur l'autre ; pour chacun des deux, il était le symbole de l'autre. Il est compréhensible qu'Aldo ait grandi avec une perception insuffisante de son identité. Il ne pouvait pas choisir entre être mince ou être gros et, à un niveau plus profond, entre être un homme ou être une femme.

Être gros, c'était la féminité, la soumission et l'impuissance. Cela dénotait son manque de volonté, sa vulnérabilité aux attaques sexuelles et son impression de désespoir. Il remarqua une fois : « J'ai peur d'être impuissant, que l'on m'enfonce un pénis dans la bouche ou que l'on me viole — voilà ce qui me hante. La pire chose que pouvait faire ma mère, c'était de me montrer ses seins. C'était répugnant. »

Être mince, c'était la virilité, l'affirmation de soi et le contrôle de soi. Mais pour être mince, il devait utiliser sa volonté de façon exagérée (ce qui le poussait également à se sentir omnipotent et à se comporter de façon hyperagressive). Aldo remarqua : « Je devrais y mettre toute ma volonté, mais je n'en ai pas le courage en ce moment. Je me sens dépassé. Je ne peux pas serrer les dents et refuser la nourriture. Si c'était une question de survie, je suis sûr que j'arriverais à faire quelque chose. Mais je ne peux pas y arriver si c'est seulement pour me sentir mieux. »

Aldo présentait les solutions à son problème sous la forme de deux alternatives toutes deux impossibles : vivre sur sa volonté ou se résigner. S'il devait mobiliser toute sa volonté, comme si chaque miette de nourriture était une question de vie ou de mort, cela le transformerait en monstre. Quand la volonté devient la valeur suprême, omnipotente, la schizophrénie est proche. Sa réaction paranoïde avait été précédée d'une impression d'omnipotence. L'autre alternative consistait à se sentir impuissant, résigné à son poids et à son destin.

Aldo était dépourvu de toute motivation consciente pour le plaisir. Il remarqua : « Je n'ai aucun droit au plaisir parce que je suis mauvais. Il y a trop de haine en moi. » Se refuser tout droit au plaisir conduit à rejeter son corps. Comme on n'a plus d'activité physique agréable, on en est réduit à une dépendance infantile envers la nourriture, qui reste le seul moyen de satisfaction physique. Ce comportement régressif n'est jamais dépourvu de culpabilité. Aldo mangeait et souffrait. Le problème de celui qui mange trop, c'est qu'il n'a plus la certitude d'avoir droit au plaisir. Les patients qui mangent de façon compulsive font invariablement à un moment ou l'autre la remarque : « Je n'ai pas l'impression d'avoir droit au plaisir. » Lorsqu'on reconquiert le droit au plaisir et l'aptitude à l'éprouver, l'alimentation s'autorégule automatiquement. Lorsqu'on mange en s'en remettant au principe de plaisir, on éprouve effectivement un plaisir et non une compulsion.

Le corps d'Aldo était devenu pour lui une source d'humiliation et il s'en dissociait. Comme il le disait, il vivait « dans sa tête ». Au cours de cette soirée de Pâques, il ressentit physiquement cette vie dans sa tête. « Tout tourbillonnait dans ma tête. Je la sentais gonflée. J'avais l'impression qu'elle allait exploser. » Ce genre de dissociation n'est pas identique à celle qui se produit dans les cas de retrait. Dans ces derniers, la dépersonnalisation vient d'une diminution marquée des sensations physiques et de la motilité. Le schizoïde détaché devient « mort ». Dans les mêmes circonstances, le paranoïde devient « sauvage ». A mesure que son énergie lui monte à la tête, son Moi prend une importance exagérée, sa volonté se transforme en force surhumaine, et son corps devient capable d'actes qui lui seraient normalement impossibles. A de tels moments, le paranoïde semble possédé d'une force et d'une énergie qui ne sont pas seulement surhumaines mais aussi, pourrait-on dire, monstrueusement inhumaines. Dans le cas d'Aldo, ces forces étranges se sont manifestées par l'exploit qui consistait à lancer un homme à travers une pièce.

On peut obtenir une meilleure compréhension en profondeur de la personnalité d'Aldo, à l'aide de ses dessins de personnages.

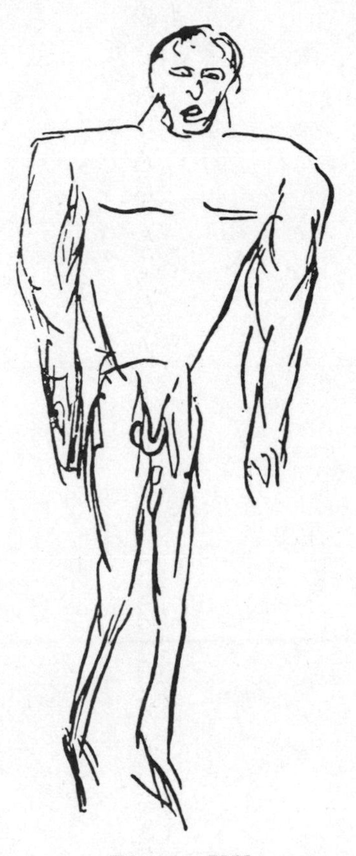

*Figure XV*

La figure XV est vraiment le portrait d'un monstre. Le personnage a un caractère inhumain à la fois par son expression faciale et par sa constitution physique. La masse du corps du personnage est concentrée au-dessus de la taille, en contraste avec le corps d'Aldo où la masse était au-dessous de la taille. Le personnage est également caricatural en dessous de la taille, surtout au niveau des jambes et des pieds, ce qui indique qu'il n'y avait pas de vision claire de ces zones dans l'esprit d'Aldo. En un sens, ce personnage est le portrait exact de la façon dont Aldo voit et ressent son corps au niveau inconscient : le haut du corps est amplifié pour compenser la faiblesse du bas du corps. Son incapacité à dessiner les mains révèle son manque de contact intime avec elles.

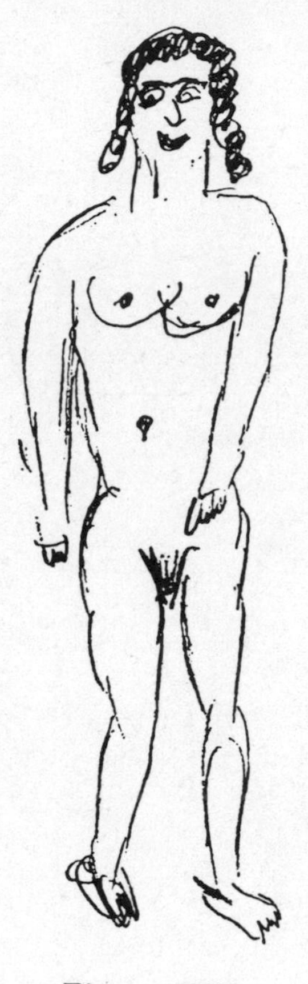

*Figure XVI*

La figure XVI (dessin d'un personnage féminin) est moins caricaturale — comme si Aldo avait une meilleure conception du corps féminin que du corps masculin. Le visage a une expression narquoise et hostile. Avec son doigt pointé vers les organes génitaux, le personnage semble dire : « Regarde ce que j'ai là ! » Ce qu'elle a ressemble à un phallus.

Ce concept introduit celui de la femme phallique, ou de la mère avec un pénis. Beaucoup de jeunes garçons représentent la mère avec un organe phallique, non seulement parce qu'ils ne connaissent pas l'anatomie féminine, mais aussi parce que leur mère se comporte envers eux de façon masculine. La mère phallique force son fils à adopter une attitude soumise, « actualise » sur lui le mépris qu'elle ressent pour sa propre sexualité et, de fait, le châtre en traitant son corps comme un objet. En faisant ces dessins, Aldo remarqua : « La castration est mon détonateur de violence. Je pourrais devenir forcené. »

Le monstre mâle dessiné par Aldo représentait le côté enragé de sa personnalité, caché et refoulé derrière la façade du gros garçon rondouillard. Et c'était un monstre démoniaque, rudimentaire et informe, haineux et destructeur. Son démon avait la force d'un monstre. En apparence, Aldo était un gros garçon soumis. Il dit : « Tant que je resterai dans les jupons de ma mère, cette grosse bête restera en moi. Cela signifie que je dois plaire à ma mère pour survivre. » Plaire à la mère se traduit souvent par la soumission à la demande de la mère qui consiste à vouloir que l'enfant mange ce qu'elle lui offre.

A mesure que la thérapie se poursuivait, il devint clair que l'épisode paranoïde d'Aldo au cours de cette soirée se produisit lorsqu'il essaya inconsciemment de se libérer de son « esclavage » en « actualisant » sa vengeance sur la femme. Sa motivation en approchant la jeune femme, c'était « le désir d'avoir des rapports sexuels avec elle et, en plus, un besoin sadique de tester le contrôle et le pouvoir que je pouvais exercer sur elle ». Si elle s'était soumise, il l'aurait poussée à la débauche. Il voulait la transformer en « une sorte de bête », renversant ainsi le rôle qu'il jouait dans sa relation à sa mère. Il aurait affirmé sa virilité, nécessairement de façon perverse puisque l' « actualisation » des émotions sexuelles refoulées prend toujours une forme perverse.

La difficulté d'Aldo reposait sur l'impossibilité d'accepter les alternatives posées par son problème : s'identifier à son corps avec toutes les connotations humiliantes que cela impliquait, ou bien refuser son corps et s'évader dans le raisonnement paranoïde. La première alternative était intolérable et la seconde désastreuse. Comme il n'éprouvait pas de plaisir au niveau des sensations physiques et qu'il n'avait pas une apparence attrayante, il essayait de trouver sa valeur personnelle au niveau spirituel. Il prétendait pouvoir contrer le « néant » de son corps par l'omnipotence de son esprit, la vulgarité de son corps par la noblesse de son esprit. Grâce à la volonté, ce corps rejeté et méprisé se transformait en un simple instrument.

Il y a deux moyens de réagir vis-à-vis d'une situation où l'on a l'impression que son corps est inacceptable. Le premier consiste à « étouffer » son corps, à se retirer au fond de sa coquille et à réduire ses activités. Le second consiste à fuir vers le haut, à s'élever au-dessus de son corps par une sur-identification au Moi et à la volonté. Ce second moyen constitue le mécanisme paranoïde. Il conduit à des illusions de grandeur (mégalomanie), à l'impression d'être épié (on parle de moi), et au délire de persécution (on me veut du mal). Dans la mégalomanie, les émotions délaissent le corps pour se fixer sur le Moi. « En cas de paranoïa, disait Freud, la libido libérée se fixe sur le Moi et sert à l'amplifier [50]. » Ce qui signifie que chez le paranoïde, l'énergie sexuelle (libido) quitte, libérée, les organes génitaux pour aller vers le Moi, entraînant une diminution de l'importance des organes génitaux au profit de l'importance du Moi (amplification). La sexualité devient une obsession, d'où dérivent l'impression d'être épié et le délire de persécution.

Ces deux tendances — devenir forcené et s'étouffer — sont présentes à des degrés différents chez toutes les personnalités schizoïdes. Dans la mesure où l'enfant subit les « actualisations » et les manipulations des adultes, il aura tendance une fois adulte à « actualiser » ou à manipuler ses relations. Si l'enfant ressent un rejet ou un abandon, une fois devenu adulte il tendra au retrait ou à la rigidité. La constitution physique mince et étroite de l'asthénique est due à ce retrait. L' « actualisation » peut inclure la suralimentation si c'était l'un des moyens par lesquels la mère manipulait l'enfant.

Aldo poursuivit sa thérapie pendant deux ans, au rythme d'une séance par semaine. Le traitement était orienté sur le rétablissement de son identification avec son corps. Au cours de la thérapie, on l'encourageait à s'affirmer davantage et à être plus agressif en donnant des coups de pied ou en frappant le divan. La détente du spasme diaphragmatique ouvrit la voie à la détente de ses tensions stomacales. A cause de sa suralimentation, il souffrait continuellement de brûlures d'estomac et d'indigestion. Ses efforts pour respirer profondément lui donnaient la nausée. Les nausées le faisaient vomir, ce qui lui fut difficile et désagréable au début. Il apprit cependant à le faire facilement, et cela soulagea considérablement ses brûlures d'estomac. Mais rien ne pouvait l'empêcher de se remettre à manger tout de suite après la séance. Aldo décrivait ainsi l'effet de la thérapie.

« Pendant une heure par semaine, *on* vous accepte, *on* vous comprend et *on* vous apprécie pour ce que vous êtes. A part ces impressions en profondeur, qui sont très importantes pour moi, il se passe des choses au niveau de mon corps. Il n'a pas encore changé, mais j'ai entrepris divers exercices qui m'ont fait éprouver des sensations physiques que je n'avais jamais ressenties auparavant. Maintenant mon corps ressent toujours quelque chose : des impressions de tension, des impressions de détente, des douleurs. Je peux me laisser aller à pleurer — sous contrôle. Je me sens en confiance, je sais que l'on gardera le contrôle. Je peux sentir mes jambes, mes pieds et mon dos. Je suis conscient d'une relation entre mes sensations physiques et mon comportement. C'est comme si quelque chose d'entièrement nouveau m'était arrivé. Je vis encore dans ma tête, mais je ne peux plus m'évader de mon corps. »

Un jour, son médecin lui proposa une lutte de traction avec une serviette de bain tordue. Ils essayèrent deux fois. Aldo, grâce à son poids, réussit à tirer le médecin de son côté, mais non sans un effort considérable. Quand cela fut fini il respirait lourdement. Il remarqua qu'il était surpris d'avoir gagné. Il n'avait jamais été capable de gagner une bataille auparavant. Il approchait de la victoire mais, dès qu'il était sur le point de réussir, il abandonnait et laissait l'autre gagner. Cette peur du succès fut interprétée comme une peur de surpasser son père et de posséder sa mère.

Le matériel présenté dans le cas d'Aldo montre le rapport étroit qui existe entre le manque d'affirmation de soi-même et un mode d'alimentation compulsif. Lorsqu'il ne peut pas utiliser les formes adultes d'agressivité, le paranoïde se rabat sur la nourriture, considérée comme la forme la plus primitive d'affirmation de soi-même, bien qu'elle représente une forme d'autodestruction.

Aldo ne perdit pas de poids au cours de la thérapie, mais l'année suivante il réussit à perdre 22 kg en se mettant au régime et en prenant de l'exercice. Il dit qu'il n'avait pas eu besoin d'un grand effort de volonté parce qu'il était capable de s'identifier à son corps et d'accepter ses besoins. Mon associé revit Aldo quatre ans plus tard. Son poids était resté stable et la suralimentation n'était plus un problème pour lui.

Je ne veux pas donner l'impression que tous ceux qui sont gros sont des paranoïdes. Mais la suralimentation est une manière fréquente d'« actualiser » la frustration, laquelle est due à l'incapacité de se procurer des satisfactions significatives au niveau adulte. Il y a d'autres moyens d' « actualiser » ses frustrations : la révolte, les préjugés raciaux, la promiscuité sexuelle, la boisson, etc. L' « actualisation » est un mécanisme paranoïde que l'on rencontre dans une certaine mesure chez tous les schizoïdes. Je n'ai décrit que le mangeur compulsif qui ne peut pas refuser la nourriture, qui vit dans sa tête, et dont la relation principale avec son corps se fait par l'intermédiaire du tractus digestif.

A l'opposé du mangeur compulsif, il y a la personne obsédée par sa ligne. Il est à la mode actuellement d'être mince. Cette mode peut s'expliquer d'une part comme une réaction à la suralimentation qui caractérise notre « société de surconsommation » et d'autre part, par l'intensité de la lutte qui transforme l'existence en compétition. Dans cette compétition, les gros sont handicapés de toute évidence. Cela me rappelle une comptine enfantine que l'on chante pour se moquer des enfants trop gros :

*Le gros et le maigre faisaient la course*
*Autour de la taie d'oreiller ;*
*Le gros tomba et se cassa le nez,*
*Et c'est le maigre qui a gagné.*

La compétition de l'existence, c'est la lutte contre la mort et, là aussi, il semble que les gros soient désavantagés. Se préoccuper de sa ligne est une manifestation d'un désir de jeunesse et une expression de notre peur de vieillir. Devenir vieux est considéré comme une malédiction et un désastre. Comme vieillir est un processus naturel de notre organisme, l'impression d'une fatalité inévitable pèse sur toute personne désespérée qui essaie de s'agripper à la jeunesse. On peut jauger le désespoir de notre société au fait que la jeunesse est devenue sa valeur suprême.

La minceur implique d'autres attributs désirables : un corps long et mince, à la tête petite, au cou long et étroit et aux épaules tombantes semble exprimer l'élégance, le raffinement et un maintien aristocratique. Dans sa pièce *La Chatte sur un toit brûlant*, Tennessee Williams fait traiter dédaigneusement par l'actrice principale, les enfants de sa belle-sœur de « monstres sans cou ». On associe souvent un cou épais à la grossièreté, à un type paysan et vulgaire. L'absence de cou nettement dégagé (voir le personnage d'Aldo, fig. xv) frappe comme quelque chose de monstrueux. Mais un cou anormalement long a également quelque chose d'inhumain. Bien que cela soit admiré dans notre société, une pareille ossature indique que l'on est au-dessus de son corps et qu'en réalité on le rejette. Le raffinement peut être poussé jusqu'à l'excès. La santé émotionnelle ne se rencontre jamais aux extrêmes. Un corps mince peut être tout aussi bien qu'un corps trop gros, le signe d'un trouble du métabolisme énergétique. Entre ces deux extrêmes, on trouve ceux qui vivent pleinement dans leur corps, et dont le corps est pour eux une source de plaisir.

Lorsqu'on fait des efforts pour suivre un régime, c'est que l'on recherche une allure élégante et l'impression d'être élégant. Personne n'aime être lourd, ni se sentir alourdi. Lorsqu'on ressent son corps comme un poids, la première chose qui vient à l'esprit est en général de jeûner. Réduire le poids du corps permet un meilleur équilibre entre sa masse et l'énergie dont il dispose. Toutefois, le vrai problème n'est pas le kilo supplémentaire, mais le manque d'énergie. C'est ce manque d'énergie qui est à l'origine des sentiments de fatigue, de dépression et de passivité dont souffrent tant de personnes. C'est également le problème de la personnalité schizoïde.

Au niveau psychologique, la discordance entre la masse et l'énergie est reflétée par l'impression qu'un esprit jeune est pris au piège dans un corps vieux et étranger. Le corps semble lourd, gonflé et hors de proportion avec l'impression intérieure de jeunesse. Au niveau émotionnel, l'individu est pareil à un enfant qui ressentirait comme un fardeau son corps d'adulte. Quoi de plus naturel que de réduire ce fardeau en se mettant au régime ? Mais cela ne marche pas. La nécessité biologique, c'est de mobiliser le corps grâce à des activités physiques agréables et à une façon de respirer adéquate. Au niveau psychologique, on doit s'identifier avec son corps et parvenir à la maturité émotionnelle.

La satisfaction que l'on tire d'un régime peut aussi s'expliquer par l'identification de la mère à la nourriture. Le rejet de la nourriture équivaut à un rejet de la mère. Suivre un régime fournit donc l'occasion d' « actualiser » de façon symbolique son hostilité contre la mère. Mère = nourriture = corps. La vogue actuelle des régimes n'exprime pas seulement le souhait d'échapper à la matérialité et à la possibilité de mourir du corps, elle reflète également le rejet actuel des mères étouffantes.

### *Dormir*

Les expressions *un profond sommeil* et *tomber de sommeil* suggèrent que le processus d'endormissement implique de descendre d'un niveau vers un autre. Ces deux niveaux sont, bien sûr, la conscience et l'inconscience. On peut se demander pourquoi on a rattaché au processus d'endormissement un verbe tel que « tomber » qui dénote un déplacement spatial vers le bas. Est-ce un vestige de l'existence arboricole primitive de l'homme ? George Shallop souligne dans *The year of the Gorilla* [51] qu'il n'est pas rare que le gorille tombe de son nid pendant la nuit. Mais le nid du gorille n'est qu'à trois mètres du sol, et l'animal ne semble pas souffrir de cette expérience. Toutefois, pour d'autres primates qui vivent et font leur nid au sommet des arbres, la menace de chute présente un danger plus grave. Il se peut que la peur de la chute soit chez l'homme un report atavique du stade primitif. Le nourrisson humain a encore à la naissance la capacité de rester suspendu par les mains. C'est peut-être le fait qu'il perde ce réflexe en quelques jours qui constitue la base biologique de la peur de la chute.

Pour éviter de tomber pendant qu'il dort, le singe construit un nid. Nos lits sont peut-être des transformations idéalisées des nids arboricoles. Il semble que nous ayons également transféré sur le lit la peur de tomber du haut d'un arbre. Le rêve de chute est sans doute le plus fréquent des rêves d'anxiété. Ces réflexions peuvent esquisser une base phylogénétique à l'association entre le sommeil et la peur de tomber. Elles n'expliquent cependant pas pourquoi on décrit le processus d'endormissement sous la forme « sombrer dans le sommeil ». Revenons à l'idée selon laquelle la descente est un déplacement spatial dirigé vers le bas, à l'intérieur même du corps.

Dans les philosophies anciennes, le corps était divisé en deux zones. La moitié supérieure, au-dessus du diaphragme, était reliée à la conscience et au jour ; et la moitié inférieure, au-dessous du diaphragme, appartenait à la nuit et à l'inconscience. Le lever du soleil, amenant la lumière du jour, correspondrait à un flux de sensations physiques qui se déplaceraient de la région abdominale vers la tête et la poitrine. Ce flux ascendant de sensations ramènerait l'homme à la conscience. L'inverse se produit pendant l'endormissement. Le coucher du soleil correspondrait à la migration des sensations physiques de la moitié supérieure du corps à la moitié inférieure, en dessous du diaphragme. Ce concept permet de s'expliquer l'utilisation des termes : « sombrer dans le sommeil » et « tomber de sommeil ». Se réveiller donne souvent l'impression d'émerger des profondeurs, d'accomplir une ascension.

Lorsqu'on s'assoupit, on éprouve une impression de lourdeur

dans les yeux, la tête et les membres. On a besoin de faire un effort pour garder les yeux ouverts ou tenir la tête haute. On a l'impression de ne plus être soutenu par ses jambes. On bâille. On interprète en général le bâillement comme un besoin d'oxygène, puisqu'il s'accompagne d'une ou deux respirations profondes. Mais c'est aussi un moyen pour le corps d'essayer de détendre les muscles de la mâchoire pour faciliter la relaxation de l'ensemble du corps. La vigilance diminue quand on s'assoupit parce que la sensibilité quitte la périphérie du corps, c'est-à-dire les organes des sens et la musculature. Lorsque la vigilance persiste à cause de la situation d'alerte, l'assoupissement ne continue évidemment pas.

On perçoit la transition entre l'assoupissement et le sommeil comme une « plongée » de la tête vers le corps. Au premier stade de cette transition, on prend conscience de son corps. On ressent sa lourdeur, c'est-à-dire son existence réelle et sa masse. On prend conscience de ses jambes et de ses pieds, et très souvent de ses douleurs. La respiration devient plus profonde et plus unifiée. Elle se rapproche de celle du nourrisson ou de l'animal.

Au second stade, on perd plus ou moins graduellement la conscience de son corps. Cette perte part de la périphérie pour s'étendre ensuite à l'ensemble du corps. L'image du corps s'évanouit. Si le sommeil n'arrive pas rapidement, on peut prendre conscience de ses organes internes, du cœur en particulier, et en ressentir la pulsation dans différentes parties du corps. Ces sensations peuvent s'aviver au fur et à mesure que la sensibilité et l'attention délaissent la périphérie du corps pour l'intérieur. A un certain stade de ce processus, la lumière de la conscience s'éteint et toute perception cesse.

L'anxiété qui empêche de s'endormir prend souvent naissance à un moment quelconque de ce second stade. Elle paraît être liée d'une part à l'affaiblissement de la conscience et à l'impression de sombrer, et d'autre part à la perception des organes internes. De nombreuses personnes semblent prendre l'impression de sombrer et la prise de conscience des battements de leur cœur ou de leur pouls pour un signal de danger, et cela les fait rester vigilantes. Cette vigilance fixe l'attention sur ces sensations physiques internes, qui sont amplifiées par la tranquillité nocturne au point de produire l'impression d'une clameur interne. Le sommeil reste impossible tant que cette clameur persiste.

Tous les insomniaques n'éprouvent pas ces impressions au cours de leurs nuits sans repos. Pour éviter l'anxiété qu'ils ont ressentie à semblable occasion ils luttent inconsciemment pour ne pas se laisser sombrer dans leur corps. Ils s'agrippent à la conscience, sans s'en rendre compte, et l'anxiété se transforme en peur de ne pas arriver à s'endormir. Comme toute anxiété constitue un signal de danger, ce signal va lui aussi entretenir la tension physique et la vigilance.

Comme le souligne Erich Neumann [52], c'est le développement de la conscience qui crée les catégories du jour et de la nuit, de la lumière et de l'obscurité, de l'esprit et du corps. C'est la conscience qui engendre le Moi, et celui-ci s'associe au jour, à la lumière et à la conscience, alors que les concepts antithétiques de nuit, d'obscurité et d'inconscient deviennent des attributs du corps. Lorsque le Moi se dissocie du corps, il cesse de s'identifier au corps et s'érige en représentant du Soi. Le corps, avec ses attributs de nuit et d'obscurité, devient le non-Soi ou la mort. La plongée dans l'inconscience du sommeil devient une descente symbolique vers la tombe. Le naufrage de la conscience réveille la peur de la mort et active les préoccupations au sujet de la mort qui sont au cœur du désordre schizoïde.

L'une de mes patientes relata un rêve de cette façon : « Je ressentis fortement la réalité de la mort — et cela signifiait pour moi être descendue dans la terre et rester là jusqu'à ce qu'on se désintègre. »

Puis elle ajouta : « J'ai réalisé que cela m'arriverait, comme à tout le monde. Quand j'étais petite, je n'arrivais pas à m'endormir parce que j'avais peur de mourir pendant mon sommeil et de me réveiller dans un cercueil. J'aurais été prise au piège : plus d'issue. Dans le rêve, j'avais tellement peur que j'ai pensé devenir folle. A ce moment-là, je me suis réveillée. »

Les rêves de mort ou d'agonie ne sont pas rares. Tout être humain porte avec lui la conscience de cette éventualité de la mort. Mais cette connaissance de la possibilité de mourir n'engendre pas l'anxiété lorsque l'instinct et la sensibilité à la vie sont forts. Quand la formation d'impulsions est réduite ou faible, comme c'est le cas dans la personnalité schizoïde, l'anxiété engendrée par l'affaiblissement de la sensibilité se fixe sur l'idée de la mort. Ce qui est naturel, puisque la mort, c'est justement la perte de toute sensibilité. Le schizoïde compense cette peur en mettant l'accent — d'une façon exagérée — sur la conscience et sur le Moi. La conscience du Moi ou l'égotisme deviennent un substitut à la sensibilité du corps.

On peut interpréter le rêve d'une autre façon, qui complète son évidente signification. Le sommeil est un retour symbolique à la matrice, une régression au stade originel d'inconscience qui inclut aussi l'idée de mort, de sorte que la matrice et le tombeau sont deux images reliées l'une à l'autre. On peut donc interpréter l'image du rêve (où elle se réveillait dans un cercueil) de la patiente en la supposant prise au piège dans la matrice — sans issue — au cours d'un spasme utérin qui aurait réduit l'apport d'oxygène au fœtus. Le manque d'oxygène, comme nous l'avons souligné plus haut, est également la base physiologique de la panique. Un adulte décrit la panique par la formule : « ... être pris au piège, sans issue. » Tous les organismes réagissent par de la panique à l'impression d'être pris au piège, et toutes les réactions de panique provoquent la détresse respiratoire. Cette relation explique pourquoi le schizoïde, qui reste toujours près de la panique parce qu'il ne peut pas respirer de façon complète, rêve qu'il est pris au piège et pourquoi le piège s'associe à la matrice et la matrice à la tombe.

C'est l'existence dans les limbes qui constitue un balancement entre la vie et la mort. C'est la condition typique du schizoïde, ni « ici » ni « là », ni nourrisson ni adulte, non enraciné dans la réalité, mais s'accrochant désespérément à la conscience. Pour le schizoïde, la journée est une lutte pour survivre, mais la nuit évoque les terreurs inconscientes. Celles-ci se manifestent souvent sous la forme de cauchemars, lorsque le censeur qui veille à la santé mentale relâche sa vigilance et que les sombres forces du corps l'emportent. Par moments les patients disent qu'ils ont peur de s'endormir à cause de leurs terribles cauchemars. Mais il y a plus terrifiant que le cauchemar (horreur que l'on peut visualiser) : c'est de plonger dans l'inconscience et l'inconnu.

La peur de l'inconnu vient de la peur qu'éprouve le Moi envers le corps et ses mystérieux processus. Chez l'animal, dont le Moi n'est pratiquement pas développé, la peur de l'inconnu et la peur de s'endormir n'existent pratiquement pas. L'animal vit au niveau de son corps, dans la béatitude de son ignorance de la mort. L'être humain, qui souffre de la conscience qu'il a de lui-même et de sa connaissance de la mort, fait une équivalence au niveau inconscient entre la condition animale et le paradis. Il désire retourner à cet état de béatitude, tout au moins dans le sommeil, mais la voie lui en est barrée par la peur de son corps et sa panique à l'idée que le Moi perde le contrôle. Plus une personne est aliénée par son corps, plus elle aspire à la douce amnistie d'un profond sommeil, mais plus la transition entre l'état de veille et le sommeil l'effraie.

Toute activité qui permet un contact plus intime avec son corps encourage le transfert du contrôle qu'exerce le Moi sur le corps. Bien entendu, une expérience sexuelle satisfaisante constitue le plus naturel et le meilleur des soporifiques. Chez une personne saine, le sommeil suit immédiatement l'orgasme si l'activité sexuelle a lieu pendant la nuit. Et le sommeil qui suit des rapports sexuels satisfaisants est en général profond et réparateur. Si des rapports sexuels satisfaisants ont ce résultat, c'est parce qu'ils permettent d'établir un meilleur contact avec le corps et de transférer la sensibilité à la partie inférieure du corps. La masturbation joue le même rôle lorsqu'elle est satisfaisante, surtout chez quelqu'un de jeune. De la même façon, l'allaitement endort l'esprit du nourrisson grâce aux sensations de plaisir physique qu'il lui procure. Le nourrisson nourri au sein s'endort facilement, la bouche encore sur le mamelon, se sentant en sécurité dans son corps et dans son contact avec sa mère.

Chez un adulte, les sensations de sécurité et de chaleur éprouvées par le nourrisson lorsqu'il est près de sa mère sont fournies par un contact agréable avec son propre corps. Comme les activités physiques facilitent ce contact, elles facilitent souvent le processus d'endormissement. J'ai encouragé certains patients à accomplir quelques exercices physiques simples avant d'aller se coucher pour leur permettre de surmonter leur dépendance des somnifères. Ce qui est important dans ces exercices, c'est d'approfondir et de régulariser la respiration. On détend ainsi le corps en lui procurant des sensations agréables. Dans la plupart des cas, ce simple procédé permet au patient de s'endormir facilement. Très souvent, un simple exercice de respiration, lorsqu'on est étendu sur le lit, suffit. Toutefois, on peut conseiller de telles techniques de respiration à ceux qui n'ont avec leur corps qu'une identification limitée et qui pourraient être pris de panique dès les premières sensations physiques. Pour ceux-là, il vaut mieux un programme modéré d'exercices. Bien entendu, ces techniques thérapeutiques simples sont insuffisantes pour le désespéré.

La peur de tomber, que ce soit la peur de tomber d'une hauteur ou la peur de tomber dans le sommeil, est liée à la peur de tomber amoureux. Le facteur commun de ces trois peurs, c'est une impression d'anxiété à l'idée de perdre le contrôle total de son corps et de ses sensations. Au cours de l'analyse, on s'aperçoit fréquemment que le patient qui présente l'une de ces trois anxiétés est sensibilisé aux deux autres. Lorsqu'on est amoureux, le Moi abandonne son pouvoir à l'objet d'amour et lorsqu'on dort, il l'abandonne au corps. Un adulte sain fait bon accueil à ces deux expériences parce que ce sont des expériences agréables. La peur de l'amour vient, comme la peur du sommeil, de l'anxiété qui accompagne chez le schizoïde l'abandon du

Moi ou la plongée du Soi. Lorsqu'on est amoureux, le Soi descend de la tête vers le cœur.

De tels déplacements de sensations physiques, qui font souvent à l'adulte l'effet d'un plongeon, sont le délice des petits enfants qui recherchent ces sensations sur les balançoires et autres jeux similaires. Un enfant sain adore être lancé en l'air et rattrapé par les bras de ses parents.

# 11

# Causes et origines

Si l'on fait allusion à l'une des caractéristiques physiques d'un patient, il répond souvent que la caractéristique en question est un trait familial. Le patient peut par exemple remarquer : « Ma mère et ma grand-mère ont aussi les jambes courtes et les cuisses épaisses. Ce doit être héréditaire. » Certains facteurs héréditaires déterminent sans aucun doute, dans une certaine mesure, l'apparence physique. Les enfants ont tendance à ressembler à leurs parents, toutefois cette ressemblance peut aussi être due — au moins en partie — à une identification au parent. Le fils est parfois l'image exacte de son père, ou la fille l'image exacte de sa mère. De tels cas semblent apporter la preuve que la personnalité a une base héréditaire. On remarque toutefois que ces sosies ont également des idées communes et des schémas de comportement similaires, ce que l'on ne peut expliquer par les concepts actuels sur l'hérédité.

Le rôle de l'hérédité dans la détermination de la constitution physique est difficile à évaluer. La constitution physique n'est ni fixe ni immuable. Au cours de son développement, le corps est soumis à d'innombrables influences extérieures qui agissent sur lui et modifient ses caractéristiques, sa façon de s'exprimer et sa motilité. Tout comme la nature du sol, la pluviométrie et le taux d'ensoleillement conditionnent la croissance d'un arbre, la qualité des soins reçus par un enfant va avoir une influence sur l'ensemble de son développement. Tout ce qui lui arrive pendant ses années de formation, alors qu'il dépend totalement de ses parents, va conditionner ses réactions d'adulte.

Le conditionnement a pour résultat de fixer les schémas de réponses neuromusculaires à des stimuli donnés. C'est par l'amélioration de la coordination et du contrôle musculaire que l'on apprend comment agir et comment ne pas réagir. A la longue, ces contrôles deviennent automatiques. La réponse conditionnée devient une réaction inconsciente et finit par constituer une attitude caractérologique de comportement. Le caractère, au sens d'un schéma rigide de comportement, est donc déterminé par la quantité et la qualité des contrôles imposés à l'activité musculaire. Les muscles soumis à ces contrôles inconscients sont « tendus de façon chronique, contractés de façon chronique et fort loin de la perception [53] ». W. Reich utilisait le terme de « cuirasse [54] » pour décrire la fonction et l'effet de ces muscles spasmodiques au niveau de la personnalité. Se construire une cuirasse musculaire est une défense contre l'environnement externe, mais c'est aussi un moyen de tenir refoulées les impulsions dangereuses. Au niveau fonctionnel, le caractère est alors l'équivalent de la cuirasse musculaire.

La biologie nous enseigne que la forme des os peut être modifiée par la poussée des muscles qui s'y attachent. La formation osseuse est un processus permanent dans un organisme vivant ; c'est au cours des premières années que ce processus est le plus actif, mais il ne cesse jamais complètement. Ainsi, la constitution physique se modifie constamment, reflétant les tensions musculaires auxquelles le corps est soumis. C'est ce qui justifie que l'on tienne compte de la constitution physique dans l'analyse de la personnalité. L'observation du corps fournit également une base aux tentatives de modification de la constitution physique par la détente des tensions musculaires chroniques.

Si l'hérédité n'est pas responsable des tensions musculaires, on ne peut la blâmer pour les troubles qui engendrent l'état de contraction chronique de ces muscles. C'est dans les conditions de vie de la petite enfance du schizoïde que l'on doit rechercher l'origine et les causes de sa limitation respiratoire, de sa motilité réduite et de sa rigidité physique. Jusqu'où remonter dans l'existence d'un individu pour retrouver les facteurs constitutionnels qui l'ont prédisposé à ce trouble ? Jusqu'à l'utérus, car on ne peut ignorer l'effet des influences prénatales si l'on veut comprendre l'étiologie de la structure schizoïde. La constitution, c'est-à-dire les caractéristiques physiques fondamentales, existe déjà à la naissance.

### *Facteurs constitutionnels*

On a dit plus haut que le schizoïde a une constitution asthénique, c'est-à-dire qu'il a une allure élancée et un faible développement musculaire. Le terme « asthénie », dont dérive « asthénique », a le sens de faiblesse et de débilité. Il y a chez la personnalité schizoïde une faiblesse fondamentale que l'on retrouve chez tout schizoïde, quel que soit son type de constitution physique. Cette faiblesse consiste en l'incapacité à mobiliser son énergie et sa sensibilité pour satisfaire ses besoins. Quelle que soit sa force apparente, le schizoïde est dépourvu de l'énergie qui lui permettrait d'adopter une attitude agressive envers le monde extérieur.

Le manque d'agressivité de la structure schizoïde est dû à la « congélation » de sa sensibilité et de sa motilité. Je me suis souvent référé au fait que la constitution schizoïde est « figée ». Ce mot décrit le facteur constitutionnel dc la structure schizoïde de façon plus précise que le terme « linéaire » employé par Kretschmer, et de façon plus complète que le terme « faible ». C'est la motilité naturelle de l'organisme qui est figée, et ceci dans les cas même où « l'actualisation » des tendances négatives et destructrices constitue le schéma de comportement dominant. On doit interpréter ces tendances comme un effort désespéré pour se libérer de la tension interne et de la contrainte qui ont été imposées par une « congélation » antérieure, celle qui a eu lieu alors que l'organisme était encore dans l'utérus.

Au chapitre 3, j'ai attribué l'état figé du corps schizoïde à la terreur intérieure. Il est significatif que cette terreur n'ait ni nom ni forme, et soit associée à l'obscurité. Au cours de l'analyse de nombreux schizoïdes, je n'ai pu découvrir aucune expérience qui puisse avoir inspiré une telle terreur. On peut donc supposer que cette terreur vient des expériences intra-utérines qui sont « sans nom et sans forme ».

Les recherches actuelles sur l'étiologie de la schizophrénie se sont fortement concentrées sur le milieu familial. On a étudié de façon extensive les personnalités du père et de la mère et l'interaction entre eux. Clausen et Kohn notent que les premiers auteurs qui aient traité ce sujet décrivaient les mères d'enfants schizophrènes comme « froides, perfectionnistes, anxieuses, hyper-répressives et restrictives —

ceci impliquant un type de femme incapable d'offrir à son enfant un amour et une acceptation spontanés [55] ». Hill remarque que les mères des schizophrènes sont ambivalentes et ont tendance à se figer dès que l'on mentionne quoi que ce soit de déplaisant [56].

Il semble que le sujet le plus déplaisant pour ces mères, et qui les pousse le plus souvent à se figer, soit la sexualité. Lors de mes entretiens professionnels avec elles, j'ai constaté chez elles de l'immaturité sexuelle et de l'hostilité envers l'homme, bien que ces attitudes soient souvent masquées par une façade de sophistication sexuelle. Hill a montré que dans la plupart des cas « la mère était frigide, ou manquait de maturité, qu'elle était incapable d'intimité psychosexuelle adulte avec autrui, et ne pouvait la tolérer [57] ». Hill note aussi qu'elles étaient dominées par leurs propres mères « qui rejetaient les hommes et la sexualité [58] ». Deux autres chercheurs s'intéressant à ce problème, M. J. Boatman et S. A. Szurek, décrivent ces mères comme étant froides et apathiques au niveau sexuel, et se déclarant « très craintives et inhibées » à l'idée d'avouer un désir sexuel quelconque à leur mari [59]. Beaucoup d'entre elles étaient alcooliques, d'autres s'adonnaient aux tranquillisants ou aux somnifères.

La faille fondamentale de la personnalité de ces mères consiste à rejeter la réalité. Elles sont prises dans leurs propres conflits, qu'elles ne peuvent résoudre. Préoccupées par leur désespoir, elles réagissent vis-à-vis de l'enfant comme envers une image ou un objet. En de nombreuses occasions, j'ai interrogé à la fois la mère et l'enfant, et ils étaient parfois tous deux en traitement à la même période. J'ai toujours été surpris de voir à quel point la mère comprenait peu les difficultés de son enfant. L'enfant se plaignait invariablement d'un manque de compréhension et réagissait négativement envers sa mère pour cette raison. Hill a observé le même phénomène et en a tiré la conclusion que ces mères « n'ont absolument pas conscience de la réalité de leurs enfants [60] ».

Le schizoïde qualifie invariablement sa mère de « froide ». Ce qui ne veut pas dire que sa mère ne s'occupe pas de lui, mais que sa façon de s'en occuper est égoïste, ne tient pas compte des besoins du patient et manque de compréhension empathique vis-à-vis de ses émotions. Ma propre expérience de ce type de mères me laisse à penser qu'elles manquent de chaleur envers l'enfant. Je les ai vues se comporter de façon ouvertement froide et hostile à un moment, puis de façon coupable, anxieuse et empressée à un autre. Elles sont « surimpliquées » d'un côté et rejetantes de l'autre. Ces réactions viennent de la froideur émotionnelle de la personnalité de la mère, à laquelle l'enfant est perpétuellement exposé. On a de bonnes raisons de penser que, puisque la froideur fait partie de sa personnalité, l'enfant la supporte depuis l'utérus.

La personnalité schizoïde prend naissance dans un utérus « froid ». C'est un utérus dont la sensibilité s'est retirée au moment de la dissociation globale d'avec la partie inférieure du corps. Rendre le bas de son corps insensible constitue la contrepartie somatique d'une attitude sexuelle négative. Une femme qui a peur de la sexualité et qui est hostile aux hommes engourdit son pelvis pour réduire l'anxiété liée aux émotions sexuelles. Ceci constitue le mécanisme du refoulement sexuel, et il en résulte un état de tension du pelvis et de l'abdomen qui a un effet défavorable sur l'utérus. Les patientes qui présentent ce trouble constatent souvent qu'elles ont l'impression d'un vide au niveau du ventre et que cette impression disparaît lorsqu'elles sont enceintes. Le fœtus sert à remplir ce vide, mais il reçoit peu en retour. Il doit se développer sur un sol relativement nu qu'éclaire rarement la lueur de l'excitation sexuelle.

De telles conditions ont pour effet de diminuer l'énergie de la surface du corps du fœtus. Dans *Physical Dynamics of Character Structure* [61], j'ai comparé ce processus à la cristallisation d'une solution de sucre roux. Si la solution cristallise progressivement, on note que la couleur brune se concentre au centre tandis que la périphérie de la solution est faite de glace claire. Le centre garde également sa fluidité jusqu'à la fin puisque le froid pénètre de l'extérieur vers l'intérieur. C'est un phénomène similaire qui se produit pour l'embryon porté par un utérus « froid ». L'énergie libre de l'organisme se retire vers le centre, tandis que la peau et les structures périphériques se contractent. La musculature est particulièrement vulnérable parce qu'elle est proche de la surface et parce qu'elle est l'un des derniers systèmes d'organes à se développer. Ce qui se fige alors, c'est la motilité de l'organisme.

Malheureusement, les comptes rendus médicaux de la naissance ne laissent aucune place à la description de l'apparence physique et de la motilité du bébé à la naissance. Sans de tels comptes rendus, il est impossible de prouver la théorie avancée ci-dessus. En tant qu'interne et étudiant en médecine, j'ai assisté à un bon nombre de naissances. Il y a des différences qui sont parfois énormes entre les nouveau-nés. Certains sont replets, ils crient à pleine gorge, leur peau est ferme et claire. D'autres sont petits et ridés, ils ressemblent à des petits vieux. On doit les stimuler pour les faire respirer. Bien sûr ces derniers se développent bien lorsqu'on leur fournit les soins appropriés, mais on se demande comment évolueront leur personnalité. En se basant sur de telles observations, on peut dire que beaucoup d'attributs constitutionnels sont déjà évidents à la naissance.

De nombreux auteurs ont récemment attiré l'attention sur l'importance des facteurs prénataux dans le développement de l'organisme. L. W. Sontag énonce : « Cependant, si la constitution se révèle être un facteur étiologique de la schizophrénie, il n'est pas impensable que de telles modifications des caractéristiques fonctionnelles (...) puissent dans certains cas être influencées malencontreusement par l'environnement fœtal [62]. » Quant à Ashley Montagu : « Dans l'ensemble, les témoignages appuient en général l'hypothèse selon laquelle de fortes émotions chez les femmes enceintes peuvent affecter le fœtus de diverses façons. (...) Il est très possible que les attitudes maternelles d'acceptation, de rejet, ou d'indifférence envers la grossesse soient à l'origine de l'harmonie ou du manque d'harmonie du développement du fœtus [63]. »

Se fondant pour ses travaux sur des patients en état de régression, A. A. Honig est « enclin à penser que même les stimuli ressentis à l'état fœtal sont traumatiques. Les tensions psychosomatiques de la mère peuvent peut-être influer sur le nourrisson dans l'utérus [64] ».

L'hypothèse selon laquelle la prédisposition au trouble schizoïde aurait une origine prénatale éclaire plusieurs éléments importants de cette maladie.

1. Elle rend valide la théorie d'un facteur étiologique constitutionnel, sans en appeler à l'hérédité pour la justifier.

2. Elle explique le « repli dans l'utérus » que l'on rencontre souvent au cœur de ce trouble. Le terme « repli dans l'utérus » décrit les essais du schizoïde pour recréer dans la vie adulte un type de relations parasitiques et sa répugnance à « couper le cordon ombilical » qui l'attache à sa mère. Cette tendance est plus évidente chez les patients schizophrènes, mais elle existe dans une certaine mesure chez tous les schizoïdes. Elle indique une fixation au stade prénatal, inhérent au fait que les besoins de l'organisme n'ont pas été assouvis à ce stade. (Voilà qui laisserait supposer que les difficultés éprouvées par le schizoïde au niveau de fonctions aussi fondamentales que la succion et la respiration, viennent d'un développement peu harmonieux au cours de la vie prénatale.)

3. Elle fournit en outre une base plus solide à ceux qui

pensent que le trouble schizoïde est l'objet d'une déficience. Cette déficience n'est autre que le manque de chaleur physique dans l'utérus, et le manque de vibrations émotionnelles dans la vie postnatale.

4. Cette extension à la période de gestation de l'origine du problème schizoïde permet enfin de risquer certaines interprétations quant aux impressions du patient, qui resteraient illogiques sans cela. On peut, par exemple, supposer que la remarque suivante, faite par un patient, se réfère à la période prénatale : « J'ai peur. Ils veulent que je meure, mais je ne les laisserai pas faire. *(« Ils » est une vague référence à des forces inconnues.)* Je me sens sur mes gardes — j'attends qu'il se passe quelque chose. Quelque chose qui a un rapport avec l'obscurité. »

Le schizoïde dit souvent avec beaucoup de conviction que son problème est né de ses expériences intra-utérines. On peut ignorer de telles convictions en les traitant de fantasmes, mais se conduire ainsi, c'est refuser ce que ressent profondément le patient alors que lui-même lutte pour l'accepter. Jusqu'à preuve du contraire, je crois que l'on doit prendre sérieusement en considération ces observations des patients.

L'une de mes patientes fit une série de remarques intéressantes à cet égard. Elle mentionna d'abord sa relation à sa mère : « J'ai toujours eu des impressions bizarres à propos de ma mère. Je crois que son attachement pour moi était incestueux. » Elle ajouta : « Ma mère m'a raconté qu'elle ne pouvait pas supporter mon père sur le plan sexuel, mais qu'elle avait continué à vivre avec lui jusqu'à ce que j'aie douze ans. Je pense que nous gardons des souvenirs de la période prénatale, et j'ai toujours eu l'impression que ma mère avait essayé de se faire avorter lorsqu'elle m'attendait. Une tentative de ce genre affecte certainement le fœtus. L'apport de sang au fœtus doit subir une interruption. Lorsqu'on tente de se faire avorter, on se débarrasse émotionnellement de l'enfant, même si l'on n'y arrive pas physiquement. » Pendant la discussion qui suivit cette séance, la patiente dit qu'elle avait l'impression qu'un enfant qui est passé par une telle expérience en reste marqué pour la vie. Elle pensait que cela inflige à l'organisme une blessure profonde, qui laisse une plaie ouverte. Je ne pouvais exprimer ni accord ni désaccord. Nous n'avons aucun moyen de savoir comment le fœtus réagit dans l'utérus à un tel procédé ni quel effet cela peut avoir sur la personnalité future de l'enfant. Toutefois une chose était certaine dans ce cas précis. Cette patiente était profondément blessée ; sa personnalité s'était scindée en un esprit alerte, assez vif pour pouvoir affronter n'importe quel danger, et un corps sans vitalité qui lui faisait l'effet d'un fardeau. C'était une femme intelligente et sophistiquée, mais son développement émotionnel était celui d'une enfant. Lorsque je la vis, elle était dépassée par les difficultés de son existence. Son désespoir avait atteint un point tel qu'il lui semblait que la mort était la seule issue possible.

Il est difficile de concevoir qu'une tentative d'avortement puisse avoir un tel effet à long terme. Mais, dans ce cas comme pour d'autres, la tentative d'avortement était due aux difficultés personnelles de la mère. Cette dernière était une femme qui manquait de maturité et qui était irritée par l'intrusion de l'enfant dans la relation idyllique entre mari et femme. L'enfant n'était pas désiré et, plus que n'importe quelle tentative d'avortement, cela permet d'expliquer les problèmes de la patiente. Lorsqu'un enfant n'est pas désiré, sa mère est incapable de lui donner l'amour dont il a besoin et l'acceptation qu'il réclame. Comme le montrent ses paroles, la patiente se rendit compte dès le début de sa vie de ce manque d'acceptation. Il se manifeste par d'innombrables petits gestes, regards et intonations, auxquels l'enfant est particulièrement sensible. Ainsi, alors que le rejet de l'enfant peut commencer dès la vie prénatale, il se poursuit longtemps après la naissance de l'enfant. Une fois que la mère est devenu froide vis-à-vis de l'enfant, il est bien rare que cette attitude change au cours de l'existence de l'enfant.

L'enfant non désiré devient le dépositaire de la culpabilité de sa mère. La mère charge l'enfant de sa propre culpabilité pour s'en décharger elle-même. Dans le cas le plus fréquent, elle rend l'enfant responsable de ses propres problèmes et de son propre manque de bonheur. On entend bien souvent une mère crier à son enfant : « Tu ne m'apportes que des ennuis ! » L'enfant non désiré est particulièrement vulnérable à cette culpabilité. Comme l'enfant ne peut pas remettre en question les motivations de sa mère, s'il n'est pas aimé, il se croit responsable de cet état de fait.

L'origine du problème schizoïde se trouve dans l'ambivalence de la mère par rapport à son enfant. Elle le désire et elle ne le désire pas. Son attitude envers l'enfant varie selon les tensions de sa vie personnelle. Elle éprouve par moments des sentiments d'hostilité et de rejet, qui sont suivis à d'autres moments d'un désir apparemment manifeste de l'enfant. Ce désir, toutefois, est généralement motivé par l'image de la maternité et se fonde sur l'illusion de la mère qui consiste à croire qu'elle s'accomplira dans ce rôle. Quand l'ambivalence que ressent une femme vis-à-vis de sa grossesse se limite au stade conscient de sa personnalité, elle ne porte aucun tort à l'organisme qui se développe. Mais lorsque le conflit s'étend en profondeur dans la personnalité, c'est-à-dire quand il vient de ce que la femme rejette son corps et sa sexualité, le fœtus va en ressentir l'effet dans l'utérus.

Une femme réagit à sa grossesse comme elle réagit vis-à-vis de son propre corps. Aussi loin qu'aillent ses sensations, le fœtus fait partie de son corps. En tant qu'expression de sa féminité, il appartient à la partie inférieure de son corps. Le fœtus, l'utérus et la sexualité forment une unité indissociable. Dans la majorité des cas, le premier rôle de la grossesse consiste à dignifier l'aspect sexuel de la personnalité féminine. La mère éprouve une sensation initiale de bien-être qui vient de sa toute nouvelle acceptation d'elle-même. Toutefois, si l'on n'a pas résolu le conflit sous-jacent, il va faire intrusion dans cet état idyllique. Les impressions agréables disparaissent et la période de grossesse se transforme en un emprisonnement littéral. Si son désir d'avoir un enfant n'est pas sincère, la femme ne peut pas éviter d'avoir le sentiment d'être prise au piège et l'enfant ne peut pas éviter d'avoir celui de n'être pas désiré.

## *Facteurs psychologiques*

C'est dans l'utérus que se développe la prédisposition constitutionnelle à présenter une structure schizoïde, mais les forces qui vont lui permettre de se développer à l'âge adulte naissent de la psychologie des parents. L'enfant représente un symbole sexuel aux yeux de ses parents, et les réactions de ses parents envers lui vont être déterminées par leurs émotions et leurs attitudes, conscientes ou inconscientes, vis-à-vis de leur propre sexualité. Pour chacun des parents, l'enfant représente également l'autre partenaire. On entend souvent les parents se référer à un enfant comme à « ton » enfant plutôt que « notre » enfant. Pour évaluer les facteurs psychologiques qui peuvent intervenir dans les foyers perturbés, il est nécessaire de tenir compte des équivalences suivantes :

homme = pénis = sperme →<br>
femme = vagin = ovule → enfant

L'enfant constitue pour ses parents le résultat tangible de la sexualité qui a entraîné sa conception. Il va donc devenir la cible de toutes les émotions reliées à cette fonction dans l'esprit de ses parents. Ces émotions vont varier avec le type de relation qui existe entre les parents et, bien entendu, avec le sexe de l'enfant. Ainsi, les émotions liées au garçon ne sont pas identiques à celles qui se fixent sur la fille. La différence entre les deux attitudes s'exprime par la réaction qui accueille l'annonce du sexe du nouveau-né. Pour les mêmes raisons, le premier enfant n'est pas accueilli de la même façon que le second, le troisième, ou le quatrième. Si l'on admet ces différences de réactions, on peut comprendre pourquoi, à l'intérieur de la même famille, un enfant présente un trouble beaucoup plus grave qu'un autre enfant.

Les parents ont souvent du mal à comprendre leur rôle dans la genèse de ce trouble. Ils croient réagir de la même façon envers tous leurs enfants. Rien n'est plus faux, naturellement. Cette croyance conduit d'ailleurs l'enfant à se sentir responsable du non-établissement d'une bonne relation. Les parents pensent que puisqu'ils agissent de même envers tous leurs enfants, ils devraient obtenir d'eux les mêmes résultats. Ils ne veulent pas voir que ce n'est pas ce qu'ils font, mais la manière dont ils le font qui marque la différence entre l'acceptation et le rejet. La plupart des parents ne veulent pas ou ne peuvent pas voir l'importance des attitudes inconscientes auxquelles l'enfant est sensible.

Il est devenu évident, pour les chercheurs qui étudient l'arrière-plan familial des schizophrènes, que ceux-ci sont issus de familles dont les situations émotionnelles sont lourdes de conflits ouverts ou bien chargées d'une hostilité qui n'est pas exprimée. T. Lidz et S. Fleck n'ont pas trouvé une seule famille bien intégrée au cours de leur étude des familles de schizophrènes. Ils ont remarqué que « l'étendue et la puissance de pénétration de la pathologie familiale étaient surprenantes [65] ». Ces familles avaient souvent des problèmes sexuels, en particulier celui de l'inceste. Lidz et Fleck notent plus loin que « parfois, la peur qu'éprouve le patient que l'inceste puisse avoir lieu (s'il perdait le contrôle de lui-même) n'était pas délirante mais parfaitement justifiée [66] ».

Bien qu'il ne soit pas rare dans les familles des patients schizophrènes ou schizoïdes que l'un des parents ait un comportement ouvertement sexuel vis-à-vis d'un enfant, le facteur psychologique qui engendre le trouble schizoïde consiste en l'identification sexuelle inconsciente avec l'enfant. Dans ces familles, la mère considère son enfant comme l'image de sa propre sexualité. En essayant de se libérer de sa profonde impression d'humiliation à propos de la sexualité féminine, qu'elle considère comme soumise, dépendante et inférieure, elle projette ces caractéristiques sur l'enfant, espérant par là inverser sa propre expérience infantile et obtenir un pouvoir qui lui avait été refusé.

Cette projection est relativement facile si l'enfant est une fille. La similitude de sexe crée une identification inconsciente qui facilite le transfert des sentiments. La fille devient ainsi la personnification de la sexualité maternelle rejetée. La mère peut redouter l'enfant ou la mépriser, la rejeter ou la subvertir pour sa satisfaction personnelle. Elle va réagir envers sa fille exactement comme elle réagit envers sa propre sexualité, par des sentiments confus et ambivalents. Par ce processus, la mère et la fille s'identifient l'une à l'autre, et un lien s'établit entre elles qu'aucune des deux ne peut briser sans, tout au moins en principe, détruire l'autre.

Une mère subvertit son enfant (garçon ou fille) lorsqu'elle se montre ouvertement séductrice, créant entre elle et l'enfant une relation incestueuse. En général, cette séduction commence quand l'enfant est jeune. Toucher le corps de l'enfant et le tenir dans les bras procure à la mère des émotions érotiques. La remarque suivante, faite par une patiente, constitue un exemple extrême de ce type de comportement maternel : « Le bébé me plaît tellement ! Je pourrais toucher son pénis. Je pourrais prendre son pénis dans la bouche. Je pourrais embrasser son derrière, et même me glisser dans son anus. Bien sûr, je ne le fais pas. Et son odeur ! Il est tellement bien bâti. »

De telles impressions expriment que la mère s'identifie inconsciemment avec l'enfant. Il est ce qu'elle voudrait être, et elle voudrait soit l'avaler pour qu'il devienne une partie d'elle-même, soit pénétrer à l'intérieur de son corps et devenir une partie de lui. Ceci n'est pas seulement un désir incestueux de la part de la mère, mais constitue également un fantasme homosexuel par lequel elle prend possession de l'enfant comme s'il était sa propriété et le fait se soumettre à ses besoins à elle.

Lorsqu'une mère se montre distante, retirée et froide envers l'enfant, on peut interpréter ce comportement comme une défense contre ses sentiments incestueux et homosexuels inconscients à son égard. Hill fait la même observation au sujet de ces mères : « Elle rejette le garçon, la génitalité du garçon — peut-être à cause de l'envie et de la menace de l'inceste — et elle rejette la fille par déception et par peur de la rivalité [67]. » Mais, à un niveau profond, l'enfant connaît la raison de ce rejet. Inconsciemment, il perçoit le lien homosexuel et incestueux qui le relie à sa mère. Il est lié sexuellement à sa mère en même temps qu'il la hait et se sent plein de repentir envers elle. Il est pris dans l'ambivalence même qui caractérise l'attitude de sa mère.

Nous pouvons comprendre le dilemme de l'enfant si nous réalisons que les deux processus opèrent simultanément. S'éloigner de la mère séductrice risque de provoquer sa furie ; se tendre vers la mère rejetante risque de provoquer son anxiété et son hostilité. L'enfant est contraint d'adopter soit une attitude extérieure de soumission qui recouvre sa rébellion intérieure, soit la rébellion ouverte qui masque sa passivité intérieure. On peut s'attendre à ce qu'il y ait dans ce type de relations des éclats de rage et de violence. L'enfant répond à l'hostilité de sa mère par ses propres impulsions meurtrières. Toutefois, il est pris dans de tels conflits entre la haine et la dépendance, entre le refus et l'identification, qu'il peut en venir à se figer.

## *Le trauma de l'identification*

Le cas suivant illustre une bonne partie des problèmes discutés ci-dessus. Cette patiente, que j'appellerai Helen, était une jeune femme d'une trentaine d'années. Elle entreprit une thérapie parce qu'elle était incapable d'établir une relation stable avec un homme. Elle avait eu plusieurs liaisons successives, qui se rompaient l'une après l'autre parce qu'aucun des hommes ne pouvait répondre à ses attentes excessives. Helen était dans une profonde confusion au sujet de son rôle de femme et souffrait gravement d'anxiété. Son apparence faciale était typiquement schizoïde, son regard n'arrivait pas à se fixer et ses mâchoires étaient serrées avec défi. Son corps était harmonieusement développé malgré une piètre coordination des mouvements. Il y avait dans sa personnalité de nombreux traits paranoïdes : elle était hyperactive, loquace et volage.

Au cours de la thérapie, je demandai à Helen de détendre les mâchoires et de laisser tomber le menton. En exécutant ce mouvement, elle se mit à pleurer doucement et profondément. Elle remarqua : « Mon cœur a tant de peine, c'est insupportable. » Quand les pleurs diminuèrent, je lui suggérai de tendre les lèvres comme pour téter. « A quoi cela me servira-t-il ! s'exclama-t-elle. J'ai mendié de l'amour, mais je n'ai obtenu que des humiliations. »

Afin qu'Helen arrive à mieux libérer ses émotions, je lui fis adopter l'expression faciale de la frayeur. Elle laissa tomber la mâchoire inférieure, haussa les sourcils et écarquilla les yeux. Cette expression ôta son masque. Lorsque Helen l'adopta, elle fut prise de frayeur. Sa tête sembla se figer. Pendant un moment, elle fut incapable de bouger ou de crier.

« De quoi ai-je peur, se demanda-t-elle, lorsqu'elle arriva à détendre son visage. De ce que je pourrais voir ? De son regard ? Même maintenant je n'arrive pas à regarder ma mère dans les yeux. Il y a dans son regard quelque chose de haineux et de meurtrier. Et elle est folle. On ne peut pas fixer les yeux d'une folle sans avoir peur. Et pourtant, en même temps elle m'aimait. »

Après avoir fait ces observations, Helen se mit à trembler. Ses doigts et ses poignets devinrent froids et gourds.

« Je me souviens de la manière dont je la suppliais, je criais et je pleurais. Je crois que je la désirais plus que tout au monde. Nous jouions ensemble et elle faisait beaucoup de choses pour moi. C'était un enchantement. Mais elle était si triste. Je ne pouvais pas supporter sa tristesse. Je ne pouvais pas l'aider. Elle avait trop peur elle-même. Son regard était lointain. Elle me faisait terriblement peur.

« Je ne sais pas pourquoi je me sens si bizarre. Est-ce que l'on meurt d'un cœur brisé ? La schizophrénie, c'est une façon de mourir. On tue ce qui fait trop mal, afin de survivre. »

Helen était prise dans un tourbillon d'émotions qui la secouait brutalement. L'affection que lui portait sa mère était mélangée d'une tristesse que l'enfant ne pouvait pas supporter. C'était une relation qui balançait entre l'amour et la haine, la pitié et la terreur, l'espoir et le désespoir. La confusion, l'ambivalence et la bizarrerie que l'enfant perçoit chez sa mère perturbent sa propre intégrité. L'esprit d'un enfant ne peut intégrer des sentiments aussi contradictoires que la frayeur et la sympathie.

Helen m'avait raconté quelque temps auparavant que sa mère s'était fait avorter plusieurs fois avant de l'attendre.

« Ma mère avait peur jusque dans son ventre pendant sa grossesse. Elle m'a raconté qu'elle demandait à Dieu que je ne sois pas punie pour ses péchés. Elle avait peur que je naisse estropiée ou déformée. Elle m'attendait avec impatience. Elle avait beaucoup de tendresse, mais elle n'arrivait pas à l'exprimer par son contact. »

Une culpabilité aussi intense indique la gravité des troubles sexuels dont souffrait la mère. Incapable d'accepter sa propre sexualité, elle la projetait sur sa fille et s'identifiait à elle. Helen raconta que, lorsqu'elle avait six ou sept ans, sa mère lui mettait des culottes de soie et lui frisait les cheveux, malgré ses protestations. « Elle faisait tous mes vêtements à la main, commenta Helen, pour que j'aie ce qu'il y avait de mieux. »

Mais, au cours d'une séance ultérieure, Helen rectifia quelque peu ses propos : « J'ai dîné avec ma famille, et à ce moment-là j'ai réalisé qu'ils étaient répugnants d'égoïsme. Quelquefois ils vous donnent tout, et ensuite plus rien. C'était comme si je l'avais toujours su sans vouloir jamais l'admettre. Elle me donnait des choses, mais je lui servais d'outil. Elle me donnait de jolis vêtements pour que je plaise aux hommes. Elle se servait de moi pour faire des touches intéressantes. Elle arrivait toujours à en tirer quelque chose. »

Les remarques d'Helen expriment clairement l'identification de la mère à la sexualité de sa fille. Les parents ont de nombreuses façons de vivre par l'intermédiaire de leurs enfants, mais lorsque l'un des parents s'identifie à l'enfant au niveau sexuel, il est à l'origine du trouble schizoïde. A son tour, l'enfant est contraint de s'identifier à la mère qui projette sur lui ses émotions sexuelles refoulées. Cette identification force l'enfant à vivre en réponse aux besoins sexuels de la mère. Le rejet de son individualité détermine en effet chez l'enfant le trauma de l'identification, et il ne peut convenablement s'opposer à l'image parentale. La subversion de sa sexualité provoque également en lui des troubles de ce type, parce que ses parents le contraignent à satisfaire leur besoin. Enfin, il ne se trouve plus en possession de sa psyché, étant donné son état de dépendance vis-à-vis de son père ou de sa mère.

La relation d'Helen avec sa mère contenait un élément latent d'homosexualité, qui n'apparaissait que dans les rêves et les associations d'idées d'Helen. Elle raconta un rêve qui révélait cet élément.

« Depuis que je suis née, on m'a fait peur. J'ai souvent rêvé que ma mère avait un pénis. Il n'y a pas longtemps, j'ai refait ce rêve. Cette fois, du pus sortait de son pénis. Cela me donna envie de vomir. »

Helen associait à ce rêve l'impression que sa mère avait toujours essayé de la séduire, surtout à l'époque où elle lui donnait le sein. Le pénis d'où sort le pus est une translation du sein d'où coule le lait. Quand la mère introduit le mamelon de force dans la bouche de l'enfant, cela équivaut à introduire le pénis de force dans une ouverture. La mère qui assume un rôle agressif envers l'enfant actualise ainsi son identification masculine refoulée. Cette attitude force l'enfant à adopter une relation de type homosexuel passif avec sa mère. Helen se souvenait aussi que sa mère avait l'habitude d'aller la rejoindre dans son lit, et que cela l'irritait. Le schéma normal, c'est que l'enfant se glisse dans le lit de sa mère. Quand ce schéma est inversé, cela devient un acte séducteur, comme nous l'avons décrit au cours du chapitre 5.

Les relations qu'Helen entretenait avec les hommes étaient en tout point analogues à ses rapports avec sa mère. Chacune de ses liaisons était marquée par les ambivalences d'amour et de haine, de soumission et de révolte, de crainte et de sympathie, qui caractérisaient ses sentiments pour sa mère. Elle « hurlait » son besoin d'amour, mais il n'était jamais assouvi. Elle s'identifiait à l'homme comme elle s'était identifiée à sa mère ; elle n'était jamais un individu indépendant. Cette attitude introduisait un élément homosexuel dans ses relations. Evidemment, ses sentiments étaient confus et ses liaisons se rompaient. Elle établissait avec les hommes la même relation qu'avec sa mère, tandis qu'au niveau de l'imaginaire, elle recherchait son père, qui l'aurait protégée de la destruction.

Au cours de mon analyse de la personnalité schizoïde, j'ai remarqué que chaque patient, à un stade précoce de l'existence, s'est détourné de la mère pour aller vers le père, par besoin d'aide et de chaleur. L'enfant se détourne de la mère parce qu'inconsciemment, elle est anxieuse et hostile. Le père devient alors pour l'enfant un substitut de figure maternelle. Lorsqu'il se produit à un très jeune âge, ce phénomène crée un réel problème. Chacun de mes patients présentait une fixation orale sur le pénis que je ne peux expliquer qu'en supposant que le pénis est devenu un substitut du sein. Les raisons biologiques qui entraînent l'identification du pénis au sein sont exposées dans mon livre *Love and Orgasm*. Une fois que cette identification s'est établie dans l'esprit de l'enfant, il lui est facile de se représenter la mère avec un pénis.

Quand le phallus représente à la fois le sein et le pénis, on est pris dans un conflit insoluble. La fonction d'organe génital du phallus est gênée par sa signification symbolique de tétine. Son rôle de sein est entravé par son évidente fonction biologique. L'unité de la personnalité est scindée par l'excitation de deux niveaux antithétiques de fonctionnement, le niveau oral et le niveau génital. Comme l'organisation du Moi adulte repose sur la primauté de l'excitation génitale, elle s'affaiblit. Une femme présentant cette scission considère l'homme à la fois comme une mère et comme un homme. Elle attend de lui de l'aide et de la compréhension, tout autant que l'excitation génitale et l'assouvissement.

Malheureusement, les pères sont en général tout aussi perturbés au niveau émotionnel que les mères. Lidz et Fleck remarquent que, « tout comme les mères, ils sont tellement enchevêtrés dans leur propres problèmes qu'ils peuvent rarement assurer de façon adéquate l'essentiel du rôle parental [68] ». En fait, dans les familles perturbées, beaucoup de pères présentent des tendances féminines marquées, ce qui facilite le transfert des désirs oraux sur le père. Helen notait à propos de son père : « En face de ma mère, il ne pouvait pas arriver à être un homme. Mon père était comme une femme. Il avait même les seins pendants. »

La relation qui se développa entre Helen et son père était également incestueuse. Elle la décrivit comme suit.

« Mon père me faisait faire à peu près tout ce que je voulais. Nous faisions de longues promenades la nuit. J'étais presque toujours avec lui, et bien sûr, je dormais avec lui. Je me souviens de certains détails : par exemple, j'attachais ma chemise de nuit à son pyjama pour qu'il ne puisse pas me quitter au milieu de la nuit. Une telle situation se poursuivit jusqu'à ce que j'eusse mon premier béguin ; après, je ne le supportai plus. »

Helen dit que sa mère n'appréciait pas cet arrangement. Il s'était établi dans la famille une coutume singulière : Helen dormait avec son père et le frère d'Helen avec sa mère. Je demandai à Helen si elle avait éprouvé des émotions sexuelles envers son père.

« Je ne le pense pas, répondit-elle.

— Étiez-vous consciente, lui demandai-je, d'une quelconque émotion sexuelle de sa part ?

— Non. Il me serrait un peu comme un petit chat. Il n'y avait entre nous qu'une chaleur animale. J'aimais bien me sentir serrée contre lui. »

Quand Helen eut parlé, un sourire rusé apparut sur son visage. J'avais déjà remarqué plusieurs fois ce sourire au cours de la thérapie. Il me donna l'impression qu'elle cachait un secret. A ce stade, je l'interprétai comme l'expression de sa profonde connaissance des hommes, de ce qu'ils veulent et de la manière dont on peut les contrôler.

Une semaine après cette interprétation, elle me dit :

« Vous aviez raison la semaine dernière, quand vous m'avez indiqué que je voulais un homme qui m'aime pour moi-même et pas seulement pour mes fesses. Parce que c'est tout ce qu'ils veulent de moi. A la fin, je le leur donnais sans même qu'ils me le demandent, parce que je pensais qu'ainsi, ils m'aimeraient et il s'occuperaient de moi. Mais c'est ma mère qui aurait dû jouer ce rôle. Comme ce n'était pas le cas, je me suis arrangée avec mon père. Tout au fond de moi, je me suis toujours sentie exploitée par les hommes. »

Ce sourire révélait aussi l'intérêt d'Helen pour la sexualité, qui dominait sa personnalité. Elle tournait en rond : de l'oralité à la génitalité et vice versa, de la soumission à la révolte et vice versa, d'une figure maternelle à une figure paternelle et vice versa.

Helen raconta un rêve, qui revenait périodiquement et qui décrivait son dilemme.

« J'ai rêvé que j'allais voir mon dentiste — c'était Dieu. Il me dit : “ Tu es venue chez moi sans inquiétude et sans arrière-pensée, et je t'ai attrapée. Je t'ai attrapée parce que tu ne te tenais pas sur tes gardes. Tu ne mourras pas comme tout le monde. Tu ne connaîtras même pas la paix de la mort. Tu tourneras en rond, longtemps, à tout jamais. Tu ne connaîtras jamais de repos. ”

« Je savais que j'étais attachée à une enseigne de coiffeur : je pouvais voir les bandes en haut et en bas, et je n'arrêtais pas de tourbillonner. Je pleurais — j'ai même supplié : “ Je vous en prie, laissez-moi au moins mourir. ” Je me souviens de m'être réveillée en hurlant et en me débattant. »

L'enseigne du coiffeur est un symbole phallique évident. Helen était liée à sa sexualité d'une façon qui ne lui permettait ni évasion ni assouvissement. Ce type de sexualité reproduisait sa relation à son « père maternel » ; c'était une sexualité à la fois adulte et infantile, stimulante et excitante, mais incapable de permettre la détente orgastique. La formule *excitation sans assouvissement* devint le schéma de son activité sexuelle d'adulte. Helen était tourmentée et, dans son tourment, la mort semblait offrir la seule paix possible.

Le rêve indique aussi qu'Helen ne comprenait pas réellement ce qui se passait dans sa relation avec son père. Elle « n'était pas sur ses gardes ». Par ce biais, une partie d'elle-même restait pure et innocente. Elle n'était qu'une petite fille à la recherche de chaleur et d'aide ; mais, biologiquement, elle réagissait à la sexualité adulte. Son corps captait l'excitation sexuelle de son père, mais il ne pouvait pas fixer cette excitation sous la forme d'une tension génitale.

Deux tendances opposées étaient à l'œuvre dans la personnalité d'Helen. Elle était une petite fille innocente qui cherchait l'amour ; elle était aussi une catin qui savait ce que désirent les hommes et qui se servait de la sexualité pour arriver à ses fins. Ceci constitue une scission schizoïde typique que l'on rencontre très souvent dans les combinaisons suivantes : naïveté et libertinage, innocence et perversité, pruderie et lascivité. Helen était prise dans une autre situation antithétique : elle désirait le sein, mais elle était excitée par le pénis. En fait, elle avait besoin des deux à la fois : le sein pour satisfaire son désir infantile, et le pénis pour apaiser son excitation sexuelle. Elle était dans une situation inextricable et elle ne pouvait pas continuer à tourner en rond.

## *Sexualité et paranoïa*

Lorsque la personnalité est scindée, les émotions sexuelles sont vécues comme étrangères, compulsives et « mauvaises ». Le schizoïde ne peut pas s'identifier à ses émotions sexuelles parce qu'à l'origine, ce n'étaient pas les siennes. C'étaient les émotions de ses parents, qu'il a incorporées positivement. On n'incorpore pas une émotion par un procédé actif, cela ressemble davantage à un processus infectieux. Il suffit souvent de subir cette émotion. Par exemple, si l'on reste assez longtemps en contact avec quelqu'un de triste, il arrive souvent que l'on se sente soi-même triste. C'est comme si on était perméable à la tristesse, comme si on attrapait une maladie. On doit faire un effort pour arriver à s'en dégager. Mais il n'est pas facile pour un enfant de se dégager de l'atmosphère émotionnelle qu'il subit en permanence pendant ses premières années.

L'enfant schizoïde n'a qu'un seul recours : nier ses émotions, s'éloigner de ses sensations physiques et se dissocier de sa sexualité. Par cette manœuvre, l'enfant garde sa pureté d'esprit, en même temps qu'il abandonne son corps à son père ou à sa mère.

Dans une telle situation, le garçon cherche lui aussi à obtenir chaleur et acceptation ; il va se tourner vers le père pour essayer d'échapper aux projections et à l'ambivalence de sa mère. Si le père peut accepter ce rôle maternel sans porter atteinte à sa virilité, et s'il peut offrir amour et sécurité à l'enfant sans nier la valeur de la femme, il peut empêcher le développement d'une personnalité schizoïde chez l'enfant. Mais, en général, l'enfant est rejeté par le père, ou bien accepté seulement à titre d'essai. Le père peut rejeter le garçon qui est son rival et menace sa position déjà incertaine, ou bien il peut inclure l'enfant dans son acceptation passive de la situation. Dans la plupart des situations familiales, le père va hésiter à montrer de l'affection à un enfant rejeté par la mère, parce qu'il redoute d'entrer en conflit avec elle. Dans les foyers gravement perturbés, les parents ont une relation symbolique qui exclut l'enfant et le force à rester isolé.

La mère perturbée n'accepte l'enfant que lorsqu'elle a élaboré une image de l'enfant qui satisfait aux besoins de son propre Moi ; c'est cette image qu'elle accepte, et non l'enfant. Mais ce dernier va essayer de se conformer à cette image pour obtenir l'amour et l'acceptation dont il a besoin. Ainsi, un investissement libidinal secondaire se crée chez l'enfant, par l'intermédiaire de l'image superposée au rejet primitif. Une relation de ce type est fortement entachée d'émotions incestueuses et homosexuelles pour les identifications et les « services » mutuels. Dans une telle situation, le garçon encourt l'hostilité de son père en devenant « le petit garçon de maman ». Ce qui ne l'en détourne d'ailleurs pas, puisque ce type de relation à la mère semble satisfaire à la fois les tensions orales et les tensions génitales. Il est prisonnier du même dilemme que la fille qui a avec son père une relation possédant des implications sexuelles. Ce type de développement étaie les fondations des tendances paranoïdes de la personnalité.

On peut dire que le comportement paranoïde consiste à décrire un cercle. Au centre du cercle se trouve le symbole phallique, le sein ou le pénis (mère ou père). Le paranoïde n'ose pas tenter un mouvement agressif vers l'objet désiré et interdit. Sa manœuvre consiste donc à tourner autour de l'objet comme pour l'hypnotiser et à manipuler la situation pour obliger l'objet à venir vers lui. Autrement dit, il essaie de rendre l'autre responsable de l'acte qui va satisfaire ses besoins personnels. En même temps, il s'identifie au symbole phallique et renverse son rôle en assumant la position dominante du père ou de la mère. Cette manœuvre fonde les impressions paranoïdes d'omnipotence, de sensation d'être épié et de persécution. Elle le place au centre du cercle, objet de désir et d'envie, source de vie sur laquelle le monde s'interroge. Le paranoïde se sent tour à tour faible, indigne et tout-puissant, envieux et persécuté. Par moments, il a l'impression d'être un intrus, qui décrit le cercle ; à d'autres moments, il en est le pivot central, point de mire de tous les yeux.

Le paranoïde est obsédé par sa puissance sexuelle, sans laquelle il a le sentiment d'être inutile. Il actualise sa situation infantile, où il sentait qu'il avait le pouvoir d'exciter érotiquement sa mère. Une femme qui a, comme Helen, expérimenté sur son père les pièges de sa séduction, actualise cette situation dans ses relations avec les hommes.

Ces forces, qui se combinent de façon complexe, développent chez l'enfant la conscience du Moi et la sensibilité. C'est une réaction naturelle à une situation de danger. Dans ce cas, le danger réside dans l'ambivalence et la confusion des émotions parentales. L'enfant prend conscience de l'hostilité et de la culpabilité qui émanent de ses parents, sa sensibilité aux nuances émotionnelles augmente : c'est sa première ligne de défense. Ayant acquis cette sensibilité, il prend conscience de façon très fine, au niveau non verbal, des émotions sexuelles frustrées et des tendances perverses de ses parents. Cette conscience de la sexualité adulte est refoulée vers l'âge de sept ans, lorsque l'enfant se retire du triangle sexuel. Il garde cependant une sensibilité exagérée aux nuances émotionnelles cachées.

On peut comparer la maladie schizoïde à un état allergique : l'enfant s'est sensibilisé à l'inconscient d'autrui. Les enfants qui sont en sécurité dans leur relation avec leurs parents sont *autonomes*, moins conscients de la sexualité adulte, et ne sont pas prisonniers d'identifications qui usurperaient leur individualité.

# 12

# Retrouver son corps

ON ABANDONNE SON CORPS lorsqu'il cesse d'être une source de plaisir et de fierté pour ne plus amener que douleur et humiliation. On refuse alors de l'accepter ou de s'y identifier. On se tourne contre lui. On peut soit l'ignorer, soit essayer de le transformer en objet plus désirable en devenant plus gros, plus mince, etc. Cependant, tant que le corps reste un objet pour le Moi, il peut assouvir la fierté du Moi, mais il ne peut jamais procurer la joie et la satisfaction fournies par un corps « vivant ».

Un corps « vivant » se caractérise par une vie qui lui est propre. Sa motilité n'est pas sous le contrôle du Moi, elle se manifeste par la spontanéité des gestes et par la vivacité des expressions. Le corps tremble, vibre, rayonne. Il est chargé d'émotions. La première difficulté rencontrée chez les patients en quête de leur identité est qu'ils n'ont pas conscience du manque de vitalité de leur corps. Ils sont tellement habitués à le considérer comme un instrument ou comme un outil au service de l'esprit, qu'ils prennent son « étouffement » relatif pour l'état normal. Ils le mesurent et se comparent aux mensurations idéales, et ils ignorent totalement le fait que l'important, c'est ce que ressent le corps.

J'ai souligné à plusieurs reprises à quel point ils ont peur des sensations physiques. A un certain niveau, ils savent que leur corps est le dépositaire des émotions refoulées et, bien qu'ils aiment connaître plus dans le détail ces émotions refoulées, ils détestent les « rencontrer » dans leur chair. Mais lorsqu'on recherche désespérément son identité, il faut accepter l'éventualité de faire face à sa condition physique. On doit reconnaître le lien qui existe entre la condition physique et le fonctionnement mental, malgré le doute avec lequel on envisage une telle proposition. Pour surmonter ce doute, il faut ressentir les tensions physiques comme une limitation de la personnalité, et la décharge de ces tensions comme une libération de la personnalité. Découvrir que le corps a une vie qui lui est propre et qu'il est apte à se guérir lui-même constitue la révélation d'un espoir. Réaliser que le corps a sa propre sagesse et sa propre logique inspire un respect nouveau pour les forces de vie instinctives.

Chaque patient est confronté à cette conclusion : peut-il laisser ses émotions guider son comportement, ou doit-il les refouler au profit d'une approche rationnelle ? Les émotions ont, par leur nature même, un caractère irrationnel — ce qui ne signifie pourtant pas qu'elles manquent obligatoirement de pertinence. Les sources de l'irrationnel sont plus profondes que celles de la raison. L'irrationnel s'oppose toujours au raisonnable, parce que l'irrationnel est la voix du corps, alors que le raisonnable est la voix de la société. On peut illustrer la distinction entre les deux par le comportement du nourrisson. Ses demandes sont toujours irrationnelles. Si sa mère le porte contre elle pendant deux heures, on peut considérer que cela lui procure une quantité raisonnable de contact corporel, si l'on tient compte du fait que la mère a d'autres occupations. Mais le bébé ne raisonne pas. S'il a envie d'être porté plus longtemps et pleure quand on le recouche, son comportement est irrationnel parce que déraisonnable, mais parfaitement naturel en regard de ses émotions. Si le bébé était capable de supprimer soit les pleurs, soit le désir, sa mère le décrirait comme un enfant gentil et raisonnable. Mais le psychiatre y reconnaîtrait le début d'un problème émotionnel.

Celui qui rejette l'irrationnel nie le nourrisson qui est au fond de lui. Il a malheureusement appris que ça ne sert à rien de pleurer : ça ne fait pas venir maman ! Il demande peu à l'existence, parce qu'on lui a appris de bonne heure que ses demandes étaient déraisonnables. Il ne se met pas en colère, parce que la colère lui a toujours attiré des représailles. Il est devenu un « homme raisonnable », mais il y a perdu la motivation par le plaisir et la vitalité de son corps. Au cours de ce processus, il a développé une tendance schizoïde. Mais l'irrationnel fait irruption de façon perverse : il est sujet à de violentes rages, à des accès de dépression et à d'étranges compulsions. Il se sent détaché et en retrait par rapport à la réalité, ou bien dépassé et embrouillé.

Une personne saine ne refoule pas l'irrationnel en faveur du raisonnable. Elle accepte ses émotions, même quand elles vont à l'encontre de la logique apparente de la situation. Le schizoïde nie ses émotions, et le névrosé s'en méfie. C'est lorsqu'on nie l'irrationnel et lorsqu'on refoule ses émotions que l'on abandonne son corps.

L'irrationnel a le pouvoir impressionnant de nous émouvoir. Il est source de créativité et fontaine de joie. Toute expérience importante a ce caractère irrationnel, c'est pourquoi elle nous émeut profondément. Comme chacun sait, l'amour et l'orgasme sont *les* expériences émotionnelles que nous recherchons *tous*. Celui qui a peur de l'irrationnel a donc peur de l'amour et de l'orgasme. Il a également peur de laisser vivre son corps, de laisser couler ses larmes et de laisser sa voix se briser. Il a peur de respirer et peur de bouger. Lorsqu'on refoule l'irrationnel, il se transforme en une force démoniaque qui peut pousser le malade à la destruction. Dans la vie courante, l'irrationnel se manifeste par des mouvements involontaires — un geste spontané, un rire soudain, parfois même une crispation du corps au moment de s'endormir.

A notre époque, où la médecine fait des miracles, on oublie souvent que le corps possède l'aptitude naturelle à guérir spontanément. Nous en sommes très conscients lorsqu'il s'agit de maladies ou de blessures peu importantes. Les médecins comptent sur cette aptitude lorsqu'il s'agit de maladies ou d'opérations importantes. Dans la plupart des cas, la médecine essaie d'écarter les obstacles qui entravent ce fonctionnement naturel du corps. La maladie émotionnelle ne fait pas exception à ce principe. Le travail thérapeutique consiste à écarter les obstacles qui empêchent l'organisme de se libérer spontanément de ses tensions. C'est le principe qui sous-tend le processus psychanalytique. La technique des associations libres est un système qui permet au patient de prendre conscience des éléments irrationnels refoulés de sa personnalité. On espère que si le patient est capable d'accepter consciemment la partie irrationnelle de sa personnalité, il arrivera à réagir naturellement et spontanément aux situations qu'il rencontre dans l'existence. Cette idée est fausse : la prise de conscience d'une émotion ne rend pas forcément capable de l'exprimer. C'est une chose de reconnaître que l'on est triste, et ç'en est une autre que d'arriver à pleurer. Savoir que l'on est en colère n'est pas la même chose que se sentir en colère. Savoir que l'on a une relation incestueuse avec l'un des parents ne suffit pas : les émotions sexuelles refoulées restent verrouillées à l'intérieur du corps.

Quand j'étais petit, j'étais terrifié par les chiens. Pour m'aider à surmonter cette peur, mes parents m'achetèrent des chiens en peluche qu'ils m'encourageaient à cajoler et à caresser. Ils me disaient : « Tu vois : il ne mord pas. Il ne te fera pas de mal. » Ma terreur en a été sans doute diminuée, mais j'avais encore peur si un chien faisait un mouvement brusque vers moi. Je n'ai complètement surmonté cette peur que lorsque, une fois adulte, j'ai vécu avec un chien. A vivre avec l'animal, j'ai appris à lui faire confiance.

La peur du chien, c'est la peur de l'irrationnel. Beaucoup de gens pensent, comme ma mère, que l'on ne doit pas faire confiance à un animal parce que c'est une bête qui ne raisonne pas. Il est guidé par ses émotions et mû par ses passions ; son comportement est donc imprévisible. Au niveau de son corps, l'être humain est un animal dont le comportement est imprévisible du point de vue rationnel. Ceci ne veut pas dire que le corps, comme l'animal, soit dangereux, destructeur et incontrôlable. Le corps et l'animal obéissent à certaines lois, qui ne sont pas les lois de la logique. Ceux qui aiment les animaux les trouvent parfaitement compréhensibles. Si l'on vit en contact intime avec son corps, les émotions physiques paraissent parfaitement sensées.

J'ai traité récemment un jeune étudiant qui souffrait d'asthme chronique et qui avait toujours un atomiseur sur lui. A la plus légère difficulté respiratoire, il sortait son atomiseur. Cela lui arrivait jusqu'à vingt fois par jour, et parfois même la nuit. La première fois que je le vis, sa respiration était très superficielle, elle ne mettait en jeu que la partie supérieure du thorax. La région abdominale était très contractée et la poitrine très étroite. Avec de telles tensions, il lui suffisait de changer de salle de cours pour être pris de détresse. Le problème n'était pas de savoir si c'était la tension qui engendrait l'asthme ou l'asthme qui engendrait la tension, mais que tant que dureraient ces tensions, il resterait vulnérable aux difficultés respiratoires, quand il se trouverait en situation de tension émotionnelle.

Je dus encourager le patient, afin qu'il se libère de ses tensions, à respirer plus profondément et, en particulier, à pratiquer la respiration abdominale. Au cours des séances de thérapie, je lui fis prendre diverses positions qui l'obligeaient à adopter la respiration abdominale. De plus, je lui faisais frapper rythmiquement le divan de ses jambes quand il était allongé. Au début, ces activités provoquèrent de faibles réactions asthmatiques, dont le patient se défendit avec son atomiseur. Cependant, il devint rapidement conscient de ce que son recours à l'atomiseur se fondait plus sur l'anxiété que sur une réelle nécessité. S'il n'utilisait pas l'atomiseur, la difficulté respiratoire cessait spontanément en quelques minutes. Il comprit alors que l'impression de panique liée à la respiration était à la base de ses difficultés respiratoires.

Le patient semblait donc avoir peur de ne pas arriver à respirer en cas de tension émotionnelle. Mais, en réalité, il avait peur de respirer à cause des émotions que cela évoquait pour lui. Il souffrait aussi d'une grave anxiété sexuelle liée à sa culpabilité au sujet de la masturbation. Sa rigidité abdominale lui permettait de supprimer les sensations sexuelles ; il évitait ainsi la culpabilité et l'anxiété liées à ces sensations. Cette manœuvre avait entraîné le déplacement de l'anxiété de la région abdominale vers la poitrine. La respiration abdominale lui fit prendre conscience de l'anxiété et de la culpabilité primitives ; la libération de cette anxiété lui permit de détendre le ventre et de respirer profondément. La respiration du patient s'améliora graduellement, jusqu'à ce qu'il n'ait plus besoin d'atomiseur.

Le patient n'a pas conscience des tensions de son corps : voilà bien le premier obstacle au processus naturel de guérison. En l'absence de symptômes spécifiques, comme les maux de tête ou les douleurs lombaires, on ne ressent pas physiquement les tensions qui existent dans l'organisme, et on n'en a en général pas conscience. Nos mouvements font tellement partie de nous-mêmes que nous les considérons comme une chose établie. La première étape de la thérapie consiste à aider le patient à établir un contact avec les zones de tension spécifiques. Les patients commencent à ressentir physiquement leurs insuffisances, leurs incapacités et leurs faiblesses lorsqu'on leur fait prendre des positions de tension. Celles que j'utilise ont pour but de tester l'intégration et la coordination du corps. Par exemple, je demande au patient de se tenir debout, les pieds écartés d'environ soixante-quinze centimètres et tournés vers l'intérieur, les genoux aussi fléchis que possible, le dos arqué vers l'arrière et les mains sur les hanches. Cette position est illustrée par la figure XVII.

On peut prendre facilement cette position si l'on possède une bonne intégration et une bonne coordination physiques ; les genoux sont bien fléchis, les pieds reposent à plat sur le sol, la ligne du corps forme un arc parfait des talons à l'arrière de la tête, la tête et le buste sont droits, la respiration est abdominale et détendue et on se sent à l'aise.

Chez une personne émotionnellement perturbée, de nombreux signes indiquent la nature et la localisation des tensions. Si le corps est trop rigide, il ne peut pas s'arquer convenablement, et on ne peut pas fléchir complètement les genoux. Si l'on essaie de les fléchir davantage, le pelvis bascule vers l'arrière, et la partie supérieure du corps se penche vers l'avant. Par ailleurs, si le corps manque de tonus, il y a une cassure exagérée de l'arc dorsal. Dans les deux cas, la respiration abdominale est difficile, le souffle est forcé. Chez de nombreux schizoïdes, les tensions ne sont pas identiques des deux côtés du corps, et l'on remarque que le buste penche d'un côté tandis que la tête penche de l'autre. En cas de problèmes lombaires, on peut ressentir les douleurs au bas du dos. On a souvent tendance à tourner les talons vers l'intérieur lorsqu'on

*Figure XVII*

prend cette position ; la raison en est la spasmodicité des muscles fessiers, qui fait pivoter les cuisses vers l'extérieur. Si les pieds ne reposent pas sur le sol de façon correcte, on s'aperçoit que l'on manque d'équilibre. Les jambes peuvent trembler, violemment parfois, si les muscles sont trop tendus.

On utilise cette position en partant du principe selon lequel le corps fonctionne comme un arc dans de nombreuses activités. Le bûcheron qui abat sa cognée, le lutteur qui lance un coup long et le joueur de tennis qui fait un service, commencent par tendre leur corps vers l'arrière, comme un arc, pour obtenir l'élan nécessaire à la poussée vers l'avant. Mais c'est dans la fonction sexuelle que ce principe a le plus d'importance. Les mouvements sexuels, comme je l'ai souligné dans *Love and Orgasm*, sont également basés sur ce principe. Tout désordre qui empêche le corps de fonctionner comme un arc, diminue la capacité à atteindre une satisfaction orgasmique totale. Ceci est particulièrement vrai du corps qui est scindé entre sa partie supérieure et sa partie inférieure. Comme la puissance de nombreux mouvements physiques agressifs dépend de ce principe, ces perturbations réduisent l'aptitude aux actes agressifs.

Un arc ne peut fonctionner correctement que si ses extrémités sont solides. Pour le corps, ce sont les pieds et la tête. Quand le corps fonctionne comme un arc, le bas du corps s'ancre au sol par les pieds, tandis que le haut du corps est stabilisé par les muscles postérieurs du cou, qui assurent le maintien de la tête. En effet, on s'amarre à la réalité par les deux extrémités de son corps : en bas par le contact avec le sol, et en haut par le Moi. Ces deux points sont faibles chez le schizoïde. Si, après s'être arqué vers l'arrière, il frappe le divan de ses deux poings, ses pieds quittent souvent le sol au moment de l'impact. Au cours du traitement du problème schizoïde, il faut aider le patient à acquérir une meilleure perception de son contact avec le sol. La position montrée à la figure XVII permet au patient d'accroître la perception de ses jambes et de leurs tensions. On inverse cette position, comme sur la figure XVIII, pour ramener le patient près du sol et accroître la sensibilité de ses jambes.

La figure XVIII montre un patient courbé en avant. Tout son poids repose sur les pieds, qui sont écartés d'environ quarante centimètres, les orteils légèrement tournés vers l'intérieur. Les mains effleurent le sol pour assurer l'équilibre. Les genoux sont toujours fléchis dans cette position, bien que l'importance de la flexion puisse varier selon la tension que l'on veut imposer aux muscles des jambes. Cette position permet en général de détendre les blocages abdominaux, et la respiration devient abdominale. Le patient perçoit ses jambes et ses pieds avec beaucoup d'acuité, et il prend conscience des tensions musculaires des mollets et des jarrets. Il se rend compte de la nature de son contact avec le sol. Par exemple, il peut remarquer qu'il ne sent pas ses talons toucher le sol. Il peut s'apercevoir que ses pieds ne reposent pas à plat sur le sol à cause d'une contraction exagérée de la voûte plantaire. Il peut améliorer son contact avec le sol en faisant porter le poids du corps sur les pieds, et en étirant légèrement les orteils.

Lorsqu'on garde cette position, les jambes se mettent plus ou moins rapidement à trembler. Les sensations augmentent fortement

*Figure XVIII*

lorsqu'on tremble. Ce tremblement peut être léger ou violent, il peut se limiter aux jambes ou s'étendre jusqu'au pelvis. C'est toujours une expérience agréable, parce que c'est un signe de vie qui s'accompagne parfois d'une sensation de picotements dans les pieds et les jambes. La première fois que cela lui arrive, le patient demande toujours : « Pourquoi mes jambes tremblent-elles ainsi ? » Comme ce tremblement se produit chez tous les patients, plus rapidement chez ceux qui sont jeunes que chez les plus âgés, j'explique qu'il est dû à l'élasticité naturelle du corps, et que c'est sa façon normale de réagir à une tension. On peut comparer les vibrations du corps à ce qui se passe lorsqu'on fait démarrer une voiture. Le manque de vibrations indique que le moteur est mort. Un ronronnement bien régulier montre que tout fonctionne bien. Des vibrations brutales ou saccadées sont le signe que quelque chose va de travers. Tout ceci reste vrai pour le corps humain. Les vibrations sont un signe de vie. Des expressions comme « une nature vibrante », « se sentir vibrer », montrent que nous avons conscience de cette relation.

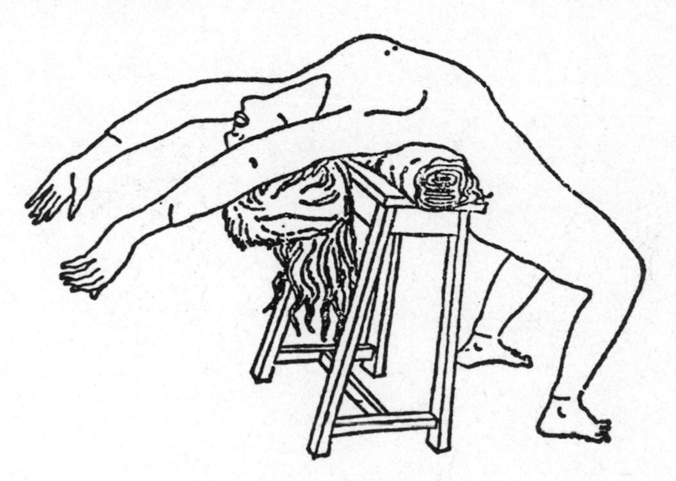

*Figure XIX*

On peut observer que, à mesure que la sensibilité des membres inférieurs augmente, la respiration devient plus profonde de façon spontanée. La respiration est une fonction agressive ; elle repose, chez l'adulte, sur le contact avec le bas du corps. Une fois ses jambes devenues vivantes et chargées d'énergie, le patient schizoïde vit son corps de façon différente. Il a l'impression d'avoir les pieds bien sur terre. Auparavant, il se déplaçait sur ses jambes ; ce sont elles, maintenant, qui l'entraînent. Voici comment un patient décrivait cette expérience.

« Je me suis senti tellement bien après la dernière séance. Je n'avais pas peur. Je sentais vivre mes jambes. Le plus remarquable, c'était que ma tête n'avait pas à diriger mes jambes. J'avais l'impression rassurante que mes jambes étaient sous moi et qu'elles savaient ce qu'il fallait faire. Mais je les sentais aussi engourdies, après tant d'années d'insensibilité. Cela m'a convaincu que je serai capable d'agir dès que j'aurai retrouvé mes jambes. »

Il est important de souligner que ces positions ne sont pas des exercices gymniques. Si on les fait mécaniquement, elles ne mènent nulle part. Utilisées pour augmenter la sensibilité physique, elles sont simples et efficaces. Aucune limite de temps n'y est donc attachée. Le patient garde la position tant qu'elle lui procure des sensations physiques significatives. Quand la position devient trop douloureuse ou trop inconfortable, le patient en change. Mes associés et moi-même avons

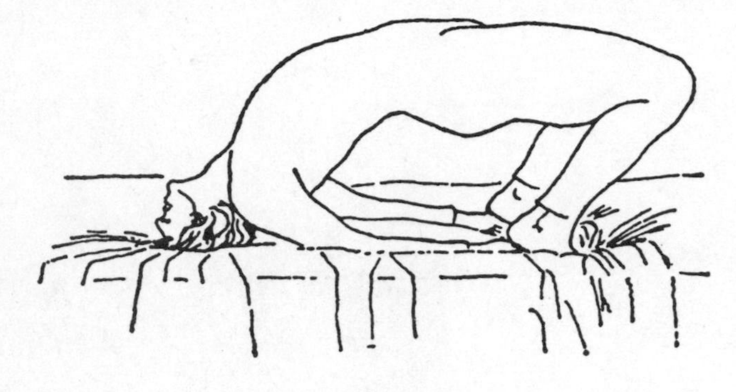

*Figure XX*

élaboré ces positions au cours de nombreuses années de travail sur les problèmes de respiration et de tension musculaire. Celle qui nous a semblé particulièrement utile consiste à se renverser en arrière sur un appui, comme le montre la figure XIX ; elle nous a été inspirée par une tendance naturelle : s'étirer en arrière en s'appuyant sur le dossier de la chaise, lorsqu'on est resté assis trop longtemps. Cette position arquée étire les muscles du dos, relâche les tensions de la région diaphragmatique, et pousse à respirer plus profondément. Je la fais toujours exécuter après celle de la figure XVIII, pour inverser l'étirement musculaire et ramener le patient vers le sol.

La figure XX montre un patient en position d'hyperextension, particulièrement efficace pour étirer les muscles antérieurs des cuisses, souvent très spasmodiques. Comme, dans cette position, le pelvis peut se déplacer librement, il a souvent des mouvements spontanés si le patient est détendu. Les mouvements involontaires permettent une décharge importante des tensions. Ils procurent également au patient l'impression que son corps est vivant. Lorsque, grâce à la respiration, des sensations parcourent son corps, y compris les pieds et les jambes, le patient se sent unifié. Il peut observer, à de tels moments, « je me sens tout d'une pièce ».

Les positions passives décrites ci-dessus servent à procurer au patient un meilleur contact avec son corps, à augmenter sa sensibilité physique, et à permettre une certaine détente de ses tensions grâce aux tremblements et aux mouvements involontaires. Comme elles approfondissent la respiration et procurent une excitation physique, c'est presque une routine de les exécuter au début de la plupart des séances.

*Figure XXI*

On les fait suivre de nombreux exercices actifs que je décrirai plus bas.

La pratique répétée de ces positions passives a un effet physique cumulatif. Chaque fois que le patient les exécute, il lui devient plus facile de respirer librement. Par conséquent, sa sensibilité physique augmente. La plupart des patients trouvent ces positions si efficaces qu'ils les exécutent tous les matins chez eux. Cela améliore leur contact avec leur corps et contribue au processus thérapeutique. Ils remarquent invariablement que les pratiquer stimule physiquement et aide à tenir bon. De nombreux mouvements actifs, outre les positions passives, permettent d'aider le patient à prendre conscience de ses émotions et à les exprimer de façon plus directe. La figure XXI, par exemple, montre une patiente qui s'apprête à frapper le divan avec une raquette de tennis. Ce mouvement a un double but : libérer l'agressivité et améliorer la coordination et le contrôle des mouvements. Les hommes frappent le divan à mains nues.

Au début, les mouvements des patients, lorsqu'ils frappent le divan ou lui donnent des coups de pied, sont inachevés et mal coordonnés. Lorsqu'ils sont debout et qu'ils frappent le divan, ils ont tendance à ne frapper qu'avec les bras ; le dos et les jambes n'interviennent pratiquement pas. Lorsqu'ils sont allongés sur le divan et lui donnent des coups de pied, les mouvements des jambes sont agressifs, mais la tête et le haut du corps restent rigides et ne participent pas au mouvement. Ces mouvements actifs prennent alors le caractère d'exercices de gymnastique, et les patients se plaignent de n'en retirer aucune impression de détente ou de satisfaction. Le manque de coordination des mouvements montre qu'ils ne se sont pas totalement engagés dans cette activité, c'est-à-dire que la totalité de leur corps n'y participe pas. A mesure que leur coordination s'améliore, le mouvement expressif prend un caractère unifié et se transforme en expérience émotionnelle.

L'incapacité à mobiliser l'ensemble du corps dans une activité se traite selon deux voies. Au niveau psychologique, il faut analyser les résistances inconscientes et, au niveau physique, il faut améliorer la coordination des mouvements. Le patient rationalise son incapacité à participer pleinement à l'activité de façon caractéristique : il dit qu'il n'a aucune raison d'être en colère, etc. C'est un exemple de manœuvre de défense schizoïde. Chaque patient a de bonnes raisons d'être en colère, sans quoi il ne serait pas en thérapie. On peut montrer que le patient a toujours eu peur d'exprimer sa colère. On peut lui faire remarquer qu'une personne bien équilibrée est capable de s'identifier suffisamment à une impression de colère pour frapper ou donner des coups de pied de façon coordonnée et intégrée. Lorsque le patient réalise que son manque de coordination reflète son incapacité à exprimer ses émotions, il accepte que les exercices actifs décrits ci-dessus lui soient nécessaires pour progresser.

L'aptitude à s'exprimer émotionnellement est proportionnelle au degré de coordination musculaire. Une personne qui possède une bonne coordination a des mouvements et des gestes gracieux. Tout son corps participe de façon active au moindre de ses mouvements qui acquiert ainsi un caractère émotionnel, et l'on peut dire d'une telle personne qu'elle est vivante au niveau émotionnel. Un individu perturbé a des mouvements très différents. Ses gestes sont en général raides et contraints, ou bien maladroits et ataxiques. Cependant, il pourra témoigner d'une grâce et d'une coordination inhabituelles au cours d'une activité spécifique à laquelle il s'est entraîné, et à laquelle il *peut* se donner complètement. De nombreux acteurs, danseurs ou athlètes peuvent posséder cette grâce et cette coordination dans leur domaine spécifique, bien qu'ils souffrent de graves problèmes émotionnels. Toutefois, une fois descendus de la scène, dans leur vie de tous les jours, on peut remarquer que leurs mouvements reflètent leur manque d'aisance et de sécurité.

A mesure que les patients apprennent à se détendre, ou à se laisser aller à des actes tels que frapper le divan ou donner des coups de pied, leur coordination musculaire s'améliore de façon spontanée. Ce n'est pas qu'ils apprennent à frapper ou à donner des coups de pied. La coordination que l'on acquiert par la maîtrise consciente d'une technique se limite à cette technique spécifique. Au moyen d'activités telles que frapper le divan et donner des coups de pied, le patient affronte sa peur de se laisser aller à des mouvements qui expriment une émotion. En se livrant à ces activités, il surmonte sa peur de l'irrationnel. Le corps se guérit lui-même grâce à de telles expériences. Les jeux des enfants ont le même but. Bien que les situations des jeux soient irréelles, les enfants les prennent au sérieux et y réagissent de façon émotionnelle. Si un adulte a refoulé l'enfant qui est en lui, il doit rationaliser tout ce qu'il fait.

Donner des coups de pied dans le divan lorsqu'on y est allongé constitue une excellente occasion de retrouver cette aptitude infantile. Être allongé sur le dos, pendant que l'on donne des coups de pied, introduit un élément infantile dans l'exercice, et permet au patient de s'abandonner plus librement au mouvement. Le patient peut frapper le divan les jambes tendues ou repliées. J'ai déjà souligné que le schizoïde contracte les muscles de la région abdominale et réduit sa respiration lorsqu'il effectue ces mouvements. De plus, il raidit le cou, ce qui empêche la tête de participer au mouvement. Il faut l'encourager à « laisser aller » sa tête, pour qu'elle se déplace en même temps que le reste du corps. Lorsque les coups de pied sont rapides et intenses, les jambes tendues souplement, la tête se soulève et retombe à chaque coup de pied. Cela donne à la plupart des patients l'impression d'être « emporté par le mouvement » et leur fait souvent très peur. Mais comme cette activité est surveillée et qu'elle ne présente aucun danger, ils apprennent rapidement à se laisser emporter par l'émotion et à apprécier la détente.

Comme nous avons presque tous envie de donner des coups de pied à quelqu'un ou à quelque chose, tous les patients perçoivent la validité de cet exercice. De plus, donner des coups de pied fournit au bas du corps une occasion de prendre l'hégémonie de l'organisme. Lorsque les coups de pieds s'intensifient, le Moi abandonne momentanément son contrôle sur le corps et autorise le corps à suivre librement ses impulsions. La possibilité de se soustraire au contrôle du Moi est particulièrement importante au niveau de la fonction sexuelle. La satisfaction orgasmique dépend de l'aptitude de l'individu à « se laisser envahir » par l'excitation sexuelle. Donner des coups de pied permet également au patient de s'identifier avec ses émotions infantiles. Les bébés couchés sur le dos donnent spontanément des coups de pied pour exprimer leur joie naturelle de vivre, leur colère, leur frustration. Donner des coups de talon est un signe d'exubérance. Enfin, donner des coups de pied accélère, mieux encore que la marche, la circulation sanguine et par conséquent, l'améliore.

On peut également combiner aux coups de pied un battement des bras en fléau, pourvu qu'il soit rythmique ; le mouvement d'ensemble évoque la crise de colère d'un enfant. Au cours de cet exercice, les deux côtés du corps doivent se déplacer de façon alternée : le bras droit et la jambe droite se déplaçant ensemble et de façon synchronisée, puis le bras gauche et la jambe gauche exécutant un mouvement similaire. Lorsque le mouvement est coordonné, la tête se tourne du côté où le bras et la jambe frappent le matelas. (Chez les patients dont les deux parties du corps sont dissociées, cette coordination n'existe pas, et le bras droit se déplace en même temps que la jambe gauche. De plus, lorsque le mouvement mobilise les deux côtés du corps à la fois, la tête reste immobile.)

Au cours de cette thérapie physique, le patient est amené à prendre conscience de son corps, à comprendre ses impressions et ses sensations, à s'y identifier et à les interpréter dans le contexte de son histoire et de son existence.

Il faut souligner que la mobilisation du corps du patient est un processus de longue durée. Il a abandonné son corps à cause de la douleur, et cette douleur réapparaît lorsqu'il reprend contact avec lui. Un patient déclara, après plusieurs mois de thérapie : « Il faut que j'aille lentement. Mon corps commence tout juste à sentir la douleur.

J'ai des douleurs dans tout le corps. Je ne savais pas que j'avais si peur de la douleur. » La douleur physique peut prendre chez le schizoïde des proportions effrayantes, lorsqu'elle s'associe à une sensation intime de désespoir et de terreur. Par ailleurs, le patient peut accepter la douleur comme un symptôme positif lorsqu'il réalise qu'elle vient de la lutte de son corps pour revivre et non d'un processus destructeur. J'utilise un exemple familier pour aider le patient à comprendre le rôle de la douleur au cours du processus de cicatrisation. Lorsqu'on a un doigt gelé, il n'est pas douloureux. On peut même ne pas s'en apercevoir. Mais la douleur devient souvent très violente lorsque le doigt commence à dégeler. Il faut le réchauffer très progressivement. Cet exemple est particulièrement approprié au problème schizoïde, car l'organisme schizoïde est gelé à de nombreux égards et l'on peut comparer la thérapie à un réchauffement.

## *Thérapie d'une patiente schizoïde*

Cette patiente, que j'appellerai Sally, était professeur de danse. Elle se plaignait de ses relations avec autrui, de sa frustration, de son désespoir et de ses peurs.

La thérapie de Sally se poursuivit pendant plusieurs années, au rythme d'une séance par semaine, sauf pendant les vacances d'été. Bien qu'elle fût danseuse, ses muscles étaient très contractés. Les jambes présentaient une sensibilité réduite, la respiration était très superficielle, les yeux avaient une expression farouche et effrayée et ne se fixaient que très rarement. Elle était très anxieuse.

Le premier stade de sa thérapie consista essentiellement à la faire respirer et à lui faire prendre conscience de son corps au moyen des positions passives décrites ci-dessus. Au début, elle ne pouvait garder ces positions que très peu de temps. Sa tolérance augmenta peu à peu. Par moments, je massais les muscles contractés. Cela les rendait moins spasmodiques, donnait à Sally l'impression d'un contact physique et l'aidait à prendre conscience d'elle-même. Au cours de cette première partie de la thérapie, elle pleurait souvent et exprimait un profond désespoir.

« Je ne sais pas ce que c'est que l'amour, disait-elle. Je ne sais pas ce qu'est un homme, ni une femme. Il y a des ombres dans mon esprit. Seule ma mère n'est pas une ombre. C'est un faucon *(la patiente fit prendre à ses mains la forme de serres)* qui a tué mon père et qui a fait de moi une épave. Je ne peux sentir que ma douleur et, à cause du travail que je fais ici, j'ai l'impression de la toucher des doigts. C'est comme si je regardais au fond d'un puits profond, vide, qui fait mal. J'ai l'impression qu'il ne sera jamais comblé. »

Le fait qu'elle ait exprimé ces sentiments de douleur, de tristesse et de désespoir, lui permit d'avoir de temps en temps des impressions plus positives. Pendant toute une période, elle passa de phases heureuses et vivantes à des phases perdues et effrayées et vice versa.

« Étirer mon corps, observait-elle, me fait éprouver de fortes sensations sexuelles. Lorsque ces sensations cessent, j'ai une impression de douleur. Cela fait comme un poids sur mon estomac. J'ai l'impression d'être perdue dans le vide, comme si mon existence n'avait aucun sens. Jusqu'à maintenant, mon corps n'était qu'un instrument pour moi. »

La thérapie se déroulait sous la forme d'une série de crises ; Sally émergeait de chacune d'elles en meilleur contact avec elle-même et un peu plus forte. Tous les mouvements agressifs la terrifiaient tout en la plongeant dans un désespoir total. Elle était particulièrement effrayée lorsqu'elle affirmait une attitude négative.

Une de ces crises fut provoquée par l'exercice suivant. Elle était étendue sur le divan et elle le frappait de ses poings en disant : « Non, je ne veux pas, non, je ne veux pas, non, je ne veux pas. » Immédiatement après s'être affirmée de cette manière, Sally sauta du divan et se précipita vers un coin de la pièce, où elle se tapit en pleurant. Sa terreur était telle qu'elle commença par refuser mes tentatives de réconfort, puis elle me permit de m'asseoir près d'elle et de l'entourer de mes bras. Elle dit que, dans sa peur et sa misère, elle ne pouvait se tourner vers personne. Elle se méfiait de moi tout autant qu'elle avait besoin de moi.

« Je me rends compte que je n'ai jamais cédé à ma mère, remarqua Sally au cours de la séance suivante. Cela m'a rendue incapable d'agir. J'étais paralysée. J'ai passé toute ma vie à attendre que quelque chose me libère. »

Sally voulait dire par là qu'elle avait passé sa vie à avoir une attitude de provocation non exprimée ; elle avait peur de dire *non* et elle était incapable de dire *oui*. Cet élément négatif de sa personnalité, qu'au niveau fonctionnel on pouvait identifier à sa contraction musculaire, paralysait tout mouvement agressif. Au cours de cette séance, Sally refit l'exercice consistant à frapper le divan en disant : « Non, je ne veux pas. » Elle fut moins effrayée, mais elle était parcourue de vagues de chaud et de froid, qui correspondaient au flux des émotions qui la parcourait, puis disparaissait.

La semaine suivante, Sally revint sur le thème de la paralysie : « Je me suis sentie inhibée toute ma vie. Je ne peux pas être moi-même. Je me suis sentie plus libre après la crise où j'ai tellement pleuré, mais j'en arrive à un point où je ne peux plus continuer. »

Au cours des deux mois suivants, je me concentrai sur l'aspect physique du problème de Sally. Elle se plaignait de son corps raide et douloureux. Elle prit conscience de ce que sa décision de devenir danseuse avait été motivée par le besoin de faire revivre son corps grâce au mouvement. Je me suis aperçu que ceci était vrai pour de nombreux danseurs professionnels. La danse ne change rien aux tensions chroniques du corps, mais elle permet de sauvegarder sa vitalité.

Sally pratiquait maintenant les positions et les exercices décrits plus haut. Elle s'étirait, elle respirait, elle bougeait. Elle ne pouvait tolérer ses perceptions physiques que de façon limitée. Lorsque des mouvements involontaires se produisaient, elle était prise de panique. Il arrivait souvent qu'elle s'éloigne, effrayée, pour partir. Je l'en empêchais doucement, et elle me laissait la ramener. A la fin de chaque séance, je pouvais constater à sa façon plus souple de se tenir, à l'éclat de son teint et à l'expression de son regard, qu'elle se sentait mieux, plus vivante, plus proche d'elle-même. Cette amélioration ne durait pas toute la semaine (jusqu'à la séance suivante), mais néanmoins ses émotions se réveillaient chaque fois un peu plus facilement.

Plusieurs semaines après, je remarquai que Sally commençait à se dégeler. Elle arriva avec un air triste et se plaignit d'une sensation de congestion au niveau de la poitrine, qui avait été jusque-là une zone « morte », dépourvue de sensibilité. Elle avait aussi l'impression que son pelvis était plein et douloureux. Pendant que nous parlions, elle fut prise de profonds sanglots. « Je n'ai jamais été enfant, dit-elle. Il fallait que je sois grande pour échapper à ma mère. » Nous ne fîmes aucun travail physique pendant cette séance, et Sally se laissa envahir par la tristesse. Pendant qu'elle pleurait, elle éprouva des sensations au fond du vagin. Cela lui donnait l'impression d'un bourgeon, en elle, qui pouvait s'ouvrir comme une fleur.

Tout schizoïde porte en lui un petit enfant perdu, qu'il se cache à lui-même et qu'il protège contre le monde. Le dilemme du schizoïde tient à ce qu'il n'ose pas accepter le petit enfant en lui. Il ne peut donc pas accepter la réalité de son corps, et pas davantage celle du monde.

Les réactions caractéristiques du petit enfant envers l'objet d'amour sont de se tendre vers lui et de rechercher son contact de façon spontanée. Lorsqu'on a refoulé le petit enfant en soi, on ne peut plus avoir ces réactions.

Sally reconnaissait qu'elle avait peur de tout contact physique avec moi. Elle n'osait pas tendre les mains vers moi pour me toucher. Quand je l'encourageais à le faire, ses mouvements étaient raides et hésitants. Quand je faisais un mouvement pour la toucher, elle reculait. Je ne pouvais la réconforter que lorsque la tension créée par la peur et l'anxiété la faisait régresser au stade de l'enfant impuissant et effrayé.

Lorsque Sally finit par accepter le petit enfant qui était en elle, elle put commencer à se tendre vers moi et à me toucher. Quand elle était enfant, elle avait fait l'expérience du rejet, mais elle reçut cette fois une réponse positive de son « substitut maternel », le thérapeute. Elle apprit peu à peu qu'elle pouvait avoir des exigences envers l'existence. La fixation qui avait bloqué son développement émotionnel commença lentement à se résorber.

La thérapie reprit après les vacances d'été. J'essayais alors de mobiliser chez elle des émotions plus agressives. Je remarquai que la tension de ses mâchoires avait considérablement diminué. Elles étaient encore parfois dures et sévères, mais semblaient quelquefois détendues. Sally remarqua — avec une expression de malice et de haine — qu'elle avait peur d'avoir un visage renfrogné, parce que cela la faisait ressembler à sa mère. Ce fut la première séance où elle se permit de hurler pendant que, allongée, elle frappait le divan de ses poings. Elle hurla : « Non, je ne veux pas ! », puis commenta : « Cela fait du bien, mais ce n'est pas encore tout à fait vrai. »

Au cours des séances suivantes, elle dit que son comportement lui semblait manquer de contact avec la réalité. Elle exprima l'idée suivante : à savoir qu'elle était spéciale, qu'elle ne faisait pas partie du monde des vivants... Et ses relations étaient un masque qui recouvrait sa non-existence, sa solitude. C'est ce qui l'amena à parler de son père.

Il était mourant, couché sous une tente à oxygène. Elle était restée debout à côté de son lit, figée, incapable de l'atteindre ou de lui dire quoi que ce soit. Elle relata cette scène sans larmes dans les yeux. Sally avait l'impression qu'elle n'était pas en contact avec la vie et que la vie ne la touchait pas.

Je suggérai à Sally de se tenir debout et de frapper le divan avec une raquette de tennis, afin qu'elle puisse obtenir une impression de puissance à partir d'actes agressifs. Elle réagit de façon surprenante à cette suggestion. Elle prit la raquette avec précaution, esquissa le geste de frapper le divan, puis la laissa tomber précipitamment, comme si c'était un fusil chargé ou un serpent vivant. Elle se mit à trembler et à sauter à travers la pièce. Il lui fallut plusieurs minutes pour se résoudre à ramasser la raquette. Elle donna un autre coup de raquette, la laissa tomber et repartit en sautant et en agitant les bras, comme si elle imitait un oiseau.

Pendant plusieurs séances, Sally frappa le divan avec la raquette, de façon répétée. Chaque fois, elle arrivait un peu mieux à le frapper, et elle avait un peu moins peur. Plusieurs fois, après avoir donné quelques coups de raquette, elle la laissa tomber, s'écarta, et se mit à pleurer. Elle luttait contre sa peur de la violence. Quelque temps après, je lui demandai d'exprimer verbalement sa colère pendant qu'elle frappait le divan, par une expression comme « Va-t'en ! » ou : « Je te déteste ! » Mais elle ne pouvait rien dire. Pendant qu'elle se servait de la raquette, elle avait l'air terrorisé : ses yeux et sa bouche étaient grands ouverts et elle restait muette. En l'observant, je compris une autre des raisons qui avaient poussé Sally à devenir danseuse. Les situations émotionnelles l'effrayaient tellement qu'elle ne pouvait trouver ses mots. Elle comptait sur ses mouvements pour exprimer ce qu'elle ressentait.

Plus tard, comme la thérapie avait augmenté sa force et son courage, elle frappa le divan avec force et véhémence, et dit à plusieurs reprises : « Tiens ! Imbécile ! » Elle sentait qu'elle dirigeait cela contre sa mère. Elle rendait les corrections que sa mère lui avait infligées quand elle était enfant. Il lui fallut un temps considérable pour arriver à surmonter sa difficulté à exprimer sa colère. Longtemps après être devenue capable de l'exprimer au cours des séances thérapeutiques, c'était encore pour elle un problème de laisser sortir cette colère dans la vie quotidienne. C'était plus difficile. Chaque échec la faisait reculer.

Un jour, elle raconta l'incident suivant.

« Il m'est arrivé quelque chose dans la salle de travail. Le professeur m'a fait une remarque du genre : " Retournez à votre place. " Cela me mit très en colère. Je me dis : " Quel culot ! " J'ai eu l'impression de *brûler* de colère, comme si j'étais parcourue d'étincelles, mais je ne l'ai pas montré. J'ai senti que tout mon corps se crispait, et que mes muscles se contractaient. Puis je me suis engourdie. Depuis lors, toutes mes anxiétés névrotiques sont revenues, et j'ai perdu mon aisance.

« On aurait dit que la colère nageait en dedans de moi, comme un poisson qui n'arriverait pas à sortir. Puis elle s'est figée — comme si elle avait été prise dans la glace. Elle s'est figée parce que je suis trop rationnelle. Pourquoi faut-il toujours que quelqu'un m'explique ce que je ressens ? Pourquoi est-ce que je n'arrive pas à prendre conscience de ce qui se passe en moi ? »

Après cela, pendant plusieurs semaines, la thérapie progressa rapidement. La vie personnelle de Sally devint plus calme. A chaque séance, nous exécutions l'ensemble des positions d'exercice et elle utilisait régulièrement la raquette de tennis. Elle arrivait à exprimer sa colère envers sa mère. Elle frappait le divan fermement, avec colère, en disant à sa mère : « Idiote, idiote, idiote ! » Sa respiration s'était approfondie de façon perceptible. « Vous savez, me dit-elle, je ne suis plus aussi frileuse qu'avant. Il me fallait un édredon de plume pendant l'hiver ; maintenant je n'ai plus besoin que d'une petite couverture. Mes mains aussi sont plus chaudes. Les pieds, par contre, c'est toujours un désastre. »

La thérapie passait par des hauts et des bas. Après avoir libéré son agressivité, Sally passa par une période d'épuisement qui lui fit très peur. Elle ne savait pas comment elle arriverait à s'en sortir, et l'idée de ne pas y arriver la terrifiait. Elle avait l'impression qu'elle allait devenir folle à force de se faire du souci.

Ce fut son corps qui la sauva. Son besoin de dormir était plus puissant que les tourments de son esprit. Elle trouva dans le sommeil la réponse à son anxiété. Quand elle n'arrivait plus à tenir le coup, le sommeil lui redonnait des forces.

Tous les schizoïdes passent, sur leur chemin vers la guérison, par une phase d'épuisement profond. Après avoir pris sur eux, de façon si rigide, pendant tant d'années, c'est un soulagement pour eux de se laisser aller ; cela leur permet de prendre conscience de la lassitude et de la fatigue qu'ils refoulaient auparavant. L'impression d'épuisement est le signe d'un contact plus complet avec leur corps. Je la considère comme l'indice de ce que le corps est capable d'affirmer ses besoins face au Moi névrotique. Si le patient écoute cette impression d'épuisement, il cesse ses activités compulsives, et son impression de désespoir diminue. Cette impression d'épuisement peut durer des semaines et même des mois. Le patient y apprend qu'il peut parfaitement survivre sans ses compulsions.

Dans ce qui précède, j'ai mis l'accent sur l'exercice qui consiste à utiliser une raquette de tennis pour permettre d'exprimer sa colère. Il ne faut pas en déduire que les autres moyens ou les autres formes d'expression ne sont pas importants. L'approche doit être globale. La thérapie physique doit faire intervenir l'ensemble du corps.

Un incident ultérieur de la thérapie de Sally permet d'illustrer un autre procédé.

Peu de temps après être revenue d'Europe, Sally remarqua : « Au cours des deux derniers mois, j'ai rêvé plusieurs fois que mes dents s'effritaient lorsque j'essayais de m'en servir pour mordre dans quelque chose. » On doit interpréter ce rêve dans le sens de la peur de mordre, au propre et au figuré. Sally était incapable de « mordre à pleines dents » et de « mordre à l'existence » ; cela décrivait ses difficultés. Mais ce rêve avait aussi une signification littérale. Ses mâchoires étaient si contractées qu'elle ne pouvait pas ouvrir largement la bouche. Elle ne pouvait déplacer les mâchoires vers l'avant ou vers l'arrière que de façon limitée. Pour que Sally affronte cette difficulté, je lui fis faire un exercice qui consistait à tendre les mâchoires vers l'avant, à montrer les dents et à essayer de grogner ou de gronder. Cela lui était difficile, elle accomplissait l'exercice de façon inexpressive. Cependant, au bout d'un certain temps, elle commença à aimer cet exercice et réussit à exécuter des grognements et des grondements qui sonnaient juste. Pour l'aider à prendre conscience de ses dents et à leur faire confiance, je lui fis mordre l'extrémité d'une serviette, pendant qu'elle était allongée sur le divan. En tirant sur l'autre extrémité de la serviette, je soulevai sa tête et son buste pendant qu'elle laissait son dos aller vers l'arrière. Tout le poids de son corps était donc porté par les pieds et par les dents.

L'exercice lui fit peur, mais elle arriva à tenir plus d'une minute. Elle mit ainsi à l'épreuve la vitalité de sa dentition. Cela lui donna l'impression que ses dents et ses mâchoires étaient solides, qu'elle pouvait compter sur elles.

En terminant l'histoire de ce cas, je voudrais souligner que les émotions exprimées par le patient au cours de sa thérapie restent relatives. Son expérience du plaisir, au niveau du corps, lui semble paradisiaque, comparée à son manque de sensibilité antérieur. Mais ce qui lui semble extraordinaire au début peut lui paraître moins satisfaisant à mesure que la thérapie progresse et que ses exigences envers l'existence augmentent. Lorsqu'on sort de prison, la liberté remplace tout. Mais on en veut rapidement davantage : un endroit où habiter, quelqu'un pour partager son lit, un moyen de refaire sa vie, etc. C'est dans cette perspective qu'on doit considérer les progrès de Sally. La thérapie est le premier pas d'un processus continu de développement.

Si l'on veut reconquérir son corps, le plaisir doit remplacer la douleur, les impressions positives doivent chasser le désespoir. Mais, pour le patient schizoïde, le chemin du plaisir passe par la douleur, la voie qui mène à la joie traverse le désespoir ou, en d'autres termes, la route du paradis passe par l'enfer. Le schizoïde, qui mène dans les limbes une existence vide et dépourvue de sens, n'entreprend cette odyssée que parce qu'elle lui promet l'espoir. La vie n'est qu'une illusion si elle est séparée du corps. On rencontre au niveau de son corps la douleur, la tristesse, l'anxiété et la terreur, mais ce sont du moins des émotions réelles, que l'on peut éprouver et exprimer. Pouvoir ressentir la douleur équivaut à pouvoir ressentir le plaisir. S'abandonner à sa fatigue permet de découvrir la paix que procure le repos. Toute émotion physiologique englobe l'émotion contraire. Ne pas éprouver d'émotions revient à vivre dans un néant froid et sans vie. Nul n'est plus conscient de cela que le schizoïde, mais il ne sait plus retrouver le chemin qui mène à son corps. Dès qu'il le retrouve, il reconquiert ce corps abandonné, avec toute la ferveur de l'enfant perdu qui retrouve l'amour de sa mère.

# 13

# Prendre conscience de son identité

UN NOUVEAU-NÉ n'a pas conscience de son identité. On ne prend conscience de son identité qu'au fur et à mesure que le Moi se développe et atteint la maturité. Par conséquent, pour la plupart des patients, le problème n'est pas de retrouver la conscience de l'identité qu'ils auraient perdue, mais plutôt de parvenir à prendre conscience de leur identité, grâce au développement d'un Moi stable, qui fonctionne correctement.

La conscience de l'identité repose sur la connaissance des désirs, la reconnaissance des besoins et la perception des sensations physiques. Lorsqu'un patient dit : « Je ne sais pas qui je suis », il veut dire en fait : « Je ne sais ni ce que je ressens, ni ce que je veux, ni ce dont j'ai besoin. » Il sait qu'il a besoin d'aide mais, à part cela, sa connaissance de lui-même reste limitée et sa conscience de son identité est floue. Il n'a pas conscience d'être triste ou en colère, ligoté par ses tensions musculaires, incapable d'aimer et d'éprouver du plaisir. Il se peut qu'à un niveau de conscience plus profond, il reconnaisse vaguement ces faits, mais il est incapable d'en parler comme d'une expérience personnelle.

Lorsque, à sa naissance, le bébé pousse son premier cri, il n'a qu'une conscience rudimentaire de son identité. Le nouveau-né affirme par ce cri sa première émotion, son premier désir et son premier besoin. Sa première émotion est le manque de confort ; il ressent le désir et le besoin d'être près du corps de sa mère. Si l'on met immédiatement l'enfant au sein et qu'on le nourrit, ses pleurs cessent, ce qui nous informe que son chagrin a disparu et que son besoin a été satisfait. Le cri est un moyen pour le nouveau-né d'affirmer son existence et son identité en tant qu'être sensible. Mais l'enfant n'est pas conscient de cela, puisque ses fonctions de perception, de connaissance et de reconnaissance, ne sont pas développées. Elles se développent à mesure que l'enfant grandit. Avec la maturité, les sensations physiques deviennent plus intenses, les besoins et les désirs plus étendus, la conscience de soi plus aiguë et l'expression des émotions plus spécifique.

La conscience de son identité se développe chez l'enfant grâce d'une part, à la réception et l'intégration des sensations physiques et d'autre part, à l'expression des émotions. Si on inhibe l'expression de l'émotion chez un enfant, ou si on le pousse à avoir honte de ses sensations physiques, son Moi ne pourra pas arriver à maturité. Si on l'empêche de prendre la mesure de lui-même, d'explorer sa force et de découvrir ses faiblesses, son Moi n'aura sur la réalité qu'une prise précaire et son identité lui restera floue. Si, de plus, on l'endoctrine de « tu dois » et « tu ne dois pas », et si on l'élève pour qu'il satisfasse à l'image parentale, voilà qui déforme son Moi et rend confuse sa perception de son identité. Un tel enfant va subvertir son corps et manipuler son environnement pour répondre à l'image parentale. Il va adopter un rôle fondé sur cette image en considérant que son identité et ce rôle se recouvrent et sont identiques.

Une identité qui est fondée sur un rôle se désintègre lorsque le rôle vient à s'effondrer sous les tensions dues aux situations réelles de l'existence. Une personne qui joue un rôle donne une représentation : il lui faut un auditoire réceptif pour que cette représentation soit satisfaisante pour elle. L'auditoire originel était composé du père et de la mère, qui ont encouragé le rôle et applaudit à la représentation. Au cours de sa vie d'adulte, celui qui joue un rôle cherche une autre personne qui soit séduite par l'image projetée et qui donne la réplique à ce rôle. Mais un auditoire composé d'une seule personne, toujours la même, perd rapidement son pouvoir exaltant, de même qu'une représentation sans cesse recommencée devient fastidieuse. La relation finit par lasser les deux partenaires qui peu à peu se perdent de vue. L'acteur cherche un nouvel auditoire, l'auditoire cherche un nouvel acteur. Ce type de personne ne peut admettre que quelque chose va de travers qu'après plusieurs déceptions. La plupart éprouvent des sentiments sous-jacents de vide et de désespoir. Il y a des moments, tout particulièrement pendant l'intimité des relations sexuelles, où tenir un rôle devient grotesque ; mais l'individu qui joue un rôle ne connaît aucune autre manière de se comporter.

Le rôle engendre une distorsion de la perception de soi. Celui qui se confine dans un rôle ne se considère et ne considère les situations dans lesquelles il se trouve qu'à l'intérieur des limites de son rôle. Tenir un rôle entache toutes les perceptions et rétrécit l'éventail des réactions possibles. C'est l'obstacle principal à la prise de conscience de son identité, puisque le jeu du rôle est en général inconscient.

Un patient qui n'a pas conscience de son identité ne sait pas qu'il joue un rôle. Dans la plupart des cas, il ne sait même pas qu'il n'a pas conscience de son identité. S'il se plaint de sa détresse et de ses échecs, c'est parce qu'il est frustré au niveau du rôle qu'il joue. Comme il a adopté ce rôle pour faire plaisir à ses parents, il ne peut pas comprendre pourquoi son comportement ne satisfait pas tout le monde. Il va chez le psychiatre pour trouver un moyen d'arriver à mieux tenir ce rôle.

Le rôle que le patient adopte lorsqu'il est enfant, finit par faire partie de sa structure caractérielle. Il se manifeste par sa façon de parler, sa tenue, ses gestes, ses expressions, ses mouvements. Ce rôle est évident au niveau des attitudes physiques, si l'on peut les interpréter correctement. Mais le patient ne peut pas y arriver, puisqu'il n'a pas conscience de la structure de ses tensions physiques. Il tient son corps pour chose établie. Pour dévoiler le rôle, il faut analyser globalement la structure de caractère du patient.

La thérapie implique une confrontation entre le patient et le thérapeute. Au cours de cette confrontation, le patient en apprend plus long sur ses transferts, c'est-à-dire sur le fait qu'il considère « l'autre » comme l'image de son père ou de sa mère. Il découvre que ces transferts naissent de son besoin d'approbation et de sa peur de s'affirmer. Il découvre que ses sensations sexuelles le culpabilisent, et qu'il souffre d'une inhibition à exprimer ses sentiments négatifs. S'il arrive à accepter ces sentiments et ces sensations, il peut reconquérir à la fois son corps et la perception de son identité.

## *Dévoiler le rôle*

Mary, la femme-enfant dont j'ai discuté le cas au chapitre 5, jouait le rôle de « poupée à câliner ». Au début de sa thérapie, elle consultait également un spécialiste pour l'état de ses seins. Elle me dit que le traitement consistait à masser ses seins. Elle le décrivit comme un homme assez âgé et dit que le traitement la gênait, non pas tant par ce qu'il lui faisait que par sa manière de la toucher. Elle trouvait qu'il avait un contact trop caressant.

Peut-on être certain de la validité des perceptions de Mary vis-à-vis de ce que le spécialiste éprouvait pour elle ? La femme-enfant, ou « personnalité Lolita », est fortement fascinée par certains hommes, qui se sentent eux-mêmes peu adaptés et peu sécurisés dans leurs relations avec des femmes qui ont atteint la maturité psycho-sexuelle. On peut même faire l'hypothèse que la personnalité de Mary réagissait inconsciemment dans le but d'exciter ce type d'hommes. Sa soumission passive au traitement du spécialiste soutient cette théorie ; on peut considérer sa faiblesse à la fois comme une défense contre ses propres émotions sexuelles et comme un attrait pour l'homme. Le fait que Mary considérait sa personnalité particulière de femme-enfant comme un attrait se dévoila lorsqu'elle se plaignit un jour d'un homme qui l'intéressait. Alors qu'ils étaient seuls, il n'avait pas tenté un mouvement vers elle. Elle remarqua avec mépris que ce n'était pas vraiment un homme, puisqu'elle ne lui avait pas fait d'effet.

La personnalité femme-enfant permet à la femme de se mettre dans des *situations sexualisées* et de jouir d'une excitation sans prendre la responsabilité de ses actes. Si elle séduit un homme, c'est en éprouvant des émotions d'enfant ; c'est-à-dire que son émotion dominante est un désir d'affection et de chaleur. Si elle est séduite, elle se soumet à une image paternelle qui lui donne l'impression qu'on s'occupera d'elle et qu'elle sera protégée. Dans les deux situations, elle évite toute culpabilité quant à son propre désir sexuel sous-jacent. Les traits infantiles viennent chez une femme du refoulement de ses émotions sexuelles au cours de la situation œdipienne. On doit interpréter ce refoulement comme une défense contre le risque d'avoir une relation sexualisée avec le père.

Ce type de personnalité féminine place l'homme devant un dilemme. S'il traite une femme de ce type comme une enfant, il renforce les raisons qu'elle a d'adopter cette défense, et il consolide son immaturité. S'il la traite comme une femme, il néglige ses besoins infantiles d'aide et de compréhension. Il est impossible de réagir devant elle à la fois comme envers une enfant qui a besoin d'aide et envers un partenaire sexuel placé sur un pied d'égalité.

Ma patiente, par exemple, se plaignait de son mari : il n'avait pas assez souvent de rapports sexuels avec elle, et à d'autres moments, il ne répondait pas à son besoin d'être dorlotée. Comme l'homme, de toute façon, ne peut pas satisfaire cette femme-enfant, la façon dont il s'y prend ne change rien : son lien avec elle le fait se sentir coupable et responsable du manque de bonheur de sa partenaire.

Pour dévoiler le rôle, il faut interpréter l'apparence physique du patient, qui est une des facettes de sa personnalité. L'immaturité physique de Mary lui donnait un air très naïf et innocent, mais au cours de ses conversations avec moi, elle faisait preuve d'une compréhension très élaborée de la sexualité et de l'existence. Lorsque l'apparence physique d'un patient est le portrait exagéré d'une attitude, on s'aperçoit souvent que cela cache l'attitude opposée. On finit par s'attendre à trouver de la tristesse sous le masque du clown, de la peur derrière la force apparente du tyran, et de la rage derrière une façade de rationalité. Un regard désorienté ou effrayé, la contraction des mâchoires et la raideur du corps trahissent l'insécurité qui est associée au fait de jouer un rôle.

En même temps que j'avais conscience des peurs et de la faiblesse de Mary, je percevais aussi ses tentatives inconscientes d'utiliser la sexualité comme un attrait. Ma connaissance du rôle qu'elle tenait la convainquit que sa séduction ne m'entraînerait pas vers une relation qui se révélerait désastreuse pour la thérapie. Je fus donc capable d'analyser les aspects contradictoires de sa personnalité. L'enfant se sentait inférieure et faible mais la femme se tenait pour supérieure, car c'est elle qui détenait le pouvoir.

On peut interpréter son infantilisme et sa faiblesse comme un moyen d'humilier l'homme. Si elle le séduisait, elle pouvait le mépriser. Ce n'était pas vraiment un homme s'il réagissait sexuellement envers l'enfant qui était en elle. Cette manœuvre ramenait l'homme au niveau de l'image de son père, qui était complètement dominé par la mère de Mary.

Mary et sa mère arrivaient à exercer la même domination sur

l'homme, par des approches totalement opposées. La mère soumettait son mari au moyen de sa vigoureuse agressivité ; la fille rendait le sien impuissant au moyen de son manque d'initiatives et de sa passivité. Les deux foyers étaient dominés par la femme. On pouvait dire que la mère et la fille ne faisaient qu'une : chacune d'elles était un aspect de l'autre. La passivité de Mary s'opposait à l'agressivité de sa mère, sa faiblesse à la force de celle-ci, sa petite taille à la forte carrure de sa génitrice et sa féminité à la virilité de cette dernière. C'était comme si la personnalité de la mère s'était scindée : la composante passive féminine se projetant sur la fille, en tant que caractère inférieur, pendant que la mère gardait la composante virile et agressive. Psychologiquement, la mère et la fille étaient complémentaires et à elles deux, elles constituaient une entité démoniaque. Cette identification inconsciente entre la mère et la fille expliquait que Mary gardât l'impression d'être liée à sa mère par le cordon ombilical.

Mary et sa mère avaient une relation symbiotique, dans laquelle chacune des deux dépendait de l'autre. Elles se téléphonaient régulièrement ; Mary s'offensait des critiques et des commentaires de sa mère, mais elle était incapable de les empêcher. Elle sentait que sa mère vivait d'elle et à travers elle.

Dans ces relations symbiotiques, lorsque la mère est dominatrice et agressive, l'enfant est réduit à une position passive et soumise. Son indépendance lui est refusée, sa motilité est restreinte : cela porte atteinte à sa sécurité. Ses jambes s'affaiblissent et sa respiration se réduit. La mère refuse de libérer l'enfant qu'elle considère inconsciemment comme une partie d'elle-même. Gisela Pankow fait le commentaire suivant : « Elle (l'enfant schizoïde) ne peut pas redescendre sur terre pour y naître, parce que le lien entre la mère et la fille n'a jamais été coupé [69]. »

Pour que Mary abandonne son rôle, il fallait qu'elle prenne conscience de son identification avec sa mère, et de sa signification. Je lui demandai si elle réalisait qu'elle était à certains égards semblable à la mère qu'elle rejetait au niveau conscient. Mary admit qu'elle s'était alliée avec sa mère contre les hommes, et elle reconnut aussi qu'elle se soumettait à celle-ci. La combinaison de l'identification et de la soumission forçait Mary à adopter le rôle de « poupée à câliner ». Ce rôle représentait une solution à ses relations complexes avec ses deux parents car, comme nous allons le voir, le père l'y encourageait aussi.

Le rôle que jouait Mary la servait sur trois points.

1. Le rôle de « poupée à câliner » représentait une attitude sexuelle passive qui contrastait avec l'agressivité sexuelle, peu féminine, de sa mère. Sur ce point Mary répudiait sa mère.

2. En étant une « poupée à câliner » plutôt qu'une personne sexuée, Mary exprimait son mépris pour les hommes, mépris qui alliait la mère à la fille.

3. Le rôle de « poupée à câliner » naissait aussi de la relation homosexuelle inconsciente entre la mère et la fille, à laquelle Mary participait de façon soumise, en tant que jouet de sa mère.

L'identification sous-jacente de Mary à sa mère se révéla dans les phrases suivantes.

« Parfois, j'ai l'impression que je suis ma mère. La nuit dernière, en allant me coucher, j'avais la même expression qu'elle. Son visage, au repos, est hideux, grossier, vulgaire. Quelquefois, j'ai l'impression que si je ne fais pas attention, si je me laisse aller, mon visage deviendra aussi hideux que le sien. Quand elle n'est pas sur ses gardes, elle a l'air haineux. Son regard se glace. Elle est comme un tigre — un tigre mangeur d'hommes. »

Mary s'identifiait à sa mère et pourtant, elle en avait peur. Dans son rapport à elle-même, elle la voyait comme un chat avec des griffes ; dans son rapport avec les hommes, elle la voyait comme un tigre mangeur d'hommes. Pour fuir le « chat », Mary se tourna vers son père afin d'obtenir amour et compréhension. Mais le père de Mary était un homme passif qui avait peur de s'affirmer en affrontant sa femme. Par conséquent, il ne pouvait ni protéger sa fille ni l'encourager à adopter une attitude plus indépendante.

Dans sa faiblesse, il était vulnérable à la tentation sexuelle que représentait la petite fille. Aussi l'embrassait-il à pleine bouche et la caressait-il, s'imaginant que c'était de l'amour. Mary ne pouvait pas rejeter cette expression pervertie des sentiments de son père puisque cela valait mieux que les griffes de sa mère. Elle plaignait son père et s'identifiait à lui, puisque le père et la fille étaient tous deux tyrannisés par la mère. Tant qu'elle était une « poupée à câliner », Mary ne menaçait pas sa virilité et, grâce à ce rôle, elle pouvait obtenir en partie le contact physique et la chaleur dont elle avait besoin. Mary exploitait cette relation tout comme, plus tard, elle devait exploiter tous ses rapports avec des hommes.

Qui était Mary ? Elle était à la fois séductrice et séduite, agresseur et victime. Son identité se réduisait à zéro : le négatif neutralisait le positif. La moitié de sa personnalité s'identifiait au caractère agressif de sa mère, pendant que l'autre moitié s'identifiait à la passivité de son père. Mary reconnaissait seulement pour siennes sa répugnance envers son propre corps et sa méfiance envers la vie. Dans son désespoir, elle vivait sur l'illusion que quelqu'un réagirait à la poupée, mais sans l'exploiter. La seule personne capable de réagir ainsi envers elle ne pouvait être qu'un thérapeute.

Lorsque cette analyse du rôle qu'elle jouait fut terminée, je remarquai que Mary me regardait différemment. Son regard avait une expression affectueuse. Jusqu'alors, elle me regardait comme si j'étais l'oncle de l'*Antigone* de Sophocle, qui lui aurait demandé d'accepter une réalité intolérable.

La réalité que Mary trouvait intolérable, c'était la nécessité de mener une existence indépendante. En tant que « poupée à câliner », elle était protégée et exploitée et, bien qu'elle éprouvât de la rancune à être exploitée, elle n'était pas prête à abandonner cette protection. En analysant le rôle qu'elle jouait, Mary apprit qu'elle ne pouvait pas avoir l'un sans l'autre. Pour ne pas risquer d'être exploitée, elle devait voler de ses propres ailes, assumer la responsabilité de son existence, et trouver plaisir et satisfaction au fonctionnement de son corps. Elle devait découvrir son identité, ce qui signifie qu'elle devait retrouver ses émotions et devenir capable de les exprimer.

Au cours du processus par lequel son rôle se dévoile, le patient apprend d'abord comment sa perception d'autrui est déformée par les images de son père et de sa mère — comment, en fait, il déforme la réalité. En second lieu, il prend conscience de ses émotions négatives, qu'il projetait auparavant sur autrui (le thérapeute, le mari, les enfants, etc.). En troisième lieu, il prend conscience de son attitude provocatrice, qui le met à part et le force à la solitude. Finalement, le patient prend conscience de ce que cela signifie de vivre pour lui-même, de connaître ses émotions et d'être capable de les exprimer. Chaque étape de ce processus implique une interaction avec le thérapeute, qui devient tour à tour un objet à manipuler, une raison à sa négativité, une cause de méfiance et finalement, un autre être humain que le patient peut accepter et respecter parce qu'il est devenu capable de s'accepter et de se respecter lui-même.

Le rôle est un schéma de comportement rigide qui se développe pendant l'enfance et la petite enfance, au moment où l'enfant s'adapte à sa situation familiale. Il est le produit de l'interaction entre la personnalité de l'enfant et ses besoins, d'une part, et les personnalités des parents et leurs demandes, d'autre part. Lorsque les parents insistent pour que l'enfant se comporte ou agisse de telle et telle façon, ils mettent en place son futur rôle dans l'existence. Mais les attitudes et les attentes inconscientes des parents jouent un rôle encore plus important dans l'établissement du rôle. Elles sont communiquées à l'enfant à travers le regard, le toucher, les gestes, les humeurs. En général, le rôle est déjà bien déterminé au moment où l'enfant atteint l'âge de sept ans.

Comme chaque enfant est différent, et qu'il n'y a pas deux situations de famille identiques, son rôle devient pour le désespéré un mode d'existence individuel et unique. L'enfant qui a la chance de grandir en étant libre de vivre pour lui-même et en sachant que l'on réagira de façon généreuse envers ses besoins et envers ses désirs, ne tiendra pas de rôle. Le rôle représente le meilleur ajustement possible que puisse réaliser l'enfant dans une situation de famille ambivalente ou hostile.

Les identifications de l'enfant avec ses parents s'établissent au cours de ces ajustements ; elles vont délimiter sa personnalité. Une identification inconsciente ne laisse pas le choix d'un éventail de réactions. Les enfants sont des imitateurs naturels, et ils se structurent spontanément selon le comportement et les attitudes parentales. L'imitation est un processus naturel, alors que l'identification se réfère à un phénomène pathologique. L'enfant qui imite élargit sa personnalité, il apprend en reproduisant. L'enfant qui s'identifie rétrécit sa personnalité, il restreint l'éventail des réponses possibles.

L'identification est un processus inconscient. Wilhelm Reich a établi que c'est toujours avec le parent menaçant que se fait l'identification principale [70]. Le dicton nous enseigne que l'on ne peut combattre le diable qu'avec ses propres armes. Mais, lorsqu'on adopte les tactiques de l'ennemi, on devient semblable à l'ennemi. Quiconque utilise les armes du diable devient un diable. Il y a identification lorsque l'enfant incorpore à ses pensées et à ses émotions une attitude parentale, pour conjurer l'hostilité sous-jacente à cette attitude. Cette attitude devient, par ce processus, une partie de sa propre personnalité. Tant que l'identification reste inconsciente, ni l'enfant ni l'adulte ne peuvent choisir leur manière de réagir aux situations. Dans les limites de cette identification, il est son père ou sa mère, souvent les deux à la fois, et il se comporte comme eux l'auraient fait.

On peut classer approximativement les rôles joués en rôles de domination et rôles de soumission. Dans toute relation névrotique, l'un des partenaires prend le rôle dominant et l'autre prend le rôle soumis. Lorsqu'on joue un rôle, il faut trouver un répondant approprié à son rôle pour que la relation soit possible. Par exemple, une femme aux tendances viriles agressives se liera à un homme aux tendances passives féminines. De la même façon, un homme qui se tient pour un héros recherche inconsciemment quelqu'un qui lui voue un culte. Ces relations se révèlent rarement satisfaisantes, puisque derrière les rôles se cachent des personnes réelles dont les vrais besoins ne sont pas assouvis par le jeu des rôles. Celui qui prend le rôle soumis éprouve du ressentiment de sa soumission, tandis que celui qui a le rôle dominant se sent frustré de façon permanente. Dominer n'a aucun sens lorsque le partenaire se montre soumis.

Tout jeu de rôle implique une aide et une exploitation mutuelles. Une femme virile et agressive, qui domine son mari, trouve dans l'acquiescement passif de son mari un soutien pour son Moi qui manque d'assurance. Elle est aussi un soutien pour son mari passif lorsqu'il s'agit de prendre des décisions et d'affronter le monde extérieur. Elle exploite la faiblesse de son mari, en diminuant sa virilité, pour expliquer son échec personnel en tant que femme. De la même façon, en adoptant une attitude soumise, le mari peut rejeter sur l'hostilité de sa femme le blâme de sa faiblesse. La peur de s'affirmer et la culpabilité quant aux sentiments négatifs et aux émotions sexuelles sont présentes sous tous les rôles.

## *Affirmation de soi*

La perception consciente de soi, ou conscience de son identité, se développe au moment où le Moi prend en charge l'expression des émotions. Le comportement devient alors dépendant de la volonté. L'enfant est conscient de ce qu'il fait, et il a quelque idée de la façon dont son comportement affecte autrui. Ses actes et ses propos ne sont plus uniquement des phénomènes de décharge qui soulagent la tension ; ils servent également de moyens de communication. A ce stade, on peut parler d'affirmation de soi. Ceci signifie que la perception de soi a surgi de façon consciente ou, comme l'énonce R. A. Spitz, que le sujet a conscience de lui-même comme « d'une entité sensible et agissante [71] ». Selon Spitz, ceci se produit pour la première fois vers l'âge de dix-huit mois.

Le comportement spécifique qui indique que cela s'est produit consiste en l'expression du *non*, soit par le mot, soit en secouant la tête. Spitz écrit : « L'acquisition du *non* est l'indice d'un nouveau niveau d'autonomie, de la connaissance consciente de *l'autre* et de la connaissance consciente de soi [72]. »

L'expression du *oui*, par mot ou par geste, constitue un développement plus tardif. Bien avant cela, l'enfant peut indiquer son acceptation ou son refus par les mouvements physiques appropriés. Il peut ouvrir la bouche pour recevoir la nourriture que lui offre sa mère, ou se détourner en signe de rejet. Mais c'est un comportement semi-automatique ; il ne communique pas au parent le résultat d'un jugement. En disant *oui* ou *non*, l'enfant substitue une communication à une action directe et, au cours de ce processus, il se perçoit lui-même comme un agent actif capable de faire des choix.

Le concept du *non* englobe, en plus du refus, la notion d'opposition. Lorsque l'enfant refuse sa nourriture, ce n'est pas dirigé contre sa mère mais contre l'objet présenté, tandis que l'expression du *non* est une communication dirigée vers autrui. Le *non* oppose l'enfant à ses parents, et le place ainsi à part, en tant que force autonome. Il est conscient de la volonté de ses parents, et il est également conscient de son opposition à cette volonté.

La découverte du Soi, par l'intermédiaire de l'opposition, intrigue l'enfant. Il explore ce nouveau moyen d'expression du Soi en disant souvent *non*, même lorsqu'on lui offre un objet qu'il désire.

Je me souviens d'un incident qui se produisit lorsque mon fils avait à peu près deux ans. Je lui offris une galette, qu'il aimait, mais il secoua la tête pour refuser avant d'avoir vu ce que c'était. Après avoir reconnu la galette, il tendit la main pour la prendre. Une patiente me raconta également une anecdote intéressante à ce sujet. Elle me dit qu'elle se souvenait de la manière dont elle avait pris conscience d'elle-même en tant que personnalité indépendante. En répondant à une question posée par ses parents, elle leur raconta délibérément un mensonge. Au moment où elle énonçait le mensonge, elle réalisa qu'elle n'était pas obligée de dire la vérité et que sa réponse dépendait de son choix. Cela me fit envisager qu'il se peut que les enfants mentent parfois délibérément pour tester et affirmer leur perception de soi.

La manifestation de cette opposition est conditionnée par l'expression antérieure d'attitudes d'affirmation de soi. Avant que le concept du *non* ne se développe dans l'esprit de l'enfant, on peut considérer que son comportement constitue une expression de son affirmation de lui-même. Rechercher le plaisir et se tenir à l'écart de la douleur sont des réactions instinctives et, comme le dit Spitz, « l'affirmation de soi est un attribut essentiel de l'instinct [73] ». En revanche, le refus est un attribut du moi et naît de la prise de conscience d'une opposition. Tout comme le Moi tire son énergie du corps, l'expression du *non* prend sa force dans l'assouvissement antérieur des désirs et des besoins.

L'expérience clinique montre que quand on ne sait pas ce que l'on veut, on est incapable de dire *non*. Si l'on prononce le mot, l'expression manque de conviction, elle n'est pas faite sur un ton déterminé. L'explication logique en est que le refus n'a aucun sens s'il y manque l'impression que l'on s'affirme par ce refus. Dans la plupart des systèmes logiques, la négation naît par opposition à une affirmation précédente. L'explication psychologique en est que le Soi dépend de la perception des émotions ; lorsque ces émotions disparaissent, on perd les fondations de l'affirmation de soi, et l'expression du *non* en est affaiblie. Le Soi est comme une montagne dont la base est voilée de nuages : seul le sommet est visible et nous rappelle son existence. De la même façon, le Soi conscient est le sommet d'une structure psychologique dont la base se trouve au niveau du corps et de ses sensations.

On peut dire que l'affirmation de soi s'exprime sous deux formes : tendre consciemment la main vers ce que l'on veut, et refuser consciemment ce que l'on ne veut pas. Ces impulsions peuvent s'exprimer oralement ou gestuellement. Ces deux formes d'affirmation de soi et ces deux modalités d'expression sont bloquées chez le schizoïde. Sa maladie limite son aptitude à faire des demandes et à exprimer de la résistance envers les demandes des autres. Confronté à cette difficulté, il peut refuser les relations avec autrui ou, s'il en établit, s'y montrer à la fois soumis et révolté.

Le retrait schizoïde est l'indice d'une opposition muette ; la rigidité schizoïde est l'indice d'une résistance muette. En fait, le schizoïde dit : je ne tendrai pas la main. Mais il n'est pas conscient de cette attitude, parce qu'il ne vit pas au niveau de son corps. Dans une telle situation, toute tentative pour obtenir de lui qu'il s'affirme ne peut qu'échouer. Au cours de la thérapie, l'approche de l'affirmation de soi passe par le refus. La logique de la thérapie veut que l'on agisse de l'extérieur vers le centre, alors que la croissance et le développement se font en sens inverse.

Libérer les impressions négatives refoulées permet aux impressions positives (le désir et l'affection) de survenir spontanément. Lorsque l'extérieur de ce corps figé se dégèle, la nostalgie de contact et de chaleur se manifeste sous la forme de pleurs au caractère infantile. Beaucoup de patients remarquent à quel point ces pleurs ressemblent à ceux d'un nourrisson. C'est la voix du bébé qu'ils ont refoulé et enterré sous une façade de sophistication et leur masque mortuaire.

Au cours du chapitre précédent, j'ai décrit quelques-unes des méthodes physiques utilisées pour ramener le patient au niveau de son corps. Ces techniques lui font prendre conscience de ses rigidités musculaires. Beaucoup de ces exercices libèrent la tension et améliorent la respiration, mais la tâche principale, qui consiste à libérer le patient de sa rigidité, s'effectue en lui faisant exécuter des mouvements expressifs. Par exemple, donner des coups de pied dans le divan est un mouvement expressif, parce que donner un coup de pied, c'est protester. Mais si l'on fait ce geste de façon mécanique, sans prendre conscience de sa signification, c'est simplement un exercice. Un autre mouvement expressif consiste à frapper le divan avec les poings ou avec une raquette de tennis. On peut utiliser nombre d'autres activités expressives pour amener le patient à s'affirmer de mieux en mieux.

L'une de ces activités expressives consiste à faire étendre le patient sur le divan, la tête en arrière et les genoux fléchis, et à lui faire frapper le matelas avec les poings en disant « Non ! » à chaque coup de poing. L'intensité du son et la force du coup montrent jusqu'à quel point le patient est capable d'exprimer son opposition. Dans la plupart des cas, la voix est faible et les coups sont hésitants et timides. On doit encourager ces patients à s'affirmer plus énergiquement. Mais, même lorsqu'on les encourage, il est presque impossible d'obtenir qu'ils s'impliquent totalement dans l'activité. Ils font des rationalisations du genre : « Je n'ai aucune raison de dire *non* », ou : « A qui est-ce que je dois dire *non* ? » Ce comportement contraste de façon aiguë avec l'enthousiasme manifesté par la plupart des enfants pour cette activité. On découvre rapidement que ces patients étaient incapables de s'opposer à leurs parents.

Cet exercice expressif provoque parfois une réaction positive chez le patient. Je me souviens d'une femme d'une quarantaine d'années qui remarqua, après l'exercice : « C'est la première fois que j'ai vraiment pu dire *non*. C'est une impression merveilleuse. » Dans d'autres cas, les patients fondent spontanément en sanglots, grâce à ce simple soulagement. Mais, en général, l'aptitude à dire *non* avec conviction ne s'établit que grâce à de fréquentes répétitions.

De nombreux mots peuvent s'associer à ce mouvement. Les composantes naturelles de ce geste sont : « Je ne veux pas ! », « Va-t-en ! »

et « Pourquoi ? », mais on peut en trouver d'autres. Je m'oppose parfois à l'affirmation du patient en disant : « Mais si », et en retenant son poignet. La plupart des patients s'arrêtent net. Ils ne savent plus que faire. On rencontre parfois, là aussi, un patient qui résiste et qui essaie de continuer à s'affirmer malgré mon opposition.

La résistance et la provocation sont caractéristiques de l'enfant ; il prend plaisir à l'affrontement et à l'opposition, lorsqu'il n'a pas peur de ses parents. Cependant, la plupart des patients ont peur de s'opposer à mon autorité. Ils se montrent aussi soumis en thérapie que dans la vie, aussi leur rébellion et leur résistance restent-elles verrouillées en eux.

Si le patient continue à améliorer son aptitude à exprimer ouvertement ses impressions négatives, il en arrive tôt ou tard à se tourner contre le thérapeute. Il met sa rébellion à découvert. Il s'affirme en s'opposant au thérapeute, symbole de toute autorité. C'est ce qu'illustre bien le cas suivant. Le patient arriva en retard à la séance : « Je pensais que je ne viendrais pas, me dit-il. Vous m'auriez demandé " Pourquoi ? " J'aurais répondu " Allez vous faire enculer ! " et je vous aurais planté là.

« J'ai l'impression d'être devenu stupide, et que c'est de votre faute. Tant que j'accepte vos valeurs, je ne puis penser par moi-même. Allez au diable, vous et tout ce que vous approuvez. »

En commentant ces paroles, le patient dit que lorsqu'il était schizoïde et se tenait à l'écart, il avait de l'imagination. Il ne manquait pas d'idées. Il aimait lire. Maintenant, il se sentait stupide. Selon son interprétation, mes valeurs signifiaient être viril, être agressif, être intégré au monde. Il avait l'impression que c'était trop lui demander mais il réalisait aussi que rester schizoïde lui était devenu intolérable. La suite de l'analyse montra qu'il associait intelligence, imagination et sensibilité à sa mère. La manière dont il définissait mes valeurs en faisait des aspects de son père avec qui il n'avait jamais eu de relations très étroites.

En cas de forte tension, les schizoïdes expriment souvent leurs émotions négatives, mais sous une forme qui n'améliore pas leur perception de l'identité. Ils deviennent hystériques, hurlent, vocifèrent toutes sortes de remarques hostiles. On doit faire une distinction entre les réactions hystériques et l'expression émotionnelle. La réaction hystérique peut se comparer à un cyclone qui submerge toutes les digues établies par la conscience, tandis qu'une émotion vraie s'exprime avec l'approbation et le soutien du Moi. Une émotion est une réaction unifiée et globale ; la réaction hystérique est scindée : le corps passe à l'acte, et le Moi s'avère incapable de remonter le courant. Les réactions hystériques sont fréquentes chez les schizoïdes, elles renforcent la dissociation entre le Moi et le corps.

Un autre mouvement expressif, particulièrement efficace pour décharger les tensions, fait également intervenir l'expression du *non*. Le patient garde la tête en arrière et les genoux fléchis, comme dans l'exemple précédent. Il contracte l'arrière du cou, pousse la mâchoire vers l'avant en montrant les dents, et secoue la tête à droite et à gauche, très rapidement. En même temps, il dit *non* à voix haute ou basse. Le ton de la voix monte à mesure que le mouvement se poursuit, et peut aller jusqu'aux hurlements dans certains cas. Ce mouvement est une exagération du mouvement normal de dénégation ; en effet, il fait intervenir l'impression de ténacité qui s'associe à la contraction de l'arrière du cou. Le schizoïde trouve difficile d'exécuter correctement ce mouvement. La tension des muscles qui joignent le cou et la tête est si forte chez le schizoïde que ses mouvements de tête deviennent irréguliers et ataxiques. La ténacité est inconsciente et échappe donc au contrôle du Moi. Mais, si l'on pratique cet exercice régulièrement, les tensions du cou se relâchent, et le *non* devient plus énergique. Si l'on expire en même temps que l'on secoue la tête violemment, cela finit par provoquer des secousses de l'ensemble du corps.

Dire *non* permet que cela se produise. On pourrait dire que le schizoïde a besoin d'être secoué, mais qu'il vaut mieux que ce soit lui-même qui se secoue. Hans Selye dit, à propos de l'efficacité des thérapies de choc dans le traitement des maladies mentales : « Personne ne savait exactement comment agissaient ces thérapies de choc... C'était comme si le patient était soudainement " expulsé de sa maladie ", tout comme on peut arrêter net la crise de colère d'un enfant en lui jetant brusquement un verre d'eau froide à la figure[74]. » Secouer la tête de façon consciente n'a pas le même effet qu'un traitement par chocs électriques. Mais cela permet d'ébranler la rigidité musculaire du schizoïde qui n'a heureusement pas besoin d'un traitement plus intense.

Le principe qui est à la base de ces mouvements, c'est que l'on peut libérer la négativité verrouillée dans les muscles spasmodiques, si l'on arrive à activer les muscles contractés par des mouvements appropriés. Secouer la tête est un moyen de mobiliser les muscles contractés à la base du crâne ; pousser la mâchoire vers l'avant en est un autre pour mobiliser les muscles contractés des mâchoires. J'ai souligné au cours du chapitre 4 que le schizoïde a les mâchoires rigides, comme figées en une attitude de défi. Son air provocateur n'est pas conscient ; il ne se doute même pas de la rigidité de ses mâchoires. Mais si on lui fait exagérer cette attitude de défi, il prend conscience de cette rigidité. Il se plaint de douleurs causées par l'étirement des muscles. Lorsqu'il exprime ouvertement ce défi, la tension des muscles de la mâchoire diminue.

La raideur et le défi de ses mâchoires empêchent le schizoïde d'accomplir normalement le geste qui consiste à tendre les lèvres pour téter. Comme ce geste constitue l'élan primitif vers le monde et le premier mouvement agressif que fait un nourrisson, une inhibition à ce niveau ouvre la voie à l'inhibition de tous les autres mouvements qui permettent de se tendre vers le monde. Le nourrisson et l'adulte normal peuvent étirer les lèvres doucement et complètement. Lorsqu'un patient schizoïde essaie de faire ce mouvement, il pousse la mâchoire en avant en même temps que les lèvres. Par conséquent il n'a pas l'impression de tendre les lèvres. Le mouvement du schizoïde est un geste ambivalent. Le mouvement vers l'avant de la mâchoire est l'expression d'une opposition, alors qu'essayer de tendre les lèvres constitue une expression d'affirmation. Les deux émotions s'éliminent mutuellement. Qu'il soit impossible au patient schizoïde de tendre les lèvres sans avancer la mâchoire montre bien comment les impressions négatives refoulées bloquent l'expression des émotions positives ou affirmatives.

Se frapper la tête est un autre mouvement expressif que l'on peut utiliser pour libérer la négativité. On le fait, bien entendu, contre un matelas en mousse de caoutchouc. C'est l'opposé du hochement de tête. Les enfants utilisent ce mouvement en cas de frustration extrême pour décharger les tensions de l'arrière du cou et de la base du crâne. Se frapper la tête rythmiquement contre le lit disloque les tensions. Par ailleurs ce n'est pas déplaisant lorsqu'on est totalement détendu. Cela secoue le corps et approfondit la respiration. Très souvent, ce mouvement provoque une impression de nausée, à cause de l'effet sur le diaphragme. Si le patient a un haut-le-cœur et vomit, il y a une décharge considérable des tensions diaphragmatiques.

Chaque mouvement expressif peut être utilisé pour soulager la tension et développer l'aptitude à s'exprimer émotionnellement. J'ai mis l'accent sur les mouvements qui expriment des émotions négatives, mais il est tout aussi important d'utiliser des gestes d'affirmation. Tendre les bras et dire : « Maman ! » fait surgir toute une foule d'émotions, si le patient s'autorise à faire ce geste. Cela fait pleurer beaucoup d'hommes.

La thérapie constitue un processus de découverte de soi-même. Mais ce processus s'intègre dans une relation avec une autre personne, le thérapeute. Son interaction avec le patient reste parallèle aux expériences infantiles du patient avec ses parents. Les phénomènes qui interviennent dans cette interaction sont le transfert, les résistances et le contre-transfert.

## *Transfert, résistance et contre-transfert*

Le rôle que joue le patient devient la base de sa relation avec le thérapeute. C'est le sens du terme « transfert ». Le patient transfère sur le thérapeute les émotions et les attitudes qu'il a développées pendant ses relations avec ses parents. Il voit le thérapeute comme un substitut de figure maternelle ou un substitut de figure paternelle ; il tient fidèlement son rôle, espérant obtenir amour et approbation, et arriver ainsi à surmonter sa peur et son anxiété. Si le patient joue le rôle de l'enfant gentil et obéissant, il va essayer d'impressionner le thérapeute par ses efforts et sa sincérité. S'il joue le rôle du grand homme d'affaires, il va essayer de diriger la thérapie pour montrer sa puissance et son sens du commandement. Si un tel phénomène devait se poursuivre, la thérapie échouerait. Le jeu du rôle est la principale résistance psychologique à l'entreprise thérapeutique.

Le patient — et c'est particulièrement vrai du patient schizoïde — recherche également dans la thérapie l'acceptation et la chaleur dont il a manqué étant enfant. Il a besoin de retrouver le contact avec le petit enfant qui est au fond de lui, dont il a nié l'existence pendant des années. Pour arriver à établir ce contact, et pour parvenir à prendre conscience de son identité, il faut que le thérapeute lui fournisse une aide positive. Cette nécessité place le thérapeute en position de figure maternelle. Plus le patient est gravement perturbé, plus il a besoin du type d'assistance qui lui a manqué lorsqu'il était un tout-petit. John Rosen, traitant du rôle du thérapeute au cours du traitement des patients schizophrènes, dit à ce propos : « Il doit être la mère idéale, qui a maintenant la responsabilité d'élever à nouveau le patient, jusqu'au bout [75]. » A. A. Honig rapporte que lorsqu'il demandait à ses patients, une fois guéris, quel était celui de ses rôles qui leur avait permis de se rétablir, ils répondaient invariablement : *la mère* [76].

Être une mère bénévole implique que l'on ne se contente pas d'exprimer son intérêt verbalement. Le thérapeute doit établir son contact avec le patient comme la mère le fait avec son enfant, c'est-à-dire par l'intermédiaire du corps. Si le thérapeute touche le patient avec des mains chaudes et tendres, il établit un contact plus profond qu'il ne pourrait le faire avec des mots ou des regards. Le thérapeute qui n'accorde que peu d'attention aux besoins physiques du patient (respirer et bouger) confirme la dissociation schizoïde entre le corps et l'esprit. La validité de l'approche analytique ne doit pas faire oublier que le patient a besoin d'enraciner son existence dans son être physique. On doit encourager le patient à exprimer ses émotions par des activités physiques appropriées, dans des conditions contrôlées.

L'approche du type « mère bienveillante » ne suffit cependant pas à résoudre le dilemme schizoïde. Chez le schizoïde, les besoins oraux et génitaux sont mêlés de façon si inextricable que le patient s'y embrouille et n'a souvent pas conscience de la signification de ses actes. Son désir de contact physique et de proximité masque souvent un désir de gratification génitale. Les sensations génitales sont souvent des désirs oraux de contact, déplacés. Cette confusion vient des relations incestueuses et homosexuelles précoces de l'enfant schizoïde. De plus, « faire la mère bienveillante » engendre une résistance chez le patient schizoïde : il s'en sert pour justifier le fait qu'il continue à tenir un rôle. Dans l'esprit du patient, une mère bienveillante est une mère qui l'accepte et qui l'approuve tel qu'il est. Il interprète toute demande qui achoppe à la réalité comme un manque d'aide. Le transfert basé sur la relation mère/enfant se transforme donc en résistance à la perlaboration analytique des problèmes du patient.

On peut objecter que le thérapeute n'a aucunement le droit de faire des « demandes » à un patient. Il n'a certainement aucun droit à dicter ou à contrôler le comportement et les réactions du patient. Se comporter ainsi justifierait les résistances du patient à la thérapie. Mais refuser au thérapeute le droit d'exprimer ses opinions et le confiner dans une attitude passive finit par affaiblir l'interaction thérapeutique. Le patient ne peut pas prendre conscience de son identité dans le vide. Il doit apprendre à s'affirmer face à l'autorité, tout en étant certain qu'il ne se sentira pas pour autant rejeté. Il doit arriver à considérer le thérapeute comme un être humain pour pouvoir accepter sa propre humanité. Il doit se montrer capable d'affronter la personnalité du thérapeute si l'on veut qu'il soit capable d'affronter d'autres personnalités au cours de son existence. L'interaction thérapeutique ne peut pas être efficace si le thérapeute masque sa personnalité derrière un rôle.

Le thérapeute répond aux besoins du patient. Il calme le patient anxieux, rassure celui qui est effrayé, et soutient celui qui flanche. En tant que soutien, on peut dire qu'il se comporte comme une mère. Mais il n'a pas envers le patient les émotions personnelles que la mère éprouve pour son enfant. Ses réactions vis-à-vis du patient sont réalistes. Il peut rassurer un patient effrayé parce que sa peur n'a aucun fondement réel. Si la peur avait une cause réelle, il serait désastreux de le rassurer ainsi. Par ailleurs, la mère prend sur elle le fardeau de la réalité et l'épargne à l'enfant. De la même façon, la mère ne détruit pas les croyances de l'enfant (le père Noël, tout le monde est gentil, l'honnêteté est récompensée), alors que le thérapeute s'efforce d'ôter ses illusions au patient.

La réalité exige que l'on ne puisse pas traiter un adulte comme on traite un enfant. Le thérapeute peut réagir vis-à-vis de l'enfant qui se cache dans l'adulte, à condition qu'il garde présent à l'esprit que, bien entendu, c'est à un adulte qu'il a affaire.

Arriver à éliminer la confusion du schizoïde est un problème qui demande au thérapeute du savoir-faire, des connaissances et de l'objectivité. On attribue d'habitude ces qualités au père idéal, solide et avisé, qui conseille et qui donne l'exemple. On considère en général que l'analyste traditionnel remplit ce rôle. En tant que père idéal, le thérapeute est le représentant de la réalité extérieure, la réalité du monde. Dans ce rôle, il doit interpréter le monde pour le patient, comme un père réel le fait pour ses enfants. D'autre part, la mère idéale est la représentante de la réalité interne, la réalité du corps et de ses sensations. Le thérapeute, que ce soit un homme ou une femme, doit être familiarisé avec ces deux réalités, afin de pouvoir aider le patient à résoudre ses conflits. Il doit savoir à quel moment être un soutien et à quel moment être critique.

Le thérapeute représente la réalité, par opposition à la maladie émotionnelle qui refuse ou déforme la réalité. Mais la réalité semble avoir des significations qui diffèrent selon les individus. La preuve en est le grand nombre de livres traitant de psychologie, chacun maniant la réalité en ses propres termes. Ce qu'offre le thérapeute est donc la réalité de son propre être et de sa propre existence, expérience assez large pour qu'il puisse comprendre la confusion et l'anxiété du patient sans les partager. Le patient est certain d'être aidé parce que le thérapeute se consacre à la vérité, vérité de sa propre existence, vérité de la lutte du patient et vérité du corps.

Dans *Love and Orgasm*, j'ai décrit la vérité du corps comme « la connaissance consciente de l'expression, de l'attitude et de l'état de son corps[77] ». Le patient a perdu cette vérité, car il ne connaît ni ses tensions ni ses limites. Il ne se voit qu'à l'intérieur des limites de son image du Moi. Mais le thérapeute voit le patient comme un autre être humain, assis en face de lui. Il peut observer ses expressions et percevoir l'attitude et l'état de son corps. Si le thérapeute connaît la vérité de son propre corps, il se trouve en position privilégiée pour aider le patient à acquérir cette vérité.

Au niveau de l'expression physique, le thérapeute révèle autant de choses au patient (par son apparence physique, ses gestes, le caractère de ses mouvements) que le patient en révèle au thérapeute. Il n'existe à ce niveau aucune barrière de silence derrière laquelle le thérapeute puisse se cacher. S'il ignore la vérité de son propre corps, il répugnera à affronter la vérité du corps du patient.

Le *contre-transfert* se réfère au rôle que le thérapeute peut arriver à jouer inconsciemment, et auquel il suppose que le patient va répondre. Ce rôle dénote ses illusions, et le patient ne doit pas les briser. Il reflète son implication avec son image du Moi et son refus de la vérité de son corps. Quel que soit le degré d'existence de ce *contre-transfert*, il va constituer un obstacle à la guérison du patient.

J'ai défendu la thèse selon laquelle la maladie émotionnelle apparaît lorsque l'image remplace la réalité, lorsque les projections et les identifications empêchent l'individu d'être lui-même. La situation thérapeutique ne leur laisse aucune place. La garantie de la vérité est l'aptitude du patient à exprimer ses impressions négatives vis-à-vis du thérapeute, et la bonne volonté à les écouter par ce dernier. Car aucun thérapeute n'est un être humain parfait. La perfection n'est pas une caractéristique humaine. Mais le thérapeute doit être un être humain réel, qui a le courage de faire face au désespoir de la personnalité schizoïde, la force d'âme nécessaire pour affronter le « diable » du patient et l'humilité de réaliser que les progrès du patient sont le résultat des efforts de ce dernier. Si le thérapeute possède ces traits de caractère, ses patients l'imiteront, ne s'identifieront pas à lui et parviendront, grâce à ce qu'ils éprouveront pendant la relation thérapeutique, à la conscience de leur identité.

# 14

# Le Moi et le corps

*Envoûtement*

LA MALADIE émotionnelle ressemble à un envoûtement, à de nombreux égards. On dit souvent d'une personne perturbée émotionnellement qu'elle n'est pas elle-même ; elle peut faire la remarque : « Je ne sais pas ce qui me prend ! » De telles phrases sous-entendent que le malade émotionnel est sous l'influence d'une force ou d'une puissance étrangère, qui semble avoir pris possession de lui.

Dans les sociétés primitives, on considère en général que perdre la maîtrise de soi signifie que l'on a été envoûté. Le primitif pense que tout ce qui trouble son bien-être,. y compris l'anxiété, est dû à la magie noire ou à la sorcellerie. Il a l'impression d'être envoûté lorsqu'il ne se sent pas en harmonie avec son corps ou avec la communauté. Il est inconcevable à ses yeux que cela puisse être dû à autre chose qu'à une cause supranaturelle.

Les enfants considèrent également la maladie comme le résultat d'une influence étrangère et malveillante. Lorsque mon fils était petit, il demandait chaque fois qu'il était malade : « Quand est-ce que ça va partir ? » J'ai entendu d'autres enfants utiliser des expressions du même type, comme : « Maman, fais-le partir ! » L'attitude infantile envers la maladie ne diffère pas de façon significative de l'attitude du primitif qui se sent envoûté. La similitude entre les trois cas (la personne émotionnellement perturbée, le primitif envoûté et l'enfant malade) se constate à leur tendance commune à se tourner vers une figure plus forte, qui est supposée posséder le pouvoir de contrebalancer le trouble ou l'influence malveillante. A cet égard, le psychiatre, le sorcier, le médecin et la mère remplissent une fonction commune.

Si l'on fait correspondre la perte de la maîtrise de soi à un envoûtement, on peut considérer comme envoûté tout individu présentant une scission entre le Moi et le corps. Un homme envoûté ne peut distinguer l'illusion de la réalité, l'image du corps, le mot de l'acte. Il est donc capable de se détruire lui-même et de détruire autrui, de façon incompréhensible pour l'esprit rationnel. La meilleure explication de l'holocauste nazi est « l'envoûtement » des Allemands par Hitler. La question qui vient à l'esprit est : « Qu'est-ce qui rend les gens vulnérables aux paroles d'un démagogue ? »

Avant de répondre à cette question, examinons un cas classique d'ensorcellement, rapporté par R. J. W. Burrell dans *Medical World News* : « Je vis une vieille femme jeter une malédiction à un homme. Elle lui dit : *Tu mourras avant le coucher du soleil*. Et il en fut ainsi. » Burrell explique que « l'homme croyait qu'il allait mourir, et il mourut. A l'autopsie, on ne put trouver aucune explication à cette mort [78] ».

L'homme était réceptif à la malédiction de la vieille femme parce qu'il croyait aux pouvoirs occultes de celle-ci. La vieille femme avait parlé comme si elle pouvait contrôler les forces de vie et de mort ; le Moi peu développé de l'homme était incapable de mettre à l'épreuve la réalité de cette affirmation. La terreur qu'elle provoqua chez lui scinda l'unité de sa personnalité, détruisit la perception qu'il avait de son identité et lui permit d'être maudit et envoûté. Le primitif croit au supranaturel, parce qu'il lui manque le savoir qui lui permettrait d'expliquer les forces naturelles. Sa faiblesse le terrifie et sa terreur le rend vulnérable.

L'enfant qui devient schizoïde est dans la même position que l'homme du cas précédent. La mère hostile est semblable à la vieille femme qui avait jeté sa malédiction. Comme la mère détient sur l'enfant le pouvoir de vie et de mort, il reste impuissant et terrifié lorsqu'elle le rejette. Son Moi, qui n'est pas développé, est incapable de faire face à une attitude qui lui refuse le droit au plaisir physique et qui le condamne à mort.

L'ensorcellement rapporté par Burrell suggère également un parallèle avec le processus hypnotique. On peut dire que l'homme a été hypnotisé par la vieille femme. Sous hypnose, le sujet abandonne son Moi à l'hypnotiseur, qui peut alors commander le corps du sujet. Il est bien connu que certaines personnes entrent en transe hypnotique à la plus légère suggestion. J'ai vu des personnes entrer en transe en écoutant simplement l'hypnotiseur présenter sa technique. Par contre, l'individu dont le Moi est solide résiste aux tentatives hypnotiques. Le degré de suggestibilité est directement proportionnel à la faiblesse du Moi. Cette faiblesse représente un manque de développement du Moi chez l'enfant et le primitif ; au stade civilisé et adulte, elle est provoquée par la dissociation entre le Moi et le corps. Le Moi dissocié est, comme le Moi non développé, incapable de mettre objectivement la réalité à l'épreuve.

On suppose généralement que l'éducation résout le problème de l'irrationnel chez l'être humain. Ceci est vrai dans une certaine mesure. Le primitif, dépourvu du savoir relatif aux processus de la vie et de la mort, est vulnérable à l'envoûtement et à la sorcellerie. L'enfant qui ne peut pas comprendre les forces complexes mises en jeu dans une famille perturbée devient schizoïde. Ses progrès émotionnels dépendent de sa compréhension, qu'il acquiert au cours d'une thérapie analytique. Mais l'expérience montre que l'éducation et le savoir ne constituent pas une protection certaine. Beaucoup d'Allemands très cultivés ont été envoûtés par les paroles d'Hitler. On rencontre dans tout parti des intellectuels fanatiques, qui justifient leurs positions en des termes identiques.

Je pense que le Moi repose sur deux fondations ; si l'une des deux manque, il est vulnérable à l'envoûtement. Ces deux fondations sont : 1) son identification avec le corps (impressions) et 2) son identification avec l'esprit (savoir).

Sans le savoir, le Moi n'a aucun moyen de mettre la réalité à l'épreuve. Seule la magie lui permet alors d'influencer les processus naturels. Si le Moi n'est pas bien enraciné dans le corps, il ne perçoit pas la réalité. Son savoir dégénère alors en abstractions, qui ne peuvent influencer le comportement. Le contact avec le corps permet au Moi d'appréhender la réalité intérieure ; le savoir lui permet d'appréhender la réalité externe. Ces deux réalités sont souvent en conflit. Ne pouvoir les harmoniser entraîne la confusion. Lorsqu'elles deviennent antagonistes, elles mènent au trouble schizoïde. Notre compréhension de la vie reste souvent confuse parce que ces deux réalités obéissent à des lois différentes.

## *Communalité contre causalité*

La réalité vue de l'intérieur, c'est-à-dire du point de vue du corps, est un *continuum* dans lequel le Moi, le corps et la nature sont liés par des processus similaires. Ce que l'on pense, ce que l'on ressent et les phénomènes de la nature constituent plus ou moins une unité, dans laquelle un événement qui a lieu dans l'un des domaines d'expérience influence les autres. Cette vision de la réalité caractérise les attitudes primitives et infantiles envers l'existence. La relation entre ces trois domaines d'expérience peut être représentée par trois cercles cosécants qui forment un *continuum,* comme le montre la figure XXII ci-dessous.

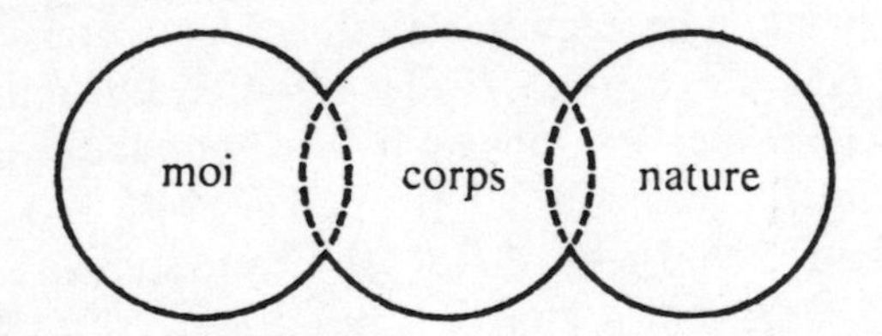


*Figure XXII Le* continuum *moi-corps-nature*

Cette vision de la réalité permet au primitif et à l'enfant d'avoir une représentation globale de l'existence. Comme ce qui se produit dans la nature a une influence directe sur le corps, le primitif cherche à fonder son comportement sur des présages et des augures. Réciproquement, il croit pouvoir influencer la nature par ses activités physiques. Il croit que les danses de la pluie font pleuvoir, que l'activité sexuelle assure la fertilité des champs. Cette réalité intérieure, si l'on ne tient pas compte des distorsions, permet au primitif et à l'enfant, d'avoir une perception immédiate de leur identité, établie sur ce qu'ils ressentent physiquement. Le primitif a l'impression d'appartenir à sa famille, à sa tribu, à la nature ; un enfant sain a une impression d'appartenance similaire. Comme ce *continuum* est un ensemble d'un seul tenant, toute rupture du lien entre les différents domaines est attribuée à une puissance extérieure malveillante.

L'acquisition du savoir a transformé cette vision primitive de la réalité. L'homme civilisé a écarté l'idée de supranaturel ; il a surmonté la terreur avec laquelle le primitif considère l'inconnu, et donc les processus mystérieux du corps et de la nature. Il a remplacé la croyance aux esprits du primitif par la confiance en l'esprit et la raison. Grâce à son identification avec l'esprit, le Moi a proclamé sa domination sur le corps. « Je pense, donc je suis » a remplacé la perception primitive de l'identité, fondée sur « Je sens, donc je suis ». Finalement, l'homme est devenu égotiste, objectif et détaché ; il a perdu l'impression de ne faire qu'un avec la nature.

Le savoir fournit à l'homme une vision de la nature et de la réalité extérieure selon laquelle les événements sont reliés les uns aux autres par des causes démontrables ; les trois domaines d'expérience constituent des sphères séparées, qui entrent en interaction par des relations causales directes. La figure XXIII présente cette vision objective et scientifique de la réalité.

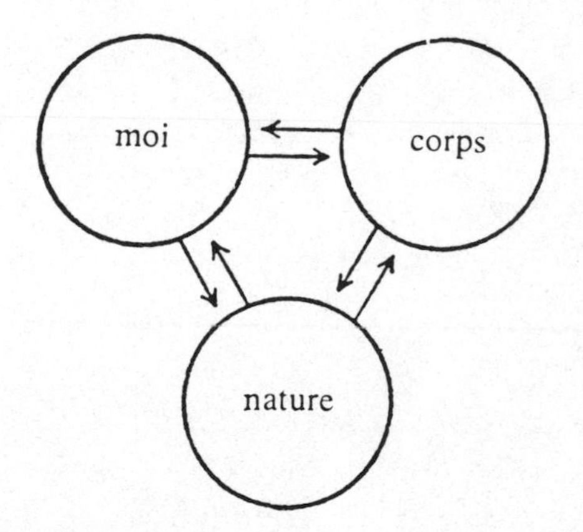


*Figure XXIII La discontinuité de la réalité vue par l'esprit objectif*

Dans le *continuum* du stade primitif, aucune disposition n'est prise pour l'imprévu. Tout imprévu est considéré comme une manifestation supranaturelle, qui échappe à la compréhension et au contrôle de l'homme. La discontinuité autorise au contraire les expériences imprévues et les transforme en savoir, grâce aux observations répétées faites par le Moi objectif. Le savoir, par opposition à la magie, constitue une puissance digne de confiance, la possibilité logique d'agir sur les processus naturels et de les contrôler. L'homme devient, par l'intermédiaire de son Moi, l'acteur principal du drame de la vie, le créateur de l'histoire. La culture civilisée constitue un processus dynamique, marqué par un savoir toujours croissant et une séparation toujours plus marquée des domaines d'expérience.

On peut décrire ces deux interprétations de la réalité sous les termes de communalité et de causalité. La communalité relie chaque domaine de réalité aux autres sous la forme d'un *continuum* qui les englobe tous. La causalité renonce à l'universel et explique les relations sous la forme d'actes démontrables. Chacune de ces deux interprétations a des avantages et des inconvénients. Le primitif (comme l'enfant) a spontanément l'impression de faire partie de ce qui l'entoure, et il s'identifie fortement à son corps et à ses fonctions de plaisir. Mais il reste relativement sans défense contre les vicissitudes de la nature, et il est donc plus exposé aux fléaux et aux maladies. L'homme moderne a acquis un degré relativement élevé de sécurité extérieure, mais souvent aux dépens de l'impression d'harmonie — d'unité — avec son corps et la nature.

La distinction entre le comportement et les modes de pensée civilisés et primitifs n'est pas absolue. Les cultures primitives témoignent d'une certaine connaissance des relations de cause à effet. Un individu normal, à notre époque, témoigne d'une certaine perception du *continuum* enfant-primitif et de l'unité. Une personne équilibrée s'identifie avec son corps et perçoit l'intimité de son lien avec la nature. En même temps, au niveau du Moi, elle est consciente des relations de cause à effet qui sont à l'œuvre. Ses fonctions rationnelles se superposent à la perception d'unité ressentie lorsqu'elle était enfant ; son Moi ne renie pas cette unité. L'homme naît de l'enfant ; il ne le renie pas. Son Moi se nourrit à deux sources : le monde subjectif de la réalité intérieure et le monde objectif de la réalité extérieure. Il tient à la terre par chacun de ces aspects de la réalité.

Mais, à notre époque, de telles personnes constituent une exception et non la norme. Le problème schizoïde s'est tellement répandu que l'on doit évaluer de façon plus critique le rôle du Moi pour comprendre ce trouble. Il faut comprendre le conflit entre le Moi et le corps, entre le savoir et les perceptions, pour guérir la scission qui fait perdre conscience de son identité et empêche de prendre plaisir à vivre.

On n'accorde généralement pas assez d'importance au fait que le Moi crée des discontinuités, qu'il essaie ensuite de combler par le savoir et la parole. Cela engendre les catégories du « Je » par rapport au « Moi », de « Soi » opposé à « l'Autre », de l'homme sujet agissant sur la nature objet. Au cours de ce développement, le corps se transforme lui aussi en objet pour le Moi. Il est réduit au rôle d'instrument de la volonté. Le Moi se transforme en objet d'adoration, devient souverain au lieu de rester le conseiller dont la fonction est de servir d'intermédiaire entre la réalité extérieure et la réalité intérieure. Les hommes, les organisations et même les nations s'intéressent à des images, au détriment des fonctions fondamentales.

Le Moi a pour fonction de mettre la réalité à l'épreuve. Mais le Moi subvertit cette fonction lorsqu'il commence à dominer la réalité, au lieu de se contenter de la mettre à l'épreuve. Ceci se produit lorsque le Moi refuse de se soumettre au corps et affirme sa suprématie sur le corps. Il se comporte alors comme un héros qui, après avoir libéré le peuple d'une certaine forme de tyrannie, deviendrait dictateur et en imposerait une autre. La fonction originelle du Moi était de protéger la personnalité de l'envoûtement et de la magie. Il en arrive à leurrer la personnalité au moyen de mots et d'images.

Lorsque le Moi domine la personnalité, l'individu devient psychopathe. Le psychopathe est dépourvu d'émotions, s'enferme dans les limites de son image et s'engage entièrement dans la lutte pour le pouvoir. Ceci constitue une exagération extrême des tendances normale du Moi, qui sont de développer une *image-de-soi* adéquate, de rejeter l'irrationnel au nom de la raison et de la logique et d'établir un contrôle sur la motilité du corps.

Chez une personne normale, ces fonctions du Moi sont contrebalancées par la force opposée, constituée du corps et de ses perceptions. Les auteurs analytiques se réfèrent à un système de contrôle et d'équilibre entre le Moi et le Ça, qui oppose l'image du Moi à la réalité du corps, le savoir du Moi aux perceptions physiques, et la recherche de puissance du Moi à la recherche de plaisir physique du Ça. Ce système de contrôle et d'équilibre est mis en échec dans une culture qui accorde plus de valeur au savoir qu'aux émotions, à la puissance qu'au plaisir et à l'esprit qu'au corps.

Tant que le Moi domine l'individu celui-ci ne peut pas faire l'expérience des émotions cosmiques ou transcendantales qui rendraient son existence significative. Comme le Moi ne reconnaît que les causes directes, il ne peut pas admettre l'existence de forces qui soient au-delà de sa compréhension. Ainsi, l'on ne peut éprouver d'émotion religieuse sincère que lorsque le Moi s'est incliné devant une puissance supérieure (par exemple dans la prière). On ne peut pas faire l'expérience orgasmique avant que le Moi n'ait capitulé devant le corps pendant les rapports sexuels. Et on ne peut avoir d'expérience mystique que lorsque le Moi abdique devant la majesté de la nature. Dans chaque cas, la dissolution du Moi ramène l'être à l'état d'unité et de continuité où les expériences « émouvantes » sont possibles.

Tomber amoureux est le meilleur exemple du pouvoir de ravissement inhérent au monde non rationnel du corps. Lorsqu'on est amoureux, le Moi abandonne son hégémonie sur le corps, et l'on devient, de façon mystérieuse, capable de répondre au cœur d'une autre personne. L'amoureux éprouve l'impression de ne faire qu'un, non seulement avec sa bien-aimée, mais avec l'ensemble de l'univers. Quelle explication rationnelle pourrait-on donner de cette expérience unique ? L'amoureux, lui, n'en éprouve pas la nécessité.

On n'apprécie généralement pas à sa juste valeur le fait que le savoir inhibe la spontanéité et la sensibilité. Nous connaissons tous l'histoire du mille-pattes qui se paralyse lorsqu'il se demande laquelle de ses pattes doit avancer la première. Chaque fois que l'on doit réfléchir à la façon dont il faut agir, l'action est rigide et pénible. Un enfant trop « poussé » se comporte comme un automate et perd son comportement naturel et charmant. Le savoir montre ses effets néfastes dans deux importants domaines.

1. *La sexualité.* Un comportement fondé sur le savoir détruit la signification de l'acte sexuel. Même si ce savoir a des chances d'être correct, il transforme l'acte d'amour en gestes mécaniques. C'est le grand danger des manuels d'éducation sexuelle.

2. *L'éducation des enfants.* La mère qui essaie d'élever son enfant selon ce qu'elle a appris de la psychologie de l'enfant fera obligatoirement des erreurs. Elle interprétera mal les besoins de l'enfant en les liant à ses idées préconçues. Elle n'arrivera pas à répondre à ce que l'enfant exprimera physiquement, parce que ce n'est compréhensible qu'au niveau de l'émotion. Elle sera tourmentée lorsque ses émotions entreront en conflit avec ses principes.

On dit qu'un peu de savoir est chose dangereuse, mais tout le savoir possible n'est que peu de chose lorsqu'il s'agit de la vie ou des relations personnelles. Pour que le comportement garde un caractère humain, il faut tempérer le savoir du Moi par la sagesse du corps. Je préfère qu'un enfant soit élevé par une femme ignorante et sensible que par une femme instruite mais dépourvue de sensibilité. Le savoir et la sensibilité sont deux ingrédients du comportement ; la sensibilité en est le plus important. Mais tout notre système éducatif est axé sur le savoir et le refus de la sensibilité. A. S. Neill, l'auteur de *Libres enfants de Summerhill,* a écrit un livre meilleur, intitulé *Hearts, not Heads in the School*[79]. Malheureusement, on ne peut pas éduquer directement les cœurs. C'est le corps de l'enfant, et en particulier son besoin de plaisir physique, qui devrait attirer davantage l'attention à l'école.

Mon intention n'est pas d'attaquer le Moi, ni de nier la valeur du savoir. Je pense que le Moi reste faible et vulnérable s'il est dissocié du corps ; que le savoir est vide et dépourvu de sens lorsqu'il est séparé de la sensibilité. Pour résoudre le problème schizoïde, il faut appliquer ces principes de façon directe à l'éducation et à la thérapie. Une éducation qui veut préparer l'enfant à l'existence de façon efficace doit prendre en compte son développement émotionnel tout autant que ses connaissances. Les programmes d'étude doivent laisser place à une compréhension de la réalité du type *continuum* tout autant qu'à une vision causale de la réalité. L'école devrait reconnaître que la spontanéité et le plaisir sont tout aussi importants que la productivité et les réalisations.

## *Les émotions conceptuelles*

La causalité est responsable d'émotions telles que la honte et la culpabilité, que l'on retrouve au cœur de toute perturbation émotionnelle. La culpabilité implique de savoir que l'on agit mal, et d'avoir conscience de l'impact de ses actes sur autrui. Il s'y joint une connotation de blâme, qui repose sur l'hypothèse selon laquelle on peut choisir entre le bien et le mal. Cette hypothèse, connue sous le nom de libre arbitre, vient de ce que l'on croit que le Moi a le pouvoir de diriger le comportement. Je n'ai pas l'intention de débattre de l'existence du libre arbitre. Il est important de se défaire de la culpabilité au cours du traitement des maladies émotionnelles ; l'on ne peut y arriver qu'en amenant le patient à comprendre qu'il s'est comporté de la seule façon qui lui était possible dans les circonstances où il se trouvait. La faiblesse de son Moi et la présence de forces démoniaques qui échappent à son contrôle expliquent ses activités destructrices. Lorsque le patient a reconquis son corps et réussi à percevoir sa propre identité, son Moi est capable d'exercer un contrôle efficace sur ses actes.

Mais un Moi sain n'agit pas selon les principes abstraits du bien et du mal. Il est guidé au niveau interne par les perceptions du corps et, au niveau externe, par la situation environnante. Il essaie de réconcilier ces deux réalités, mais comme un Moi sain n'a pas la prétention d'être omniscient, il accepte la possibilité du conflit et de l'échec.

La culpabilité détruit l'intégrité des relations et déforme le comportement individuel. Une relation normale se maintient grâce au plaisir et à la satisfaction qu'elle procure. Lorsque la culpabilité apparaît dans une relation, le plaisir et la satisfaction en disparaissent. Lorsqu'on agit par culpabilité, on en veut à la personne envers laquelle on se sent coupable, et cette personne vous en veut. Ces ressentiments, qui sont souvent refoulés, distillent lentement de la haine, jusqu'à ce que la relation se soit complètement détériorée.

On constate couramment les effets dévastateurs de la culpabilité dans les relations entre parents et enfants, ou entre mari et femme. Quand la culpabilité conduit un parent à se comporter de telle ou telle façon envers l'enfant, il en veut à l'enfant ; celui-ci à son tour lui en veut, et se sent coupable de cet état de fait. Il se développe un antagonisme qui augmente la culpabilité des deux côtés. Les cabinets des psychiatres sont remplis de patients qui détestent leurs parents et se sentent liés à eux par la culpabilité. De la même façon, la culpabilité entre mari et femme mène à des hostilités mal dissimulées.

Les parents veulent aimer leurs enfants, mais un parent qui se sent coupable séduit l'enfant au lieu de l'aimer. La séduction vise à obtenir l'intimité, mais elle mène à l'aliénation. Elle est motivée par l'amour, mais déformée par la culpabilité. Éliminez la culpabilité, et ce qu'il y a d'amour apparaîtra honnêtement et ouvertement, non contaminé par des sentiments négatifs. Lorsque des impressions négatives surgissent, il faut aussi les exprimer honnêtement et directement. On peut affronter ces sentiments négatifs, parce qu'ils sont ouverts et exposés franchement.

La culpabilité est une émotion conceptuelle, parce qu'elle se développe lorsqu'on soumet ce qu'on ressent à un jugement moral. Si ce jugement est négatif, la culpabilité s'associe à cette impression. S'il est positif, c'est la vertu qui s'y associe. Les jugements moraux naissent de l'incorporation du savoir par le Moi. On apprend à l'enfant comment il doit se conduire. On lui fait prendre conscience de l'impact de ses actes sur autrui.

Par exemple, on lui apprend que ses parents auront de la peine s'il ne les aime pas, et qu'ils seront blessés s'il ne les respecte pas. Mais on ne peut pas apprendre à un enfant comment éprouver un sentiment.

Il aimera ses parents si leur attitude à son égard lui inspire ce sentiment ; il les respectera si leur comportement provoque son admiration. Critiquer ses sentiments ne peut que le culpabiliser. Cet enseignement amène l'enfant à prendre conscience qu'il joue un rôle sur la scène de l'existence et qu'il constitue une force du bien ou du mal selon la façon dont il remplit ce rôle. On le pousse à se sentir responsable de ce qu'il ressent. La vie sociale serait impossible sans le sens de la responsabilité.

Le problème est donc : comment peut-on à la fois garder le sens de la responsabilité et éviter de se sentir coupable ?

Je réponds à cela : on est responsable de ses actes et non de ses sentiments. Ce que l'on ressent est une réaction biologique, physique, au-delà des ordres du Moi. Le rôle du Moi consiste à percevoir ce qui est ressenti, et non à le juger ni à le contrôler. En revanche, l'action reste sous le contrôle du Moi. Une personne équilibrée qui ressent de la colère ou une excitation sexuelle est capable de contenir ses émotions jusqu'à ce que surgisse une occasion appropriée de les exprimer. Ceci constitue un comportement responsable. Le Moi équilibré possède un pouvoir au niveau de sa relation avec le corps. Si l'expression orale ou gestuelle d'une émotion risque d'être nocive, le Moi peut contenir cette expression, grâce au contrôle qu'il exerce sur la musculature volontaire, sans nier ou refouler l'émotion en même temps. Il évite donc les actes nocifs, sans créer de conflit intérieur.

Mais lorsqu'on juge qu'une émotion est « mauvaise », on la refoule et on se blâme de l'avoir éprouvée. L'action qui en résulte ne correspond pas à l'émotion originelle, mais reflète la culpabilité et le blâme que l'on se porte à soi-même. La suppression et l'éventuel refoulement d'une émotion entraînent une diminution de la perception de soi qui affaiblit le Moi et amenuise la capacité de se comporter de façon responsable.

On peut appeler la tristesse, la colère et la peur (en opposition à la honte et la culpabilité) des *émotions de perception*, lorsqu'elles sont perçues directement par le Moi et ne sont pas entachées de jugements de valeur. Lorsque le Moi évalue comme bonne ou mauvaise une émotion perçue de façon directe, elle perd sa valeur biologique pour acquérir une valeur morale ou conceptuelle. Ceci entraîne une situation confuse, où l'acceptation de soi devient difficile, sinon impossible.

Mes patients me demandent fréquemment si leurs impressions de tristesse ou de colère sont bonnes ou mauvaises. Comment pourrais-je en juger ? Les impressions n'obéissent pas aux lois rationnelles de cause à effet. C'est pour cela qu'elles ne rentrent généralement pas dans les études scientifiques. Elles font partie du domaine de la communalité et non de celui de la causalité. Les émotions sont influencées par d'autres émotions, sans nécessité d'action. Quelqu'un d'heureux remonte le moral à ceux qui l'entourent, sans faire quoi que ce soit en ce sens. Quelqu'un de mélancolique est déprimant même lorsqu'il ne dit rien. L'émotion est un processus infectieux : elle se répand dans le *continuum* et affecte tous ceux qui sont à sa portée.

Si l'on applique le mode de pensée causal aux relations qui fonctionnent dans le cadre de la communalité, on se trouve en présence de la confusion et de la culpabilité. Dans les relations de communalité entre parents et enfant, l'enfant est baucoup plus affecté par les émotions de ses parents qu'il ne l'est par leurs actes. Le manque de bonheur de sa mère l'attriste, ses anxiétés le troublent, sa joie le détend et ceci n'est pas en relation avec les actes de sa mère. Les parents qui ne comprennent pas ce principe sont perturbés par les réactions de leurs enfants. Ils se plaignent souvent : « Je ne peux pas comprendre les réactions de mon enfant. Je ne lui ai rien fait. » L'enfant réagit au corps de sa mère au moyen de son propre corps ; il ne réagit pas avec son esprit aux paroles et aux gestes de sa mère.

Si le parent ne pense qu'en termes de causalité, il ne peut pas accepter ses sentiments négatifs. Comme il assume la responsabilité de ce qu'il ressent, il va essayer de nier ou de refouler ses sentiments négatifs. Il reste donc inconscient de ses propres sentiments, et il punit l'enfant à cause de son comportement hostile, sans percevoir le rôle qu'ont joué ses sentiments personnels refoulés dans le développement de ce comportement. L'idée de punir les enfants est étrangère au primitif. Dans sa réalité, on accepte ce que l'on ressent et on l'exprime spontanément. On peut frapper un enfant par colère, mais non pour le punir. Si nous autres, hommes modernes, pouvions apprendre à accepter ce que nous ressentons sans porter de jugement moral, notre fardeau serait moins lourd.

On devrait établir une distinction entre le concept de culpabilité et l'impression de culpabilité. Dans les cours de justice, on juge de l'innocence ou de la culpabilité d'une personne sur ses actes. Elle peut être coupable parce qu'elle a enfreint une loi, ce pour quoi on la punira, mais elle n'est pas coupable des sentiments qui n'ont pas entraîné d'actions.

Dans la vie quotidienne, on attache encore plus de culpabilité aux sentiments qu'aux gestes, et c'est ce qui cause *la maladie émotionnelle.* Je suis constamment confronté à des patients qui peinent sous une énorme culpabilité, mais qui ne peuvent pas dire pourquoi ils se sentent coupables. Au cours de l'analyse profonde de ces cas, je n'ai jamais pu découvrir une seule action susceptible d'expliquer cette culpabilité. J'ai invariablement découvert que ces patients avaient jugé que leurs sentiments d'hostilité et leurs impressions sexuelles étaient moralement condamnables, et qu'ils les avaient donc refoulés. Lorsqu'on libère ces sentiments et ces émotions, la culpabilité disparaît.

Il n'existe ni culpabilité ni honte au niveau du corps. Mais seul l'animal et le nourrisson vivent pleinement dans leur corps. Les concepts de culpabilité et de honte apparaissent chez les enfants et les primitifs à cause du développement du Moi et de l'acquisition du savoir. Mais la culpabilité ressentie par le primitif ou par l'enfant normal est liée à l'exécution d'un acte, à la violation d'un tabou, ou à une infraction à un ordre. Le primitif et l'enfant s'identifient tous deux suffisamment à leur corps pour accepter leurs sentiments comme naturels. Les sentiments de honte et de culpabilité naissent chez l'homme moderne lorsque cette identification se brise.

La honte est une émotion conceptuelle parce qu'elle apparaît lorsqu'on évalue les fonctions corporelles d'après des valeurs sociales plutôt que d'après des valeurs biologiques. Les activités mentales sont mieux prisées dans l'échelle sociale que les activités physiques. Il est acceptable socialement de manger, alors que l'on défèque en privé. Dans notre culture, on peut montrer son visage avec fierté, mais il est honteux de montrer ses fesses. On peut toucher son nez en public, mais pas ses organes génitaux. Ces distinctions ont une explication rationnelle. Nous admirons celles des activités physiques qui manifestent le pouvoir de l'esprit ou du Moi. Les fonctions physiques qui ne sont pas soumises au contrôle du Moi ne peuvent donc pas permettre de faire parade du Moi, et sont réservées au foyer ou aux toilettes. On peut dire que, de façon générale, les fonctions situées en haut du corps ont une valeur sociale supérieure à celles situées en bas du corps. Les fonctions les plus proches de la tête sont plus syntones au Moi que celles qui en sont plus éloignées.

La honte s'attache à celles des fonctions physiques qui s'accomplissent au niveau animal. On voit clairement l'effort de l'homme pour s'élever au-dessus du niveau animal dans la fonction de nourriture. Si quelqu'un mange avec avidité, on dit qu'il mange comme un cochon. Mais s'il accumule de l'argent de la même façon, il obtiendra du prestige. Nous ne devons pas engloutir notre nourriture comme le font les animaux, ni la déchirer avec les mains. Nous mangeons avec réserve pour prouver que nous sommes capables de refréner nos passions et que nous sommes donc supérieurs aux animaux. Mais si ce désir de s'élever au-dessus du niveau animal nous pousse à avoir honte de nos appétits physiques, nous y sacrifions le plaisir physique.

Il est évident que l'on doit apprendre à un enfant comment se comporter en public, à se tenir bien à table, comment s'adresser à autrui et comment il convient de s'habiller. Cet apprentissage est nécessaire à la vie sociale. Elle serait impossible sans les concepts de culpabilité et de honte. Mais lorsque la honte et la culpabilité en arrivent à concerner les sentiments tout autant que les actes, elles minent les fondations d'une existence heureuse.

Le schizoïde a honte de son corps. Cette impression de honte peut être consciente, s'exprimer par des remarques telles que : « Je n'aime pas mon corps », ou : « Mon corps est hideux », ou bien elle peut rester inconsciente. Lorsque la honte du corps reste inconsciente, on constate souvent un comportement exhibitionniste. On s'expose soi-même pour nier l'impression de honte. Cependant, l'identification du Moi au corps est affaiblie dans les deux cas. Les sentiments de honte et de culpabilité sont des symptômes de cette perte d'identification. Pour restaurer l'unité de la personnalité, il faut surmonter cette impression de honte de son propre corps.

D'autres émotions conceptuelles, telles que l'affectation et la vanité, déforment la personnalité. L'affectation et la vanité reflètent la conscience qu'a le Moi de l'impression produite sur autrui par l'apparence physique. Une personne affectée se préoccupe de son apparence ; une personne vaniteuse est obsédée par son apparence. Cette importance exagérée portée à l'apparence physique constitue pour le Moi un moyen de nier l'importance de ce qui est ressenti.

## *Savoir et compréhension*

La domination du Moi et de ses images dans notre société se constate à l'abondance de paroles qui entourent l'homme moderne. Les désespérés se servent de mots pour établir leur identité, pour remplir les vides qui séparent leurs domaines d'expérience et pour franchir les différences qui séparent les individus. Dans leur recherche désespérée d'une signification, ils se tournent vers les mots, alors que leur besoin réel est un besoin d'émotion. Mais les mots n'émeuvent que lorsqu'ils sont imprégnés d'émotion.

Les mots deviennent trompeurs lorsqu'ils sont séparés de l'émotivité et remplacent des actes. Les parents parlent de leur amour pour leurs enfants, mais ces phrases ne sont pas équivalentes à un geste d'amour. L'amour s'exprime par des actes tels qu'une caresse, un baiser, ou quelque autre forme de contact physique de nature affectueuse. La déclaration : « Je t'aime », dénote un désir d'intimité et implique une promesse d'intimité physique. Théoriquement, cette phrase exprime une émotion qui sera transformée ultérieurement en action. Mais, en pratique, cette phrase sert souvent à remplacer l'action. L'une de mes patientes raconta la déception que lui procurèrent *les mots* : « Des mots, des mots, des mots. Ils vous gavent de mots, mais vous ne ressentez rien. Mon père m'appelait sa " Suzon aux yeux noirs ", mais je ne pouvais jamais me tourner vers lui si j'en avais besoin. »

Au cours du chapitre 2, nous avons souligné que le schizoïde substitue des pseudo-contacts aux contacts émotifs réels avec autrui. Les paroles constituent l'une de ces formes de substitution, lorsqu'elles remplacent les sentiments et les actes.

Le thérapeute a une situation privilégiée pour ce qui est d'évaluer l'aspect déloyal du langage. Heure après heure, il soigne des êtres humains qui ont été blessés et envoûtés par des paroles. Il constate, en particulier chez ses patients schizoïdes, le vide presque infranchissable qu'il y a entre les mots et ce que l'on ressent. Il constate le désespoir avec lequel les patients essaient de combler ce vide, par encore plus de mots. Il voit là le reflet de leur soumission infantile à des parents ambivalents dont les mots démentaient les émotions — parents dont les phrases enjôleuses et séductrices masquaient l'hostilité, dont les phrases qui sonnaient bien masquaient le rejet, dont les phrases accusatrices étaient proférées au nom de l'amour.

L'identification avec le corps permet d'éviter la fourberie de la parole. Elle permet au Moi de s'enraciner à la réalité. La déloyauté du langage tient à sa capacité d'envoûter l'imprudent. Qui sont les imprudents ? Être imprudent, c'est ne pas être conscient et ne pas être conscient, c'est ne pas être en contact avec son corps. Certains domaines de sensibilité n'existent pas chez l'imprudent — situation qui le prédispose à l'anxiété, obscurcit son jugement et le laisse vulnérable à la déloyauté du langage.

La flatterie est un exemple simple de l'utilisation de la parole pour tromper. On est vulnérable à la flatterie lorsqu'on manque de contact avec son corps et que l'on est envahi par l'image de son Moi. Comme le Moi n'est plus étayé par les perceptions physiques, il a besoin d'être rassuré et aidé de l'extérieur. A cet égard, il ressemble à l'enfant démuni qui recherche désespérément l'approbation de sa mère. Le flatteur est un séducteur intelligent qui perçoit ce désespoir chez sa victime. Lorsqu'on est en contact avec son corps, on est moins vulnérable à cette séduction et plus capable de discerner la fausseté des manières du flatteur.

La crédulité des gens reflète leur négation de leur corps. Une personne crédule ne veut pas affronter la réalité de son existence. Elle ignore la réalité de son propre corps et ne peut donc pas prendre le démagogue pour ce qu'il est réellement. Elle ne remarque pas les grimaces, les gestes coléreux, les résonances creuses, les yeux froids et le corps déformé de celui qui parle. Elle ferme les yeux sur ces signes physiques, indications de la personnalité, et son Moi, dissocié de son corps, est vulnérable à l'envoûtement par les mots.

Le savoir peut être trompeur lorsqu'il n'est pas associé à la compréhension. Tout comme le Moi, dont il fait partie, il doit s'enraciner dans le corps pour aider l'individu à mener une existence plus riche. Le savoir enraciné dans la sensibilité physique devient de la compréhension. Par exemple, savoir que l'on a éprouvé un attachement incestueux pour sa mère constitue une information ; la compréhension consiste à sentir comment cela persiste dans la peur d'être agressé, l'incapacité à se débrouiller tout seul et les tensions pelviennes qui diminuent la sensibilité sexuelle.

Si le Moi n'est pas solidement enraciné dans la réalité du corps et des perceptions physiques, il reste tremblant et peu assuré, malgré le savoir. Le Moi enraciné dans le corps permet d'obtenir une compréhension en profondeur de soi-même. Cette compréhension est d'autant plus profonde que les racines le sont.

La prévention contre le corps vient de ce qu'on l'identifie à la nature animale de l'homme. La civilisation constitue un effort progressif pour élever l'homme au-dessus du niveau animal. Cet effort a permis à l'homme de développer son Moi incomparable ; il a libéré le rayonnement de son esprit, élargi et accru sa conscience. Le corps de l'homme s'est affiné, sa sensibilité s'est aiguisée, sa souplesse a augmenté. Mais, par ce même processus, on a dénigré le corps en tant que représentant de l'animal. Or le domaine animal comprend les passions et les désirs, les joies et les peines, sur lesquels repose la motilité saine et spontanée de l'organisme. A sa naissance, le bébé est un animal. Si au cours du processus par lequel il se civilise et acquiert un savoir, il rejette la part animale de son être, il se transforme en être désespéré, en personnalité schizoïde. Le Moi et le corps constituent une unité. Nous ne pouvons pas rejeter l'un des deux au profit de l'autre. Nous ne pouvons pas être humains sans être également animaux.

En vertu de sa naissance, l'homme est primordialement un animal. En vertu de sa dépendance des fonctions animales de l'organisme, il est fondamentalement un animal. Mais il lui est extrêmement difficile de garder présent à l'esprit, dans ses relations habituelles, le fait qu'il est primordialement et fondamentalement un animal. Ceci est compréhensible dans une culture dominée par les valeurs du Moi, et organisée sur la base des relations de cause à effet. Mais si l'homme perd la compréhension de sa nature animale, il se transforme en automate. S'il refuse sa nature animale, il se transforme en démon.

Les racines de l'homme s'enfoncent profondément dans le royaume animal. Pour comprendre cela, il faut relier son présent et son passé, son Moi et son corps, son corps et sa nature animale. L'homme ne fonctionne pas uniquement sur la base de la causalité. Sa personnalité fait également place à la communalité primitive et à l'unité animale. On ne peut nier ces réalités sans mettre en péril sa santé mentale. Si le Moi est déraciné du corps, l'on devient schizoïde. On se sent honteux de son corps et coupable de ses émotions. On perd la perception de son identité.

Certains signes permettent de penser qu'une nouvelle évaluation du corps en tant que fondation de la personnalité prend naissance. On prend davantage conscience du rôle des tensions musculaires chroniques dans les maladies émotionnelles. Une compréhension plus profonde de la nature animale a conduit à un respect nouveau pour l'animal. On redécouvre l'importance du corps, après que le Moi l'ait si longtemps détrôné et exilé. Mais la prévention contre le corps, considéré comme symbole de l'animal, se rencontre encore, à tous les niveaux de la société.

# Références

## Chapitre premier

1. MAY Rollo, *Existence : A New Dimension in Psychiatry and Psychology*. New York, Basic Books, 1958, p. 56.
2. LILLY J. C., *Mental Effect of Reduction of Ordinary Levels of Physical Stimuli on Intact, Healthy Persons : A Symposium, Psychiat.* Assoc. Psychiat. Resarch Report, n° 5, juin 1956.
3. FRIEDAN B., *The Feminine Mystique*. New York, Norton, 1963, p. 181.

## Chapitre II

4. MOYES A. P., *Modern Clinical Psychiatry*. 3e éd. Philadelphia, W. B. Saunders, 1948, pp. 207-271.
5. KRETSCHMER E., *Physique and Character*. New York, Humanities Press, 1951, p. 169.
6. ENGLISH H. B., ENGLISH, A. C., *A Comprehensive Dictionary of Psychological and Psychoanalytical Terms*. New York, Longmans, Green, 1958.
7. POLATIN P., HOCK P., « Diagnostic Evaluation of Early Schizophrenia » in *J. of Nervous and Mental Disease*, mars 1947, vol. CV, 3, pp. 221-230.
8. NANNARELLO J.-P., « Shizoid » in *J. of Nervous and Mental Disease*, juillet-décembre 1953, vol. CXVIII, 3, pp. 237-247.
9. WEINER H., « Diagnosis and Symptomatology » in *Schizophrenia*. L. Bellak, éd., New York, Logos Press, 1958, p. 120.
10. FENICHEL O., *The Psychoanalytic Theory of Neurosis*. New York, Norton, 1945, p. 445.

11. WEINER H., *op. cit.*, pp. 119-120.
12. RADO S., « Shizotypal Organization » in *Changing Concepts in Psychoanalytical Medicine*. S. Rado and G. E. Daniels, éd., New York, Grune & Stratton, 1956, p. 226.
13. RADO S., *Psychoanalysis of Behavior*, New York, Grune & Stratton, 1956, pp. 270 à 284.
14. SHELDON W. H., *The Varieties of Human Physique*. New York, Harper, 1950, pp. 239-240.
15. ARIETI S., *Interpretation of Schizophrenia*. New York, Robert Brunner, 1955, p. 43.
16. *Ibid.*, p. 405.

## Chapitre III

17. BELLAK L., *Schizophrenia : A Review of the Syndrome*. New York, Logos Press, 1950, p. 24.
18. FEDERN P., *Ego Psychology and the Psychoses*. New York, Basic Books, 1952, p. 175.

## Chapitre IV

19. REICH W., *Character Analysis*. 3 éd., New York, Orgone Institute Press, 1949, p. 481.
20. ARIETI S., *Interpretation of Schizophrenia*, New York, Robert Bruuner, 1955, p. 406.
21. ORTEGA Y GASSET, « Point of View in the Arts », in *The Dehumanization of Art and Other Writings on Art and Culture*. Garden City, Doubleday, 1956, p. 103.
22. CLECKLEY H., *The Mask of Sanity*. Saint-Louis, C.V. Mosby, 1955, pp. 423-425.
23. KRETSCHMER E., *Physique and Character*. New York, Humanities Press, 1951, pp. 150-151.
24. BLEULER E., *Dementia Praecox, or the Group of Schizophrenias*. New York, Int. Univ. Press, 1950, p. 42.
25. WELLS and GRACE, *How to Unsnarl Our Snarling Mechanism*, monographie non publiée, © octobre 1955.
26. *Op. cit.*, p. 191.
27. *Op. cit.*, p. 157.

28. *Ibid.*, p. 65.
29. *Ibid.*, p. 65.

## Chapitre V

30. FISHER S., CLEVELAND S. E., *Body Image and Personality*. Princeton, New Jersey, Van Nostrand, 1958, p. 238.
31. BLEULER E., *Dementia Praecox, or the Group of Schizophrenias*. New York, Int. Univ. Press, 1950, p. 101.
32. PANKOW G., « Dynamic Structurization in Schizophrenia », in *Psychotherapy of the Psychoses*. A. Burton, éd., New York, Basic Books, 1961, p. 168.

## Chapitre VI

33. REICH W., *Character Analysis*. 3e éd. New York, Orgone Institute Press, 1949, pp. 218 à 245.

## Chapitre VII

34. SILVERBERG W. V., « The Schizoid Maneuver » in *Journal of the Biology and Pathology of Interpersonal Relations*, novembre 1947, vol. X, n° 4, p. 383.

## Chapitre VIII

35. REICH W., *Character Analysis*. 3e éd., New York, Orgone Institute Press, 1949, p. 472.
36. RADO S., « Schizotypal Organization », in *Changing Concepts of Psychoanalytical Medicine*. Rado, S. and Daniels, G. E., éd. New York, Grune & Stratton, 1956, p. 226.

## Chapitre IX

37. FEDERN P., *Ego Psychology and the Psychoses*. New York, Basic Books, 1952, p. 177.

38. CHRISTIANSEN B., *Thus Speaks the Body, monographie.* Institute for Social Research, Oslo, Norway, 1963, p. 47.
39. REICH W., *Character Analysis.* 3e éd., New York, Orgone Institute Press, 1949, p. 406.
40. MALMO Robert B., SHAGAS, Charles, SMITH, Arthur A., « Responsiveness in Chronic Schizophrenia » in *J. Person.*, juin 1951, p. 368.
41. HOSKINS R. G., *The Biology of Schizophrenia.* New York, Norton, 1946, pp. 132-133.
42. RIBBLE Margaret, *The Rights of Infants.* New York, Columbia Univ. Press, 1948, pp. 18 à 28.
43. SHATTOCK F. M., « The Somatic Manifestations of Schizophrenia » in *J. Ment.. Sci.*, janvier 1950, pp. 32 à 142.
44. ABRAMSON D. I., *Vascular Responses in the Extremities of Man in Health and Disease.* Chicago, Univ. of Chicago Press, 1944, pp. 28-29.
45. HOSKINS R. G., *op. cit.*, pp. 135-136.
46. GOTTLIEB J. S., FROHMAN C. E., BECKETT P.C.C., TOURNEY G., SENT R., « Production of the High Energy Bonds in Schizophrenia », *A.M.A. Arch. Gen. Psychiat.*, septembre 1959, I, pp. 243 à 249.
47. HOSKINS, *op. cit.*, p. 159.
48. FEDERN P., *op. cit.*, p. 46.
49. LOWEN A., *Physical Dynamics of Character Structure.* New York, Grune & Stratton, 1958, p. 106.

## Chapitre X

50. FREUD S., *Psychoanalytic Notes upon an Autobiographical Account of a Case of Paranoia.* Vol. III, London, Hogarth Press, 1953, p. 459.
51. SHALLOP George, *The Year of the Gorilla.* Chicago, Univ. of Chicago Press, 1964, pp. 195 à 196.
52. NEUMANN Erich, *The Origin and History of Consciousness.* New York, The Bollingen Foundation, Pantheon Books, 1954, pp. 105 à 109.

## Chapitre XI

53. LOWEN A., *Physical Dynamics of Character Structure.* New York, Grune & Stratton, 1958, p. 30.
54. REICH W., *Character Analysis,* 3e éd. New York, Orgone Institute Press, 1949, pp. 370 à 390.

55. CLAUSEN J. A., and KOHN M. L., « Social Relations and Schizophrenia : A Research Report and a Perspective » in *The Etiology of Schizophrenia.* Don D. Jackson éd., New York, Basic Books, 1960, p. 305.

56. HILL L. B., *Psychotherapeutic Intervention in Schizophrenia.* Chicago. Univ. of Chicago Press, 1955, p. 112.

57. *Ibid.,* p. 118.

58. *Id., ibid.*

59. BOATMAN M. J., SZUREK S. A., « A Clinical Study of Childhood Schizophrenia », in Jackson, D. D., éd., *op. cit.,* p. 413.

60. HILL, *op. cit.*, p. 116.

61. LOWEN, A., *op. cit.*, p. 344.

62. SONTAG L. W., « The Possible Relationship of Prenatal Environment to Schizophrenia », in Jackson, D. D., éd., *op. cit.*, p. 185.

63. MONTAGU M.F.A., *Prenatal Influences.* Springfield, III, Charles C. Thomas, 1962, p. 215.

64. HONIG A. A., « Anxiety in Schizophrenia », in *Psychoanalysis and The Psychoanalytic Rev.* 1960, p. 89.

65. LIDZ T., FLECK S., « Schizophrenia, Human Integration and the Role of the Family », in Jackson, D. D., éd., *op. cit.*, p. 332.

66. *Ibid.*, p. 341.

67. HILL, *op. cit.*, p. 121.

68. LIDZ, FLECK, *op. cit.,* p. 335.

## Chapitre XIII

69. PANKOW G., « Dynamic Structurization in Schizophrenia », in *Psychotherapy of the Psychoses.* A. Burton éd., New York, Basic Books, 1961, p. 159.

70. REICH W., *Character Analysis.* 3 éd., New York, Orgone Institute Press, 1949, p. 147.

71. SPITZ R. A., *No and Yes.* New York, Inst. Univ. Press, 1957, p. 119.

72. *Ibid.*, p. 129.

73. *Ibid.*, p. 104.

74. SELYE, HANS, *The Stress of Live.* New York, McGraw Hill, 1956, p. 9.

75. ROSEN J., *Direct Analysis.* New York, Grune & Stratton, 1953, p. 8.

76. HONIG A. A., « Anxiety in Schizophrenia », in *Psychoanalysis and The Psychoanalytic Rev.*, 1960, p. 32.

77. LOWEN A., *Love and Orgasm,* New York, Macmillan, 1965, p. 295.

## Chapitre XIV

78. Burrell R.J.W., « The Possible Bearing of Voodoo on Myocardial Infarction », *Medical World News*, 8 décembre 1961, p. 33.

79. Neill A. S., *Hearts, Not Heads in the School*. London, Herbert Jenkins, 1945.

*TABLE DES MATIÈRES*